CW00357521

This book is due for return

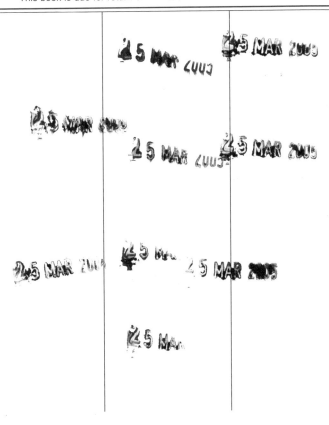

25 MAR 2003   25 MAR 2003

25 MAR 2003

25 MAR 2003   25 MAR 2005

25 MAR 2004   25 MAR   25 MAR 2005

25 MAR

MAS

MAS

Mair Evans

Argraffiad cyntaf—2000

ISBN 1 85902 877 2

Dymuna'r cyhoeddwyr gydnabod cymorth adrannau Cyngor Llyfrau Cymru.

Cyhoeddir y gyfrol hon gyda chymorth Cyngor Celfyddydau Cymru.

Argraffwyd yng Nghymru gan
Wasg Gomer, Llandysul, Ceredigion

Chwech o'r gloch y nos

Mae llygoden farw ar y llawr. Bu yno am oriau yn barod, ond nid yw Harriet wedi ei chodi eto. Pan ych chi'n byw ar eich pen eich hunan, does dim ots, nac oes. Does dim ots gan neb beth sy ar y llawr. Os nad oes ots gennych chi. Llusgodd y gath y truan i mewn yn ystod y prynhawn, a'i hela o gwmpas y fflat am oriau mewn mwynhad pur.

O leiaf cawsai *rhywun* hwyl heno.

Llythyr ar bwys y ffôn. Llythyr â llun wedi ei lynu wrtho gyda chlip papur enfawr, lliw melyn. Llun dyn ifanc cymen. Mae gyda fe lond pen o gyrls du, llygaid tywyll, dymunol – a gwên ryfedd. Mae Harriet yn codi ei haeliau ac yn agor ei gwefusau wrth wisgo ei mascara ac yn ceisio perswadio'i hun mai 'anghyffredin' yw'r gair gorau i ddisgrifio'r olwg ar ei wyneb. Mae gwahaniaeth rhwng gwên ryfedd ac un anghyffredin. Diddorol yw'r gair. Mae e'n ddyn diddorol. A deallus. Fferyllydd. Dyna'r hyn ysgrifennodd e yn ei lythyr, ei lythyr at flwch rhif 2937. Fferyllydd sydd wedi cael digon ar y math o ferched mae e'n cwrdd â nhw o gwmpas tafarndai a chlybiau Abertawe. Mae e'n edrych am rywbeth gwahanol. Yn edrych am ferch sy'n barod i fod yn ffyddlon, i barchu dyn. Yn barod i briodi.

Y minlliw nesaf. Yn dywyll ac yn drwchus.

Rhaid taw hwn yw'r un. Yr Un. Ond bu cymaint ohonyn nhw yn barod. Y gobaith olaf. Sawl gobaith olaf gall merch eu goddef? Sawl un? Ond y tro hwn bydd pethau'n wahanol.

Mae hi'n gwybod taw hwn yw'r Un.

Yr Un. Yr unig un. Oherwydd dim ond un dyn perffaith sy i bob merch. Dod o hyd iddo yw'r broblem.

Nid 'mod i eisiau swnio'n desperet. Dw i ddim yn unig, wedi'r cyfan. Mae ffrindiau gyda fi. Digon o ffrindiau. Ffrindiau da. Ffrindiau rhyfeddol. Ffrindiau y gallaf ddibynnu arnyn nhw.

Ond mae ffrindiau'n wahanol. Does dim ots faint o ffrindiau sy gan ferch, mae'r lle unig 'na tu mewn, y dyfnder tywyll, a dim ond serch all lenwi hwnnw. Na, nid rhyw. Mae hwnnw'n wahanol. Serch, cariad. Mae hwnnw'n llawer anoddach i'w ganfod.

Na, dyw ffrindiau ddim fel cariadon.

Mae ffrindiau yn maddau. Mae ffrindiau yn gwrando. Mae ffrindiau mor bwysig. A nos Wener mor bwysig. Maen nhw'n golygu cymaint i fi, Anna a Lois. Ac mae cael unrhyw fath o gariad yn ddigon weithiau. Cael cyffwrdd â rhywun, cael cyffwrdd â chnawd cynnes, meddal yn ddigon. Ond mae 'na rai pethau all ffrindiau ddim rhoi i fi. Mae cyffwrdd â dyn yn wahanol. I ferch fel fi. Mae angen dynion arna i. Ond ble mae'r dynion gwerth eu halen? Mae'r rhai golygus yn ddiawliaid a'r gweddill yn sypiau bach gwan i gyd. A dyw rhyw ddim gwerth sôn amdano. Dw i ddim yn cofio'r tro diwetha i fi gael orgasm dda, un werth chweil, pan dw i'n teimlo fel petawn i'n mynd i dorri yn hanner. Ddim ers blynyddoedd. Ddim tra bod rhywun arall yn y stafell, beth bynnag.

Ond *cymeriad* sy'n bwysig, Harriet. Cymeriad. Tria gofio hynny. Dyw rhyw ddim yn para, dyna'r broblem. Felly paid ag edrych am ryw yn unig. Un dydd ych chi'n crynu gormod i agor y botymau a'r sipiau, a'r diwrnod nesa beth sy ar ôl? Adnabod pob modfedd o gyrff eich gilydd, a dim byd mwy i'w ddysgu, dim byd arall i'w wybod. A'r crynu'n pallu. A dim byd newydd i'w wneud. Ond dyw cariad ddim yn pallu, wrth gwrs.

Medden nhw.

Dw i ddim yn siŵr a ydw i'n credu mewn cariad ai peidio. Pan o'n i'n fach 'wedodd Mam baswn i'n cwrdd â rhywun, rhywun arbennig, rhywun byddwn i'n ei garu'n fwy nag o'n i'n caru fy enaid fy hunan. Ac rwy'n cofio arlunio gyda phensiliau lliw, pensiliau oedd mewn rhes hir mewn bocs tun â llun teigr mewn jyngl ar y clawr, llun nad oedd gobaith i mi allu ei efelychu byth. Cofio tynnu lluniau o ffrogiau priodas. Lluniau ohona i mewn ffrogiau priodas. Y ffrog briodas y byddwn i'n ei gwisgo rhyw ddydd. Ro'n i'n gwybod bryd hynny lle y byddai'n dynn yn erbyn fy nghorff, a lle y byddai'n chwyddo allan mewn gorfoledd o ddeunydd disglair. Yn gwybod lle byddai'r perlau a'r les. Ond dylwn i fod wedi gwisgo'r ffrog erbyn hyn. Dyna oedd y cynllun, beth bynnag. Ond ro'n i i fod i gwympo mewn cariad erbyn hyn. Dyna'r cynllun hefyd. Roedd rhywun i fod i fy achub i cyn hyn. Ond dw i erioed wedi teimlo cariad o'r fath. O, rwy'n caru Mam a Dad, ac rwy'n caru Lois ac Anna, ond cariad gwahanol yw hwnnw.

Ond bore fory bydda i'n cwrdd â *fe*. Yr Un. Mewn caffi, yng ngolau dydd wrth gwrs. Rhaid bod yn ofalus mewn dinas. Bore fory. Falle. Falle taw fe fydd yr un.

Ond fory fydd hynny. A dydd Gwener yw hi nawr. Prynhawn Gwener. Ac mae bron yn nos Wener. Heno gallaf ddweud wrth Anna a Lois. Amdano fe. Falle bydd un ohonyn nhw'n dod gyda fi fory. Gawn ni siarad heno, trafod pob posibiliad. Heno. Nos Wener o'r diwedd.

Nos Wener, ar noson o Awst. A dinas y nos yn dechrau dihuno i fyd mor wahanol i brysurdeb dydd y swyddfeydd, y siopau, y tarmac meddal a chŵd y ceir a'r lorïau. Yn y Marina agorodd Lois ddrws y siop Gymreig y bore hwnnw wrth i'r tes godi, a gadael y llwch, y gwres chwyslyd a'r twristiaid i mewn. Ond does neb ar gyfyl y siop nawr. Ac awel ysgafn, oer o'r môr yn dwyn rhyddhad. O'r diwedd. A hithau'n sefyll wrth y drws agored, yn rhy flinedig i'w meddwl allu crwydro a breuddwydio, ac yn edrych ar ei wats eto. Ond nid yw'r bysedd wedi symud ers iddi edrych y tro diwethaf.

Dyw prynhawniau Gwener byth yn hawdd. A Lois wedi dysgu peidio â galw neb ar brynhawn Gwener. Does dim pwynt. 'Na beth mae Anna wastod yn ei ddweud. Fel'na mae pethau'n gweithio mewn swyddfa, meddai hi. Bydd rhywun yn cymryd y neges, wedyn bydd hi'n cael ei throsglwyddo i rywun arall, a bydd *e'n* rhy flinedig i foddran am yr holl beth, ac yn sgriblan rhywbeth ar un o'r darnau o bapur bach stici 'na, 'wpo fe ar ddesg rhywun, a byddan nhw hefyd yn rhy flinedig i wneud dim byd amdano fe, a dweud wrthyn nhw eu hunain y bydd e'n gallu aros tan fore dydd Llun. Wel, dyna'r hyn mae Anna wastod yn ei ddweud, beth bynnag. Ac rwy'n siŵr ei bod hi'n iawn. Ar brynhawn dydd Gwener mae pawb yn meddwl am y penwythnos, on'd ŷn nhw? Neu am nos Wener. Os 'yn nhw'n ddynol maen nhw'n meddwl am nos Wener. Am ddianc. Felly gwell aros tan fore Llun.

Dyw prynhawn dydd Gwener byth yn mynd yn gyflym. Oni bai bod 'na anghydfod. Ond pa fath o anghydfod ŷn ni'n debygol o'i gael fan hyn? Oni bai y cawn ni *panic buy* o ddoliau Cymreig, neu bod eisiau *emergency rations* o gaws Caerffili ar rywun – caws Caerffili gyda garlleg drwyddo, wrth gwrs.

Beth petaen ni'n rhedeg mas o rywbeth? Arswyd y byd, byddai panig wedyn. Rhedeg mas o siocled mewn siâp llwyau caru? Byddai'r holl ddinas yn dioddef. Ond nid fy ngwaith i yw archebu beth bynnag. Cyfrifoldeb

8

Morgan yw hynny. Nid y fi sy biau'r lle wedi'r cyfan. Nid y fi sy'n gyfrifol am y lle 'ma. Diolch byth. Oni bai bod anghydfod, hynny yw. Ond sai'n cofio anghydfod erioed. O, plîs, allwn ni gael anghydfod am unwaith? Dim ond unwaith?

Mae hi'n ysu am godi'r ffôn. Dydy Morgan byth yn gwrthod iddi wneud galwadau personol o'r siop. Mae e'n tynnu'r gost o'i chyflog yn ofalus bob wythnos. Ond bydd yn werth y gost heno. Ni allai Lois gofio pwy oedd i fod i ffonio pwy. Ond mewn gwirionedd ni wnâi lawer o wahaniaeth, bydd y neges yn ei chyrraedd hi yn y diwedd. A rhaid i'r neges ei chyrraedd hi heno. Bydd heno'n wahanol. Yn wahanol i bob un o'r nosweithiau Gwener eraill.

Bydd heno'n wahanol achos rwy i wedi newid.

Wrth iddi eistedd yno, yn gwylio pob un o'r unedau eraill yn cloi eu drysau diogelwch metel, a gwybod y bydd rhaid iddi aros tan hanner awr wedi chwech pan nad oes neb o gwmpas i brynu dim achos bod pawb naill ai'n dal i fod ar y traeth ar ôl diwrnod crasboeth, neu'n paratoi i fynd mas.

Dyna'r hyn dylwn i fod yn ei wneud nawr. Paratoi i fynd mas. Syniad twp, aros ar agor mor hir â hyn. Does dim un o'r unedau eraill ar agor. A phan bydd hi'n dechrau tywyllu, nes ymlaen yn y flwyddyn, ar ddiwedd yr haf ac yn y gaeaf, rwy'n teimlo'n ansicr iawn ar 'y mhen 'n hunan fan hyn. Ond arhosa i ychydig yn hirach cyn codi'r ffôn.

Bydd rhaid iddi aros, bydd Morgan yn dod yn y man i rifo a chasglu arian y til. Mae hi'n codi'r hances lliain main gwyn o'r bwndel y dylai fod wedi'u gorffen dyddiau'n ôl, a cheisio gwnïo'r les o gwmpas yr ochrau. Ond mae ei bysedd yn ffwndro ar y pwythau bach, bach.

Hancesi les. Pam wy'n gwastraffu'n amser ar

rywbeth mor naff? A bydd Morgan siŵr o fod yn mynnu 'mod i'n brodio hen fenyw fach Cydweli ar bob un cyn iddo fe hyd yn oed feddwl am eu gwerthu!

Mae hi'n taflu'r gwaith i lawr mewn tymer, yn falch o gael gwared â'r hen beth diflas. Ond dychwelyd ato mae ei llygaid gwyrdd, unwaith, ac yna eto, nes iddi ildio a chodi'r brodwaith eto a gwneud yn siŵr fod y nodwydd yn ddiogel, a phlygu'r defnydd yn ofalus a dodi'r holl beth yn ôl yn y blwch. A chrwydro i gefn yr uned a syllu ar y stondin bwydydd, heb ddim byd arall i'w wneud, a sylweddoli ei bod hi'n rhifo'r poteli o finegr balsamig gyda pherlysiau Cymreig ynddynt. A'r cyfan ar y silff mewn rhesi cymesur fel samplau meddygol mewn poteli, darnau o gyrff wedi eu cadw rhag pydru.

Ac o'r diwedd mae'r ffôn yn canu.

'Wel, wyt ti mas heno?'

Anna sy'n siarad, yn sydyn fel'na, heb hyd yn oed oedi i glywed pwy sy wedi ateb y ffôn. Dyw hi byth yn gwybod, nac yw? Beth petai Morgan wedi bod 'ma ac wedi codi'r ffôn? Ond does dim pwynt dweud unrhyw beth fel 'na wrth Anna. Byddai hi jest yn dweud rhywbeth gwaeth y tro nesa. O leiaf wnaeth hi ddim rhegi. Ac mae clywed ei llais yn gymaint o ryddhad.

Ateb Lois yn glir ac yn blaen, 'Wrth gwrs 'mod i mas!' A'i chwestiwn anochel yn dod yn syth. 'Ydy Harriet mas?'

'Dw i ddim wedi'i ffonio eto. Roedd hi'n *depressed* iawn yr wythnos diwethaf, falle ddaw hi ddim heno,' a llais Anna yn codi ac yn disgyn fel tonnau poeth diwedd haf.

'O, perswadia hi, wnei di? Gwnaiff les iddi.'

'Gwna i 'ngorau.'

'Gwna'n well na dy orau, Anna, rwy eisiau siarad 'da Harriet heno.'

'Sai'n gwbod beth wyt ti'n dishgwl i fi ei wneud, dyw hi ddim yn gwrando arna i.'

'Ffonia i'n hunan, 'te. Gwela i ti heno. Hwyl.'

Stwffia'r gost.

Ond mae Lois yn oedi cyn deialu.

A meddwl am heno. Bydd heno'n wahanol. Falle na fydd neb arall yn sylweddoli, ond y tu mewn mae hi'n teimlo'n wahanol. Mae rhywbeth wedi newid.

Mae rhif Harriet ar ei chof.

Ac yn fflat Harriet mae'r ffôn yn canu, a hithau'n neidio arno wrth iddo ganu, pâr o glustdlysau yn un llaw a gwydraid o win yn y llall.

'Beth am y Mwmbwls? So ni 'di cael noson mas yn y Mwmbwls ers sbel.'

Ond mae Harriet yn swnio'n amheus. 'Ond bydd rhaid i ni gael tacsi.'

'Mae tair ohonon ni, on'd oes? Fydd hi ddim yn brid rhwng tair.'

'Ond beth am Anna?'

'Beth *am* Anna?'

'Ti'n cofio, on'd wyt ti? Lois,' a llais Harriet yn cymryd dwy sillaf i ynganu'r enw, 'Lo-ois, siaradon ni am hyn.'

'Ti'n siarad nonsens.'

'Na, dw i ddim. Chris. Ti'n cofio? O'n ni'n mynd i wneud yn siŵr fod Anna 'na heno. Yn y dre? Heno?'

'Sut wyt ti'n gwbod fydd e 'na, Hari?'

'O'n i'n meddwl fod ti wedi trefnu popeth gyda fe. O't ti'n mynd i wneud y paratoadau, 'wedest ti.'

''Wedes i ddim o'r fath beth. A pheth arall Hari, rwy wedi addo i Anna 'mod i ddim yn mynd i ymyrryd yn ei bywyd hi byth eto. Ti'n gwbod beth ddigwyddodd tro diwetha.'

'Ond mae Anna a Chris yn berffaith i'w gilydd. Ti'n gwbod 'ny. Mae'n rhaid i ni wneud rhywbeth.'

11

'Nag oes, Hari. Gad i bethau fod, wnei di? Down nhw'n ôl at ei gilydd os 'yn nhw moyn. Dylen ni gadw mas.'

'Ond bydd Chris yn y dre heno, ma' fe wastod yn y dre nos Wener. Os ŷn ni yn y Mwmbwls fydd dim gobaith wedyn . . .'

'Hari . . . jest dere i'n fflat i. Tua saith. Cwrddwn ni i gyd, a gweithiwn ni bopeth mas y pryd 'ny. Iawn?'

Ochneidia Harriet. Wrth edrych i lawr, mae ei llygaid yn digwydd taro ar y llygoden unwaith eto. Ac yn sylweddoli am y tro cyntaf cyhyd y bu'r creadur yn gorwedd ar lawr ei lolfa.

Ond nos Wener yw hi. Gall hi aros yno tipyn yn rhagor. Fydd dim ots gan neb. Fydd neb yno i'w gweld. Gall aros tan y bore. A falle byddai Mulder, y gath seico 'na, wedi ei bwyta erbyn 'ny a bydd dim eisiau ei phigo lan wedi'r cyfan.

Nid yw Harriet wedi dodi'r ffôn i lawr eto ac mae Lois yn clywed yr ochenaid hir.

'Paid â phoeni, Hari. Do, 'wedais i rywbeth wrth Chris, fel addewais i. 'Wedais i wrtho fe falle bydd Anna yn y Mwmbwls heno, reit? So paid â phoeni, falle bydd posibiliad, iawn?'

Ac mae gwên felys yn taenu dros wyneb pert Harriet.

Ond mae Lois yn dal i siarad.

'Ond rwy wedi cael digon o drio sorto problemau'n chwaer i. Mae digon o broblemau'n hunan gyda fi, reit? Ac mae'n rhaid i fi fynd – *nawr*. Rwy'n ffonio o'r siop a bydd hwn yn costio ffortiwn i fi.'

'Olreit, cwrdda i ti tua saith. Fydd Daniel 'na?'

'Na, bydd e yn y dre heno. Mas gyda'i ffrindiau fe. 'Na reswm arall rwy eisiau mynd i'r Mwmbwls heno. Fydd e ddim yn y ffordd, a dw i ddim eisiau iddo fe fod yn y ffordd heno.'

'Oes rhywbeth wedi digwydd? Dyw e ddim wedi d'adael di, ydy e?'

'Rwy wedi sorto popeth mas. Esbonia i wrthat ti heno. Os wyt ti'n dod, byddwn ni yn fy nhŷ i am saith.'

'Ni?'

'Yn enw'r tad, Harriet – Anna a fi.'

'Olreit, Lois, paid â gweiddi.'

Falle byddai'n well symud y llygoden wedi'r cyfan. Tra bod Mulder mas yn dal rhagor. Dyw e braidd byth yn bwyta'r hyn mae e'n ei ladd. Ac mae'r creaduriaid bach yn gorwedd yno am oriau. Yn ddim gwerth i neb.

Ond does dim ots gan Harriet. Nos Wener yw hi.

A bydd y merched gyda'i gilydd. Dim ond y merched.

Ond beth os nad fe yw'r Un wedi'r cyfan? Mae wastod yn werth gwisgo lan rhag ofn. Bob nos. Falle y tro hwn bydd pethau'n wahanol. Falle heno bydd yna rywun. Bydd *e* yno falle. Yr Un, yr un dw i ddim wedi cwrdd â fe eto. Falle 'mod i wedi gwneud camgymeriad ynglŷn â fe, ac nid y dyn yn y llun ydy *e* mewn gwirionedd. Falle heno. Falle bydd *e* mas heno hefyd. Yr un sy eisiau mwy na byseddu trwstan yn y tywyllwch. Yr un sy'n gofyn, sy'n mynnu mwy.

Ond os na, bydd y merched yno o leiaf. Bydden nhw yno. Anna a Lois. A nos Wener arall yn cau am ein pennau. Ac amser i baratoi. Amser i alw tacsi i fynd y tair milltir i dŷ Lois. Falle diod bach arall cyn cychwyn. O'r botel agored yn y ffridj. Dim ond un, i ddechrau'r noson, fel pob nos Wener arall.

Mae ei dillad allan yn barod. Mae hi wedi meddwl am hyn drwy'r dydd. Er gwaethaf sgrechen a chwyno'r plant yn yr ysgol haf. A'r cyffro'n dechrau codi. A threchu lludded diwedd dydd gyda gwydraid o win oer a chawod dwym. A phersawr. Cymylau o bersawr drosti i gyd, o'i chorun hyd at ei sawdl, yn ddiferion oer ar ei stumog a'i bronnau. Y trowsus lledr yn rhy dynn, y top yn dynnach.

Does dim sôn am y gath. Mae Mulder allan yn hela.

Pam yr hela parhaus 'ma? Pam yr angen diddiwedd yma? A gwneud dim byd gyda nhw wedyn. Dim ond eu gadael nhw 'na i fi eu towlu mas.

Ond does dim ots heno achos bod y miwsig 'ma mor hudolus. Y rhythmau mor synhwyrus. Er na allwn i ddim beiddio ei droi yn uwch rhag ofn i'r cymdogion guro ar y wal eto. Ond mae'r gwin yn ddigon. Sut y gall gwin wneud hyn i gyd? Beth yw ei bŵer goruwchnaturiol? Sut y gall gwin beri i bopeth fod yn iawn? Sut y gallwch chi'n sydyn deimlo cystal?

Ffyc, bydd rhaid i fi lanhau'r llawr 'ma, mae'n fochedd.

Ei hesgidiau'n glynu yn ysgafn wrth y llawr wrth iddi gerdded hyd y gegin, y saith troedfedd i gyd, yn ludiog gyda'r saim. O leiaf mae'r llestri wedi eu golchi heno.

Mae hi'n taflu'r gwydryn gwin brwnt i'r bowlen blastig yn y sinc ac yn aros am y tacsi. Heb got. Mae'n noson braf o haf.

Rwy'n teimlo'n rhyfedd yn mynd allan fel hyn, a'r awyr yn dal yn olau. A 'nillad yn rhy eithafol i olau dydd, y colur yn rhy gryf. Ond bydd popeth yn iawn unwaith i Sean gyrraedd. Neidio i mewn i'r sedd ffrynt rwy'n arfer ei wneud, a chlebran yn rhydd am fy wythnos i, a chlywed am wythnos Sean, ac am hanes y busnes, a'i fabi bach newydd.

Ond nid Sean sy'n tynnu i mewn i'r clos. Car Sean sy 'na, all neb gamgymryd y lliw melyn llachar 'na. Dim ond un tacsi yn Abertawe sy'n edrych fel'na. Syniad twp Sean oedd i baentio'r car yn felyn. Ond hwyrach nid mor dwp wedi'r cyfan. Mae'n denu sylw wrth yrru drwy'r dre, yn enwedig yn ystod y nos, mae hynny'n sicr. Ond gyrrwr dieithr sy yno heno. Ac mae Harriet yn dringo i mewn i'r cefn.

Ac mae e eisiau siarad, ond dyna'r peth ola rwy eisiau ei wneud heno. Siarad â dieithryn pur fel hwn. Dw i ddim yn nabod hwn. Rwy'n casáu gyrwyr newydd. Ac ro'n i wedi edrych ymlaen at weld Sean heno hefyd. 'Wedodd e ddim ei fod e'n mynd bant i unrhyw le. Cym'rodd e ei wyliau fis yn ôl. Gobeithio ei fod e'n iawn, gobeithio bod dim byd yn bod ar y babi.

O, mae hwn yn gallu siarad. Mae'r *casuals* i gyd yr un peth, a'r un peth sy gyda nhw i'w ddweud bob tro. Maen nhw'n siarad am eu gwaith. Maen nhw ond yn gweithio fel hyn yn y nos er mwyn bod yn rhywbeth *glamorous* yn ystod y dydd, wrth gwrs, fel actor neu artist. A dyw hwn ddim yn gwybod ble mae Sidney Street hyd yn oed. Oes rhaid i fi neidio mas a cherdded o'i flaen e ar yr heol?

'Sori – dim ond wythnos rwy wedi bod yn gwneud hyn . . . O, rwy'n cofio nawr, roedd rhaid i fi ddysgu hwnna ar gyfer y prawf yr wythnos diwethaf, y *knowledge*, chi'n gwbod.'

O, Duw a'n helpo ni. *Knowledge* Abertawe.

'Ble mae Sean heno, 'te?'

'Ar ei wyliau, rwy'n credu, rwy'n llenwi mewn.'

''Wedodd e ddim byd.'

'Mae fe'n dy nôl di'n rheolaidd, ydy e?'

'Wel, ydy . . . ond dim ond tri char sy gyda fe, ac rwy'n nabod y gyrwyr i gyd.'

'Fel 'wedais i, dim ond wythnos rwy wedi bod yn gwneud hyn.'

'Dwedaist ti.'

Olreit. Rwy jest eisiau cyrraedd Sidney Street. Ocê? Dwy filltir i ffwrdd.

A dwy filltir i ffwrdd mae Anna yn ffarwelio â'i merch wyth mlwydd oed. Ac yn bygwth y ferch sydd i warchod. Ond amneidio a wna hithau. Mae hi wedi clywed hyn o'r blaen. Droeon. Bob nos Wener.

Cusan i Rhian fach, a cherdded yr hanner milltir i dŷ ei chwaer.

Mae ei cholur a'i gwisg yn rhy lachar i brynhawn o Awst. Nid yw'r ddinas wedi dechrau dihuno eto. Ond bydd yn dal i fyny â hi.

Mae'r tacsi melyn yn cymryd oes, y traffig yn drwm heno, a Harriet yn siŵr y bydd e'n codi crocbris arni.

'Rwy'n un o gwsmeriaid rheolaidd Sean, chi'n gwbod.'

'Paid â phoeni, wna i ddim codi arian ychwanegol arnat ti – dwi ddim fel'na. Ydw i'n edrych fel'na?'

Dim ateb. Dyw hi ddim wedi edrych arno, ar ei wyneb. Ych chi ddim yn sylwi ar wynebau gyrwyr tacsi. Mae e'n troi ac yn gwenu, gwên sydyn, ddwl sy'n peri iddi chwerthin, ac yn troi ei llais yn ysgafnach.

'Beth yw dy enw di, 'te?'

'Steve.'

'Ac am faint wyt ti'n mynd i fod yn gwneud gwaith Sean?'

'Wythnos – falle gaf i waith llawn-amser os wy'n lwcus . . . lan fan hyn?'

'Ar ben yr heol nesaf . . . na, paid â mynd yn rhy bell . . . ti'n gallu tynnu i mewn wrth ochr y fan wen.'

'Dw i ddim eisiau gwneud hyn am byth, rwy jest yn gwneud hyn dros dro tra bod rhaid i fi – rwy'n canu mewn grŵp roc.'

Wrth gwrs. Beth arall?

'Alla i gael dy *autograph* di nawr, 'te? Cyn bydd rhaid i fi giwio.'

Mae e'n deall y jôc, o leiaf.

'Ie . . . olreit . . . 'na ddigon.'

'Rwy'n siŵr y byddi di'n seren fawr.'

Mae e'n gweld 'mod i ddim yn chwerthin am ei ben e, dim ond cellwair, nid bod yn gas. Mae e'n eitha neis ei olwg, wedi meddwl am y peth. Dyw e ddim yn olygus, ond mae 'da fe'r wên neis 'ma, agored rhywffordd, onest. Ond dw i ddim yn hoffi dynion gyda gwallt coch. Nid bod ei wallt e'n goch – bron yn goch falle, rhyw felyn cochlyd. Ac mae ei lygaid e'n neis. Glas disglair, a rhywbeth serennog ynddynt, rhyw ysbryd gwyllt.

'Faint?'

Mae e'n syllu arna i, dros ei ysgwydd.

'Faint?'

O'r diwedd, ar ôl pendroni, mae e'n ateb, ac mae llais Harriet yn galed eto wrth iddi gellwair.

'Mae hwnna'n siep.'

'Disgownt i ti, achos rwy'n dy hoffi di.'

'O paid! Ti'n dweud hynna wrth y merched i gyd – dim ond eisiau *tip* mawr wyt ti.'

Falle 'mod i'n rhy eofn gyda fe, achos fod e'n magu hyder yno' i, am ryw reswm. Mae *e'n* magu hyder hefyd.

'Beth wyt ti'n ei wneud fan hyn heno, 'te?'

'Dim o dy fusnes di.'

'Fyddi di o gwmpas y dre?'

'Falle.'

'Ti'n cwrdd â dy sboner, 'te?'

'Falle.'

Mae e'n eistedd 'na yn gwenu arna i. Ond rwy'n aros. Yr arian yn fy llaw. Dw i ddim yn gadael eto.

'*Falle* neu *na*,' a'i eiriau'n ymestyn fel bybl gym.

'Wel, na, dw i'n cwrdd â ffrind.'

'Oes sboner gyda ti, 'te?'

'Falle.'

Mae ei wên fel cân araf wrth i'r noson orffen. Ac rwy'n aros yn fud, yn edrych arno fe.

'Wel, oes rhywun arbennig?'

'Neb mor arbennig â 'ny,' mae hi'n dweud wrth ddringo mas. Ac mae hi'n hongian oddi ar ei ddrws e, yn gwyro ei phen y tu mewn i'r cerbyd.

'Wyt ti erioed wedi cael perthynas ddifrifol?' mae e'n gofyn.

'Beth yw hyn – cwis? Ugain cwestiwn? Cystadleuaeth? Oes gwobr?'

'Os wyt ti'n ateb yn iawn.'

'O ie – a beth os dw i ddim eisiau chwarae?' Mae ei llais yn chwareus yn hytrach na chas.

'Jest trio dod i dy ddeall di'n well. Pa fath o ddynion wyt ti'n eu lico?'

'Y math sy ddim yn gofyn cwestiynau.'

Mae e'n deall 'mod i'n cellwair ac mae'r golau yn ei lygaid glas yn fflachio'n sydyn.

'Gwranda nawr, os bydd eisiau tacsi arnat ti yn ystod y noson, ffonia fi.'

Mae e'n troi oddi wrthi ac yn estyn am gerdyn o'r pentwr mewn teclyn plastig uwchben y llyw. Ond mae Harriet yn ei atal drwy gyffwrdd â'i fraich.

'Does dim rhaid. Dw i'n gwbod y rhif – 323232.'

'Ond gofyn amdana i.'

'Olreit.'

Yn dy freuddwydion.

Ond ar y llaw arall, rwyt ti'n neis.

Ffenestr y tacsi yn dal ar agor. Mae'n gwthio'r arian i mewn i'w law. Ei law yn fawr ac yn boeth.

'Beth yw dy enw di?'

'Harriet.'

'Gwela i ti, Harriet.'

'Gwela i ti.'

Eofn. Ond roedd e'n neis. Dylwn i fod wedi rhoi *tip* iddo fe wedi'r cyfan. Eitha neis. Ac roedd e'n lico fi. Ond eto i gyd – twpsyn sy eisiau bod yn seren roc? Na, Harriet. Gyrrwr tacsi? Na. Rwyt ti wedi penderfynu hynna'n barod. Rhywun gyda thipyn o *class* y tro nesa. Dim ond rhywun *neis* i ti o hyn ymlaen. Neb rhyfedd, neb od, neb heb ddyfodol. A neb sy'n dweud eu bod nhw mewn grŵp roc.

Mor rhyfedd bod mas mewn dillad clybio mewn golau dydd byw. Rhyfedd iawn. Ond rwy'n falch i mi benderfynu ar y trowsus lledr.

Lledr du. A'r top pinc. A'i gwallt lliw tywod yn llifo'n llipa hyd ei hysgwyddau, wedi ei ddal yn ôl dros ei chlustiau â dau bin disglair. Ei thrwyn yn troi ar i fyny y mymryn lleiaf ar y pen. Minlliw coch tywyll, a bochau brown ysgafn cochlyd. A'r llygaid yn dywyll, yn llwyd tywyll, mor dywyll ag y gall llwyd fod cyn bod yn ddu. Cip bach cyflym yn y drych bach yn ei bag. Nid bod eisiau powdr na dim byd arall ar y croen glân, gyda'r brychni haul nad ydy e'n ceisio eu cuddio o gwbl yn crwydro dros y trwyn smwt. Un cip bach arall er mwyn twtio'i gwallt, ac yna cerdded i lawr y pafin anwastad.

Falle heno. A hefyd falle datrys problemau Anna yr un pryd. Anna a Chris. I lawr y lôn at rhif 24.

Tu ôl i'r drws coch mae dadl yn llosgi.

Ffrog werdd neu sgert ddu?

Llygaid Lois yn syllu ar y polyn sy'n gwneud gwaith cwpwrdd dillad. Mae hi newydd ddianc o'r siop – yn hwyr eto. O leiaf fydd dim rhaid iddi weithio fory. Nid yr wythnos hon.

'Ond mae popeth sy 'da fi mor henffasiwn!'

Mae toriad newydd i waelodion trowsus eleni. Medden nhw. Wedi gweld erthygl mewn cylchgrawn ffasiwn yr wythnos diwetha. Dim ond edrych. Do'n i ddim yn gallu fforddio ei brynu. Y cylchgrawn, nawr. Dim gobaith caneri y gallwn i fforddio'r *trowsus*. Un o'r rhai sgleiniog, drud. Y cylchgrawn. Sôn am liwiau o'n nhw. Un funud maen nhw'n dweud taw brown yw'r du newydd, ac nawr mae'n debyg taw llwyd yw'r brown newydd. Ond allen nhw ddadlau tan ddydd y farn, does dal dim byd gyda fi i wisgo heno!

'Maen nhw'n dweud bydd sgertiau'n hirach yn ystod yr Hydref eleni.'

Rwy'n swnio mor wybodus. Mor hyderus. Ond beth yw'r pwynt mewn gwybod am ffasiwn, gwybod sut i wnïo, sut i gynllunio, sut i greu, gwybod pa liwiau sy'n gweddu i mi a phawb arall, gwybod pa siapau sy'n ffasiynol ac yn ddeniadol. Beth yw'r pwynt? Does byth digon o arian gyda fi i'w gwnïo na'u prynu. Rwy'n gwneud fy ngorau o'r dillad yn y siopau achosion da, ond dyw hi ddim yr un peth.

'Ffyc iddyn nhw, Lois, 'na beth wy'n dweud.'

'Anna!'

Ond mae hi'n iawn. Rwy'n gwybod ei bod hi'n iawn. Ddylwn i ddim poeni amdanyn *nhw*, pwy bynnag ydyn nhw, y dorf fawr anweledig. Pam dw i'n poeni amdanyn nhw? O, y pethau baswn i'n eu gwneud petai gen i hanner hyder Anna. Mae hi'n iawn, wrth gwrs ei bod hi'n iawn. Does dim rhaid i fi boeni amdanyn *nhw*. Pobl y cylchgronau. Pobl eraill. Nid heno. Nid mwyach. Ond rwy *i'n* credu hynny hefyd. Fi sy eisiau credu hynny. Rwy wedi penderfynu. O'r diwedd. Rwy wedi penderfynu rhywbeth, ac wedi gwneud addewid, addewid i'n hunan. Rwy'n addo i'n hunan. Nawr. Y funud hon. Wisga i fyth ar gyfer neb arall ond fi fy hun o hyn ymlaen. Gan ddechrau heno.

'Ddylwn i wisgo'r ffrog binc, Anna?'

Neu'r trowsus. Beth am y trowsus du 'na? Syml. Saff. A'r top 'na brynais i yn y Steddfod y llynedd. Neu falle byddai crys-T yn gwneud y tro. Un tyn, â gwddwg isel.

Haid o grysau-T dros ei hysgwydd. Hwn yn rhy hen. Hwn yn rhy lachar. Hwn yn henffasiwn nawr. Hwn eisiau ei olchi. O'r diwedd, cyrraedd yr un oedd ganddi mewn golwg, yr un ar waelod y pentwr, a'i dynnu dros ei phen. Gwasgu ei gwallt byr, byr, du yn fflat. Nid oes llewys i'r crys, dim ond strapiau cul. Gwnaiff y tro am heno. I brofi'r pwynt. O flaen drych glyna'r defnydd yn glòs at ei chorff heini. Ni fuasai'n creu'r un effaith oni bai bod ei bronnau mor llawn a chrwn, mor feddal. Ar unrhyw gorff arall byddai'r wisg yn gyffredin, yn blaen. Ond arni hi bydd yn denu sylw heno, ac mae Lois yn gwybod hynny.

'Dwyt ti ddim yn helpu, Anna – dwed rhywbeth.'

Gwnaiff. Gwnaiff hyn y tro. Du eto. Siaced ledr. Na, siaced Dan ydy honna. Wisga i mohoni hi. Ond ar y llaw arall. Falle. Na wnaf. Ond . . . Na. Ond falle, falle bydd cyfle i'w roi hi'n ôl iddo fe. Falle caf i gyfle i'w rhoi hi'n ôl iddo fe o flaen ei ffrindiau fe. Ond na, dw i ddim eisiau ei frifo fe. Dw i ddim eisiau ei briodi fe, ond eto dw i ddim eisiau ei frifo fe chwaith. Ond rŷn ni'n mynd i'r Mwmbwls heno. Fydda i ddim yn ei weld e heno. Bydd e yn y dre heno. Dwedodd e neithiwr: 'Ŷn ni'n mynd i'r dre, Lois. Cwrddwn ni 'na, reit?' Felly ŷn ni'n mynd i'r Mwmbwls. Yn ddigon pell oddi wrth y dre, ond digon o atyniadau hefyd. Digon o dafarndai, digon o alcohol, digon o ddawnsio. Digon o anghofio.

Paentio'r mascara ychydig yn fwy trwchus na'i harfer. Minlliw ysgafn, yn edrych yn cŵl, fel na phetai ots ganddi am ddim na neb. Camu dros y pentwr o ddillad a defnyddiau amrywiol ar y llawr er mwyn cyrraedd y drych mawr hir ar un ochr yr ystafell wely.

Ond mor anodd yw tynnu'r drych mas oherwydd y darnau brith o ddeunydd amryliw yn blith draphlith yn y ffordd. Lle i hyn i gyd sy ei eisiau. Gweithdy iawn.

'Ti'n iawn i gael gwared â fe.'

'Ti'n credu?'

Ond beth mae Anna'n gwybod?

'Y glas neu'r gwyrdd, Anna?'

'Yr un pinc.'

'Ti'n lot o help.'

'Paid â phoeni, ffindi di rywun arall.'

'Falle.'

Ond sai'n credu 'mod i eisiau neb arall. Dw i ddim eisiau neb o gwbl.

'Dwedais i wrth Harriet i ddod am saith.'

'Arhoswn ni 'ma am sbel. Mae'n rhy gynnar i fynd mas, beth bynnag. Rhywbeth i yfed, a miwsig da. 'Na beth sy ei eisiau arnon ni nawr.'

Anna yn neidio allan o'r stafell, ei gwallt tywyll mewn bòb hyd ei gên ac yn dawnsio o gwmpas ei hwyneb.

'Wyt ti'n siŵr fod hwn yn iawn, Anna?'

Pam alla i ddim cau'r sip 'ma? Beth sy'n bod arna i?

Llais Anna o'r ystafell arall. 'Dere i fi gael gweld beth sy 'da ti 'ma.'

Ac mae Anna yn hanner claddu ei hunan yng nghanol y pentwr o ddillad.

'Rwy wedi mynd drwy'r rheina i gyd, Anna.'

Ond mae hi'n dal i dwrio drwy 'mhethau, yn chwilio am rywbeth i'w wisgo. Rhywbeth iddi *hi* gael ei wisgo yn hytrach, os wy'n nabod Anna. Ac rwy wedi ei nabod hi ers wyth mlynedd ar hugain.

'Wyt ti wedi gorffen gyda *hwn*?'

'Beth sy 'da ti? Na, Anna, mae honna'n frwnt.'

Na, Anna, mae'r sgert 'na'n rhy newydd, meindia dy fusnes dy hun.

'Cred fi, mae bywyd yn well heb ddynion.' Mae Anna'n siarad heb edrych ar ei chwaer, yn taflu sgertiau, crysau, a sgarffiau lliwgar o gwmpas y stafell wrth siarad. 'Rwyt ti'n well hebddo fe.'

'Falle fod ti'n iawn.'

Ond dyw hi ddim yn iawn. Dw i ddim eisiau byw heb ddynion. Rwy jest eisiau ychydig o hedd. Lle i feddwl. Cyfle i roi'r byd yn ei le. Ond dyw Anna ddim yn gwybod y stori i gyd. Do'n i ddim yn bwriadu dweud dim wrthi. Nid nawr. Hynny yw, fy mwriad i oedd siarad dros y peth gyda rhywun arall. Rhywun fydd yn gwrando, ac yn deall, yn cydymdeimlo hyd yn oed. Rhywun fel Harriet. Rwy mor agos at Anna, yn rhy agos. Rhywun fel Harriet. O, rwy eisiau gweld Harriet heno. Mae hi'n deall pethau fel hyn. Ond mae Anna yn rhy agos. A dyw hi ddim yn deall. Mae Anna fel mam. A mam yw hi, felly wrth gwrs ei bod hi'n ymddwyn fel mam. Ond rhywfodd rwy'n gwybod 'mod i'n mynd i ddweud wrthi, er gwaethaf fy hun. Alla i fyth ddal yn ôl. Ddim gydag Anna. Yr un peth pan o'n ni'n blant. Mae rhyw ddawn gyda hi. Mae pobl yn siarad â hi, yn datgelu cyfrinachau. Ond 'dyn nhw byth yn gwybod pam.

'Gofynnodd e i fi ei briodi fe – gofynnodd e nos Fawrth.'

Dyna hi nawr! Wedi cyflawni'r dasg! Jest fel'na. Yn foel. Yn gras. Aros am ymateb nawr. Dal fy anadl wrth aros am ymateb. Fel petai ymateb Anna yn bwysig. Ddylai e ddim fod yn bwysig. Dw i ddim eisiau iddi fod yn bwysig. Ond rhywfodd rwy'n aros, aros, a'r tawelwch fel darn mawr o garreg oer.

'Nos Fawrth? Beth sy'n bod arnat ti, groten? Ble wyt ti wedi bod tan heno?'

'Does dim rhaid i fi 'weud popeth wrthot ti, y funud mae'n digwydd!'

Groten. Rwy'n groten pan yw hi'n meddwl 'mod i wedi gwneud rhywbeth dwl. Olreit, mae hi'n hŷn na fi, ond blwyddyn a hanner o brofiad yn fwy na fi sy gyda hi. Dyna i gyd. Dyw hynny ddim yn rhoi'r hawl iddi siarad â fi fel'na. Ac mae hi'n dal i fynd ymlaen.

'Priodi? O'n i'n meddwl dy fod ti wedi'i ddympio fe.'

''Wedais i ddim 'mod i wedi'i *dderbyn* e, naddo.'

'Wel, gwnest ti'r penderfyniad iawn. Ond gobeithio gwnest ti jobyn da. Gobeithio dy fod ti wedi dweud wrtho fe fod ti ddim eisiau ei weld e 'to. Sdim eisiau fe arnat ti yn dy fywyd di. Ti'n gwbod 'ny.'

Ro'n i'n gwybod y byddai'n syniad drwg dweud wrthi. Nawr bydd rhaid i fi ymdopi â hi, nawr bydd rhaid i fi esbonio, mynd i'r drafferth o esbonio. Ond ro'n i'n methu helpu'n hunan, methu dal fy hunan 'nôl.

'Ond ti ddim eisiau siarad 'da fi.'

'Nag ydw. So ti'n deall, Anna.'

Mae hi wedi ei brifo nawr. Mae hi'n pwdu.

A beth mae hi'n ei wneud nawr? Yn twrio drwy 'mhethau i eto. A beth mae hi'n ei wneud gyda fy mhrosiect newydd i?

'Paid â chyffwrdd â hwnna. Mae popeth mewn trefn.'

'Anodd credu 'ny.'

'Rwy'n dal i weithio arno.'

Na, Anna, rho fe i lawr. Dwyt ti ddim yn deall. Rwy ar ganol gweithio ar hwnna.

Mae 'na drefn iddo i gyd. Rhyw drefn rhyfedd fy hunan. Rwy'n deall ble fydd pob pwyth yn mynd, yn teimlo ble bydd y nodwydd yn torri drwy'r sidan coch. Mae hynny'n golygu rhywbeth i fi.

'Pryd wyt ti'n mynd i roi'r gorau i chwarae gyda darnau o ddefnydd a chael swydd gall? Roedd Mam yn iawn, mae mwy o gymwysterau gyda ti na fydd gobaith gyda fi eu cael mewn can mlynedd.'

'Dw i ddim yn chwarae, mae hyn yn ddifrifol, ac rwyt ti'n gwbod 'ny hefyd.'

Na, Anna, paid â chyffwrdd yn y rheina.

'Rwy'n lico'r coch, ond beth yw'r llinellau 'ma dros y lle i gyd? Beth mae'n ei olygu, a beth fydd e yn y pen draw? Pam allet ti ddim jest brodio blodau – rhywbeth wy'n gallu'i adnabod. Mae rhywun yn y swyddfa wedi dechrau gwneud *sampler* yn ei hawr ginio – hen dŷ gyda'r wyddor o dano fe, mae e mor bert . . .'

'Dyw hwn ddim yn *kit*, Anna. Gwaith gwreiddiol yw hwn. Gwaith creadigol. Mae 'na wahaniaeth.'

Ond dyw hi ddim yn deall. Fydd hi byth yn deall. Dyw hi erioed wedi deall. Does dim owns o greadigrwydd ynddi. Ŷn ni'n edrych mor debyg, ond eto mor wahanol o ran natur. Ych chi'n gallu gweld taw chwiorydd ŷn ni. Mae hi ychydig yn dalach na fi, ychydig yn drymach, ond dyw hi ddim yn dew, ddim o bell ffordd. Er bod ei gwallt wedi ei dorri'n wahanol, mae'r un lliw â 'ngwallt i. Mae ei hwyneb braidd yn wahanol. Mae fy nhrwyn, fy llygaid a fy ngheg i yn feinach ac yn gulach na'u rhai hi. Ond er hyn mae pawb yn gweld ar unwaith taw chwiorydd ŷn ni. Yr argraff gyffredinol, y ffordd ŷn ni'n siarad, ansawdd ein lleisiau, y ffordd ŷn ni'n symud, yr un ystumiau. Ond er hyn oll dyw hi ddim yn gallu deall fy ngwaith creadigol, fy uchelgeisiau, yr ysfa sy yno' i. A dyw hi ddim yn deall Daniel chwaith. A dyw hi ddim yn deall yr hyn sy'n mynd ymlaen rhyngon ni, fi a fe. A nos Fawrth.

Do'n i ddim eisiau mynd mas nos Fawrth. Ro'n i yng nghanol gwaith newydd. Y cwrlid yn yr ystafell fyw, y clytwaith mawr. Sydd nawr mewn darnau dros y llawr i gyd yn yr ystafell wely. Ches i ddim cyfle i gyffwrdd â'r peth ers nos Fawrth. A dylwn i fod wedi ei orffen cyn heddiw.

Wnaeth e ddim ffonio. Ches i ddim rhybudd. Daeth e rownd gyda thusw o rosynnau coch. Dyw e byth yn rhoi blodau i fi. Byth. Ro'n i'n gwybod bod rhywbeth o'i le y pryd hynny. Dwedais i 'mod i ddim eisiau mynd mas, 'mod i'n rhy brysur, 'mod i ar ganol rhywbeth. Ond dwedodd e bod cynlluniau gyda fe. Gyda *fe*. Dangosais i ddarn o'r cwrlid iddo fe, y darn ro'n i newydd ddechrau gweithio arno.

'Dim ond darn o wnïo yw hwnna,' meddai e, ac ysgafnder yn ei lais. Roedd e bron yn chwerthin. 'Allet ti ei orffen e fory.'

Ond doedd e ddim yn deall. A fyddai e'n dweud wrth baentiwr a'r lliwiau'n llifo o'i frws, neu fardd ar fin ffrydio geiriau fel llif peryglus o drydan, a fyddai'n dweud wrthyn *nhw* i'w 'orffen e fory'? Does dim gwahaniaeth, nac oes? Dim i fi. Pam na allai e ddeall hynny? Petawn i'n paentio falle byddai e'n ystyried y peth yn fwy difrifol. Ond rwy'n brodio. Yn creu celf gyda thecstiliau. Ond beth yw'r gwahaniaeth? Yr un yw'r ysbrydoliaeth. Yr un yw'r mynegi a'r cyfathrebu. Ac ro'n i'n gwybod petawn yn gadael hwn nawr, y darnau beichiog hyn o ddefnydd o 'mlaen i, allwn i fyth ail-greu'r teimlad oedd yn ffrydio drwyddo i. Rhywbeth yn debyg falle, ond nid yr union rin grynedig a deimlwn y noson honno.

'Dim ond darn o wnïo yw hwnna, gall e aros.'

'Wel, mewn ffordd . . .'

Credais i fe, on'd do. Pam oedd rhaid i fi fod mor wan? Cytunais â fe. A darostwng iddo fe.

Ac aeth e â fi mas i dŷ bwyta ffasiynol, lle roedd cerddoriaeth jas yn y cefndir, a phlant ifainc mewn lledr a sodlau uchel yn ceisio prynu *cocktails* wrth y bar a myfyrwyr coleg yn eistedd, deg o gwmpas un ford, yn ysmygu ac yn chwerthin yn uchel, yn gras, a hyder byddarol eu hieuenctid yn ddigon i'w cynnal. A phrisiau uchel.

A fe. Daniel. O, roedd e'n hardd. Ac o, ro'n i eisiau mynd â fe'n ôl gartre, ei dynnu ata i, a'i ddal yn agos, a mynd â fe i 'ngwely a'i garcharu yno am wythnos.

'Pam ŷn ni 'ma?' gofynnais.

A'i wên mor beryglus. Ac roedd pobl yn edrych arnon ni, merched yn bennaf, fel y bydd merched bob amser yn edrych ar Daniel, ar Daniel a fi pan ŷn ni mas. Yn eiddigeddus. A chwestiwn yn eu llygaid, yr un cwestiwn bob tro – sut y daeth *hi* i fod gyda rhywun mor flasus â *fe*. Dyn mor brydferth. Ac *mae* e'n brydferth. Mae Daniel yn brydferth. Does dim dadl am hynny. Mor dywyll, y llygaid ar fin chwerthin bob amser, ei gorff yn dal, yn gryf, yn gyhyrog. Ac roedd ofn arna i y byddwn yn cwympo mewn cariad â fe eto, a'i garu e'n ddwbl wedyn, a dwblu 'mhroblemau. Ond daliais yn ôl. Fy mhen yn llawn o luniau a siapau. Yn meddwl sut y baswn yn trosi ei wedd i gynfas o ddeunydd, a brodio llinellau ei wyneb yn siapau haniaethol ar sidan. Ie, sidan. Sidan coch fyddai'r cefndir.

''Na'r peth gorau. Gwnest ti'r peth iawn.'

'Beth, Anna?'

'Ei wrthod.'

'Wnes i ddim ei wrthod!'

Ddwedais i ddim byd. Fel ffŵl, pan ges i gyfle ddwedais i ddim byd. Atebais i mohono. Daeth ofn drosta i ar y funud ola.

'Rho amser i fi feddwl,' dwedais i. Amser? Amser i feddwl. Amser i feddwi. Amser i anghofio. Syniad drwg.

'Ti eisiau plant, on'd wyt ti?'

Ro'n i'n clywed ei eiriau yn rhuthro o gwmpas fy mhen, a phob gair yn gwneud synnwyr perffaith.

27

'Allen ni ddim ei adael yn rhy hwyr, Lois. Ti'n wyth ar hugain. Mae hwnna'n oedran perffaith. Bydda i'n dechrau gweithio yn yr hydref. Beth arall sy ei eisiau arnon ni? Bydd popeth gyda ni.'

Popeth.

'Lois?'

'Ie?'

'Dwyt ti ddim yn mynd i'w briodi fe, wyt ti?'

Ond mae meddwl am fyw hebddo fe, heb neb, mor amhosibl. A meddwl am rywun arall yn ei gofleidio. Yn ei garu. Mae meddwl felly mor . . .

'Lois? Lo-ois?'

'Dwedais i wrtho fe byddwn i'n meddwl am y peth.'

'Ond rwyt ti'n mynd i ddweud "na".'

'Wy'n . . .'

Cloch y drws yn canu. Dwywaith, teirgwaith, a neb yn ateb.

'Harriet yw hwnna.'

A Lois sy'n mynd. Yn ceisio rhwbio'r mascara oddi ar ei bochau wrth fynd at ddrws y tŷ teras.

'Hylô Harriet.'

'Ydw i'n hwyr? Na? Gwych. Shgwl, fyddi di byth . . . o, hylô Anna, sut wyt ti? . . . fyddi di byth yn credu'r gyrrwr tacsi ces i heno . . . Wyt ti'n iawn, Lois?'

'Ydw, yn berffaith iawn.'

Yn berffaith iawn.

Saith o'r gloch y nos

Harriet yn rhedeg i mewn i'r tŷ yn gorwynt cyfarwydd. O hen arfer, heb aros am wahoddiad. A neb yn troi i'w chyfarch. Nid yw Anna yn symud ei phen o'r cylchgrawn ffasiwn mae hi newydd ei ddarganfod wedi ei wthio a'i blygu rhwng clustogau'r soffa, ac mae Lois yn camu'n ôl yn erbyn y wal yn fud er mwyn i Harriet ruthro i mewn, neidio dros y pentwr o bapurau yng nghyntedd cul y tŷ teras, a gwneud ei hunan yn denau er mwyn mynd heibio i'r beic mynydd sy'n byw yno ers haf y llynedd heb ei gyffwrdd. Nid yw'n sylwi ei bod yn gwthio pentwr o lythyrau i'r llawr yn y broses. Biliau. Taflenni lliwgar yn gwerthu llyfrau a fideos. Y papur newydd wythnosol rhad ac am ddim a aiff i'r bin sbwriel. Rhagor o filiau. Nid yw'n aros i'w codi. Yn syth â hi i mewn i'r ystafell fyw a thaflu ei siaced oddi ar ei hysgwyddau hanner noeth. Ac edrych ar Lois ac Anna, o un i'r llall, heb yngan gair. Yna mae'n gafael yn ei siaced a chroesi ei breichiau o gwmpas ei gwasg ei hun fel petai'n ceisio cuddio rhywbeth y gorfododd rhywun iddi ei wisgo, a hynny ar ôl ei thynnu i'r llawr a'i chlymu'n gaeth, ac yna ei gwthio allan o'r fflat heb roi dewis iddi.

'Olreit Anna, jest dwed, reit? Rwy eisiau gwbod. Un gair, 'na i gyd. Jest dwed. Ydy hyn yn dishgwl yn dwp? Jest dwed, ac af i ddim mas fel hyn. Wy'n dy drysto di.'

'Ti'n poeni gormod, Harriet,' meddai Anna heb symud ei llygaid oddi ar y cylchgrawn. 'Ma' dy wallt di'n iawn.'

29

'Ond mae'n teimlo mor rhyfedd.' Mae Harriet yn ymateb fel petai Anna wedi astudio pob modfedd ohoni yn ofalus.

'Ti ddim 'di roi e lan fel'na o'r bla'n, 'na i gyd.' Anna, o'r diwedd, yn edrych, yn codi ei haeliau ychydig bach, ond heb unrhyw sioc na hiwmor. 'Mae'n dishgwl yn wych,' ac mae'i llygaid yn disgyn yn ôl i'r cylchgrawn. 'Wel wel, do'n i ddim yn gwbod ei fod *e'n* mynd mas gyda *hi*? Rhaid ei bod hi'n ddeugain erbyn hyn . . . Ti'n mynd i fod yn *knockout*. Cred ti fi.'

Cred ti fi, ie, cred ti fi. O, petai hi ond yn gwybod. Mae hi'n edrych yn wych – yn fwy na gwych, mae hi'n syfrdanol. Petai hi ond yn sylweddoli hynny. Beth sy'n bod ar y ferch? Mae Harriet mor denau. Yn frwynen. Mae ei chorff yn gweddu'r ffasiwn ddiweddaraf – mae hi'n lwcus. Mae hi'n edrych mor ifanc. Dyw e ddim yn deg. Mae hi'n gallu gwisgo dillad eithafol fel'na a disghwl yn neis.

A'r gwallt. A yw hi wir ddim yn sylweddoli pa mor lwcus yw hi i allu cario steil gwallt ffasiynol fel'na? Fel y lluniau yn y cylchgronau rwy'n eu darllen a'u hanwybyddu, y rhai sy'n gweld eu diwedd yng ngwaelod caets yr hamster. Does dim gobaith 'da fi i ddishgwl gystal â hi. Ond mae *hi'n* gallu gwisgo fel'na, yn ifanc, yn ffasiynol. Alla i ddim. Mae 'ngwallt i jest yn ddigon hir i'w steilio fel'na, sbo, ond byddwn i'n edrych fel brws tŷ bach. Rwy'n rhy hen i ddilyn y ffasiwn. All rhywun sy'n dri deg ddim gwisgo fel'na – ond eto i gyd, dw i ddim yn edrych yn dri deg, nag ydw i? Sai'n edrych yn hŷn na Lois, ydw i? Allen ni fod yn efeilliaid. O ran oedran hynny yw, er nad ŷn ni'n edrych yn debyg o gwbl. Roedd wyneb pert gan Lois o'r funud cafodd hi ei geni. Dw i ddim yn cofio, ond yn y lluniau mae hi fel picsi bach, gyda thrwyn cul a llygaid mawr a llond pen o wallt du. Mae hi'n dal i edrych fel un o'r tylwyth teg, ei hwyneb yn fach, pob rhan ohoni yn fain, yn edrych yn eiddil, ond eto, mae hi'n eithriadol o gryf, ond dyw pobl ddim yn sylweddoli 'ny. Mae hi mor denau. Dyna'r hyn sy'n rhoi'r argraff o eiddilwch. Yn deneuach na fi. Ond mae pawb yn deneuach na fi, on'd ŷn nhw? Plant sy'n gwneud y drwg. Dyna'r gwahaniaeth. Dych chi byth yr un peth ar ôl cael plant. Dyw hynny ddim yn deg. Mae'n rhaid i fi frwydro bob dydd i beidio â bwyta. A Lois – dyw hi ddim yn bwyta digon. Dyna'r gwahaniaeth. Yr unig ffordd i gael bwyd i mewn i Lois yw ei dal hi i lawr ac agor ei cheg drosti. Ac mae Harriet yn debyg. Mae'r ddwy 'na'n dod at ei gilydd a chael partïon peidio-â-bwyta.

Pam fod Harriet yn poeni? Mae ei gwallt yn hyfryd – lliw golau cynnes fel aur coch ac yn hawdd ei drin . . . Na, fyddai hwnna byth yn fy siwtio i. Ddim gyda'r darnau 'na wrth ochr yr wyneb. Ond eto i gyd, ar y llaw arall, petawn i'n . . .

Mae Lois yn diflannu i'r gegin i nôl y botel o win sy ar agor ers chwarter awr ac yn hanner gwag yn barod, ac mae Anna yn codi ei phen o'r golofn glecs Hollywood am eiliad.

'Sut mae bywyd, Harriet?'

Dyw'r cwestiwn ddim yn golygu dim mewn gwirionedd, dim ond rhywbeth i'w ddweud, ond mae'n well gan Harriet beidio ag ateb. Anna yn ceisio eto.

'Rwy'n teimlo mor rhyfedd heno . . .' mae llais Anna yn feiddgar o'r soffa fawr feddal, ei choesau wedi'u croesi, yn symud ei thraed yn rhythmig, er nad oes dim miwsig, un o'i chluniau'n gwasgu fel clustog drwy'r slit yn ei sgert hir. Mae hi'n gwisgo top du, tyn, sy'n glynu wrth ei bronnau llawn, a'r defnydd meddal yn y sgert yn tynnu dros ei stumog a thros ben ucha ei chluniau, ar ffin beryglus rhwng bod yn ddeniadol a bod yn dew.

'Dylai fod 'da ni ddynion, dych chi ddim yn meddwl, ferched? Mae'n ofnadwy'n bod ni i gyd, y tair ohonon ni, ar ein pennau ein hunain ar nos Wener. Edrychwch arnon ni! Rŷn ni'n ffantastig!'

Nid oes neb yn ateb, ac mae Anna yn ceisio eto: 'Ych chi'n meddwl y byddwn ni'n lwcus heno?'

'Falle,' meddai Harriet. Beth yn y byd sy gyda hi mewn golwg? Rwy wedi gweld Anna yn y mŵd 'ma o'r blaen, ac mae'n beryglus. Pryd bynnag mae hi'n dechrau siarad am ddynion. Licwn i feddwl taw siarad yw'r holl beth, ond weithiau dw i ddim mor siŵr. Mae hi'n swnio'n rhy argyhoeddiadol weithiau.

'Mae clwb *singles* yn y gwesty 'na heno, lan ar bwys Treforys. Harriet – beth wyt ti'n meddwl? Beth am drio?'

Ond mae llais Harriet yn dangos ei hansicrwydd fel petai wedi ei baentio'n goch dros ei thalcen. 'Wyt ti wedi bod i un o'r llefydd 'na o'r blaen?' Gwell bod yn ofalus, bod yn amwys ar y dechrau. Cael amser i feddwl. Wedi'r cyfan, falle bod rhywbeth rhyfedd gyda Anna mewn golwg eto, fel yr amser 'na pan wnaeth hi ein perswadio ni i gyd i fynd i'r clwb 'na yng Nghastell-nedd. Wel, do'n i ddim wedi gweld stripyrs gwrywaidd o'r blaen, sut o'n i i wybod?

'Na, ond mae'n werth trio on'd yw hi? Falle byddwn ni'n lwcus.'

Lois yn ailymddangos o'r gegin gyda gwydraid o win coch i Harriet yn un llaw, a gweddill y botel yn y llall. Mae hi'n gosod y botel i lawr ar ford y lolfa a hi ei hunan ar fraich y gadair esmwyth lle mae Harriet yn eistedd, er bod digon o le i eistedd a'r ystafell yn fawr. Bu i rywrai rywbryd yn hanes y tŷ ddymchwel y wal rhwng y ddwy ystafell fyw a chreu un ystafell enfawr, ystafell oedd yn anodd iawn cael unrhyw drefn arni.

Mewn un gornel, wrth y ffenestr fawr gron, roedd y teledu. Un hen, gyda llwch ar ei ben ac ar ei fotymau, y llwch cyffredin oedd dros bopeth yn y stafell. Nid digon i fod yn berygl i iechyd, ond digon i chi allu tynnu llun ynddo gyda'ch bysedd, neu ysgrifennu neges a rhoi eich enw ar y gwaelod. Pentwr o bapurau a blychau fideo o gwmpas y teledu, y rhan fwyaf o'r blychau'n wag a'r fideos yn gorwedd yn noeth ar y carped treuliedig. Dwy soffa enfawr mewn lliwiau nad oedd yn cyfateb â'i gilydd. Un ohonynt yn eistedd i fyny yn galed, gyda'r breichiau pren tywyll yn gwthio drwy'r deunydd drostynt, a'r llall yn gorwedd 'nôl, yn bentwr o glustogau llac, cysglyd. Y carped yn frown golau – wedi ei etifeddu oddi wrth y perchennog diwethaf. Bord fawr wrth ochr y wal ym mhen arall yr ystafell, wedi ei gorchuddio gyda blwch gwnïo, deunydd amrywiol, ac edau o bob lliw a thrwch, o'r sidan mwyaf main i wlân trwchus, blewog. Twll sgwâr yn y wal y gellid tynnu drws bach pren oddi arno er mwyn gweld ac estyn pethau i mewn a mas o'r gegin fach.

Gwthia Lois ei hunan yn ôl yn erbyn cefn y gadair esmwyth, yr un sy'n gymar mewn siâp i'r soffa fawr feddal ond tra bod honno â phatrymau geometrig, streipiau glas a gwyn a wisgai hon. Gwthio'n agosach at Harriet. Closio ati, nes bod eu hysgwyddau'n cyffwrdd. Sibrwd yn ei chlust. A chwerthin yn ysgafn.

'Ro'n i'n meddwl nag o't ti'n mynd i ddod mas heno.'

Sibrwd isel a dwfn. Nid yw Anna'n gweld.

'Fory wy'n mynd mas gyda fe, nage heno, ac yn y bore hefyd. Alla i ddim bod yn rhy hwyr heno, mae'n rhaid i fi ddisghwl yn neis, dim cysgodion mawr dan 'n llygaid i.'

'Byddi di'n iawn. Nawr, rwy eisiau gwybod amdano fe, popeth amdano *fe*, cofia.'

Y sibrwd yn datblygu'n chwerthin cras ac aiff Anna i'r gegin ar ymgyrch am win gwyn.

Igian chwerthin o'r lolfa. Yn y gegin mae potel o win gwyn wrth ochr y meicrodon, a pheiriant casét â drâr y tâp ar agor. Yn wag.

'Oes rhywun eisiau gwin?' Llais Anna o'r gegin. 'Mae digon 'ma.'

Dim ateb.

'Gwnewch fel y mynnoch.'

Sŵn cân roc yn dechrau'n gras o'r gegin, ac yn diffodd yn syth.

'Oes dim byd gyda ti yn y tŷ 'ma heblaw Meat Loaf?' Llais Anna yn gweiddi o'r gegin.

'Oes, digon.' Meddylia Lois am ennyd. 'Bon Jovi . . . REM . . . U2 . . . Bryan Adams . . .'

Anna yn mwmial yn y gegin, ond yn gwneud hynny'n ddigon uchel i Lois allu ei chlywed drwy'r twll gweini yn y wal. 'Blydi Bryan Adams . . . bydde'n well 'da fi gael 'y nghlymu lawr a 'ngorfodi i wrando ar Meat Loaf am weddill fy mywyd i.'

'Rho fe'n ôl mewn 'te – ŷn ni'n lico fe.'

Sŵn chwerthin o'r lolfa. Lois yn arwain, a Harriet yn ymuno. Pen Anna yn ymddangos yn y twll rhwng yr ystafelloedd, llond dwrn o gasetiau heb eu blychau yn ei dwylo.

'Rhyw ddydd fe ddysga i ti, a tithau Harriet, beth yw miwsig – miwsig *iawn*.'

'Jest rho unrhyw beth mewn, wnei di?'

'O, os oes rhaid.' Diffoddodd llais Anna yn raddol wrth iddi fynd yn ôl i'r gegin. 'Ar ba ochr mae'r gân hyfryd 'na?'

Harriet yn codi ac yn mynd ati, yn rhy gwrtais i ddal i siarad â Lois gydag Anna yn gweiddi o'r gegin. Ond i Lois peth dibwys yw anwybyddu ei chwaer.

'Pa gân?' Mae Harriet yn cymryd drosodd yn famol. 'Dere fan hyn. Nawr. Pa un?'

'Yr un hyfryd 'na, cân serch, yr un drist, am fethu â charu rhywun.'

'Mae hi ar ddechrau ochr dau,' mae Harriet yn datgan â hyder tawel.

'Wyt ti'n gwbod pob gair sy ar y record 'ma, Hari?' Gwawd cariadus yn llais Anna. 'O leiaf nawr allwn ni gael rhywbeth 'da melodi.'

Anna yn arllwys gwydraid o win, ac yn mynd o gwmpas yn llenwi un pawb arall wrth i Harriet geisio penderfynu a ddylai hi symud y tâp ymlaen neu yn ôl er mwyn darganfod ble mae cân ar gasét a recordiwyd oddi ar gryno-ddisg rhywun arall, heb label o unrhyw fath yn y byd. O'i chwmpas mae pentyrrau o gasetiau eraill – pob un heb label. Mae Lois yn gafael yn ei gwydryn hi, ac yn rhoi un arall yn llaw Harriet. Mae Anna'n dechrau ar ei hail un, a daw'r gwydrau at ei gilydd mewn trawiad gogoneddus rhwng y tair.

'I ni,' medd Lois.

'I nos Wener,' medd Harriet.

'I fod mas!' gwaedda, bloeddia Anna, ac ar ôl diod arall, fydd dim ots gyda hi os bydd Meat Loaf yn gweiddi drwy'r tŷ i gyd am weddill y noson, am weddill ei bywyd. 'Ble ŷn ni'n mynd heno 'te, ferched?'

Neb yn ateb ar unwaith, ond yn edrych ar ei gilydd, ac Anna'n chwarae gyda'r rhidens ar ei bag.

'Peidiwch â bod yn *boring*, ferched. Ŷn ni'n mynd mas on'd ŷn ni?'

Ac wrth i Anna chwilio drwy'r pentwr o gasetiau anniben yn yr ystafell fyw, mae Lois yn symud yn agosach at Harriet eto, a'i llygaid yn mynnu gwrandawiad. Harriet fel petai'n sylweddoli, yn agosáu yn reddfol, yn closio ei phen at ben Lois i dderbyn yr hanner sibrwd.

'Gofynnodd e i fi ei briodi e.'

Mae gosodiad o'r fath yn gofyn am fwy nac 'O, ie,' ond beth mewn gwirionedd y gellid ei ddweud? Ac mae'n rhaid i Harriet ddweud rhywbeth.

'Paid â dweud "o ie", mae'n bwysicach na 'ny.'

'Ond beth wyt ti'n disghwl i fi 'weud? Sai'n gwbod beth wyt ti eisiau, rwyt ti'n newid dy drywydd mor aml. Ydy hynna'n beth da, neu'n drychineb?'

Nid yw Lois yn ateb.

'Oes rhywbeth gyda ti allwn ni ddawnsio iddo fe?' Llais Anna yn galw o'r ystafell arall. 'Rŷn ni eisiau dawnsio heno. Does dim miwsig dawns gyda ti?'

'Sai'n gwbod beth rwy eisiau.' Mae Lois yn anwybyddu Anna ac yn troi ei phen yn bryderus yn ôl at Harriet. 'Na, dyw hwnna ddim yn wir. Rwy'n mynd i ddweud na.'

'Ond pam?'

'Mae rhaid i fi, Hari, mae fe'n gofyn cymaint, yn gofyn gormod.'

'Ti'n dwp.'

'Ond mae fe eisiau tŷ, plant, popeth. Alla i ddim mynd drwy hwnna i gyd, ddim nawr.'

Llygaid Harriet yn gerydd i gyd.

''Weda i un peth wrthat ti, petai rhywun fel Daniel gyda fi – golygus, yn debygol o gael swydd dda, ac eisiau 'mhriodi fi hefyd, ac yn barod i ddishgwl ar 'yn ôl i am weddill 'y mywyd i, faswn i ddim yn dweud na.'

'Ond rwyt *ti'n* wahanol.'

'Mae'n hawdd dweud hwnna pan mae popeth gyda ti.'

Llais Anna o'r gegin, yn gweiddi y tro hwn.

'Oes gwahaniaeth 'da rhywun os wy'n troi hwn bant yn gyfan gwbl? Rhaid bod rhywbeth gwell gyda ti . . .'

Lois yn codi ei phen, ond heb ateb. Mae tomen o

gylchgronau ar y ford goffi mewn perygl o gwympo mewn *avalanche* o bapur llithrig, sgleiniog dros y llawr. Bysedda Lois yr un ar y top, gan blygu un gornel, yna'n ei smwddio'n llyfn eto, plygu a smwddio.

'Ond pam mae'n teimlo fel petawn i'n cael 'y nghloi i mewn?'

'Smo ti'n sylweddoli beth sy gyda ti.'

Chwa o ddrymiau o'r gegin, yn sydyn fyddarol, ac yna'r swn yn cilio am dipyn, cyn setlo ar lefel o swn cyfforddus. Llais Anna o'r gegin: 'Oes rhywun eisiau rhagor o win?'

Y pentwr o gylchgronau yn bygwth cwympo, llithro oddi ar ochr y ford. Mae Lois a Harriet yn gafael ynddynt ar yr un pryd, a'u llygaid yn cwrdd. Gwena Harriet, gan chwilio am rywbeth i'w ddweud.

'Ma' fe'n dweud taw fferyllydd yw e – y dyn rwy'n ei gwrdd fory.'

O diar, falle ddylwn i ddim dweud dim. Rwy eisiau dweud, eisiau rhannu hyn i gyd gyda rhywun, ond nid dyma'r lle, nid ar ôl y pethau mae Lois newydd eu dweud wrtha i. A dw i ddim yn ddigon meddw eto i esbonio'n iawn. Mae hyn yn rhy bwysig.

'Dwed, 'te. Pwy yw e? Sut mae fe'n edrych?' Lois yn gorfodi gwên i'w hwyneb a golau i'w llygaid.

'Dw i ddim wedi cwrdd â fe o'r blaen, ond anfonodd e lun . . .'

'*Arswyd*!' Llais Anna eto, yn sydyn, o'r gegin. Ond y tro hwn yn bwriadu cael ei chlywed.

'Beth sy'n bod arni hi nawr 'to?'

Daw Anna o'r gegin, ei hwyneb yn un marc cwestiwn lliwgar, ei cheg yn O mawr, yn dal cylchgrawn o flaen ei llygaid, a'i wyro un ffordd, wedyn y llall, 'nôl ac ymlaen, fel petai hi'n ceisio datrys pos.

'Dyw hynna ddim yn bosibl . . .' Mae'n troi'r

cylchgrawn o gwmpas mewn un cylch mawr yn ei llaw.
'. . . ydy e?'

Lois a Harriet yn mynnu gweld. A Harriet yn gwichian gyda boddhad wrth weld y lluniau. Ond nid yw Lois yn rhannu ei syndod.

'O, *hwnna*. Ffindais i hwnna ddoe.'

'Cest ti *gwd lwc*, do fe?'

'Roedd e dan y llyfr ffôn – ro'n i'n chwilio am rif yn y *Yellow Pages*.'

''Na dy stori di, yfe?'

'Ond mae'n . . . mae'n . . .' Mae wyneb Harriet yn gwyro i bob math o siâp rhyfedd. 'Mae'n . . . *disgusting*.'

Mae Anna'n fwy cyfforddus. 'Nawr – falle 'mod i'n naïf ofnadwy . . . ond mae hwnna'n amhosibl . . .'

A Lois yn sefyll naill ochr iddynt, yn gwenu.

'Rho fe'n ôl lle cest ti fe, bydd Richard yn chwilio amdano fe pan ddaw e'n ôl fory.'

'Ond dwyt ti ddim yn cytuno gyda phethau fel'na?' Harriet yn cwyno, ond yn dal i edrych, ei llygaid yn grwn ac yn fawr, ac mae Anna yn edrych arni â chydymdeimlad ar ei hwyneb.

'Pa fath o *lodger* sy gyda ti, wedi'r cyfan?'

'Dyw Richard ddim fel'na.'

'Ti wastod yn sefyll lan drosto fe. Sdim rhaid i ti gael *lodger*, nac oes? Jest un o dy syniadau twp di. A dyn? Os oedd rhaid i ti gael *lodger* o gwbl, pam dewis dyn?'

'Rwy braidd yn ei weld e, mae e mor dawel. Mae hwnna'n perthyn i un o'i ffrindiau fe, siŵr o fod.' Na, dw i ddim yn hoffi pornograffi chwaith, ond beth alla i ei wneud? Dyw e ddim byd i'w wneud â fi. Ffindais i hwnna pan o'n i'n clirio. Mae Richard yn olreit yn y bôn. Mae pob dyn yn edrych ar bethau fel'na, on'd 'yn nhw? Roedd e wedi cael parti, rhaid ei fod e, pan o'n i bant yr wythnos diwethaf, achos pan ddes i'n ôl roedd popeth yn daclusach na rwy'n cofio'r lle ers i fi symud i mewn. A phan o'n i'n tacluso'r llyfrau ffôn, ffindais i hwnna yng nghanol y llyfrau mawr. Wrth gwrs edrychais i. Pam lai? Ond mae gan Anna bwynt.

'Mae syniad gyda fi!'

'Jest rho fe'n ôl, Anna.' Dw i ddim yn hoffi goslef llais Anna. Mae hi wedi yfed gormod yn barod, a dw i ddim yn siŵr beth sy'n mynd i ddigwydd nesa, ac mae Harriet yn ei hannog hi, ei llygaid yn llawn sbri plentynnaidd.

'Ble mae fe heno?'

'Richard?'

'Wrth gwrs Richard, ble mae fe heno?'

'Yn aros gyda'i rieni.'

'Reit!'

Ac mae Anna yn gafael yn y cylchgrawn ac yn rhedeg i mewn i'r cyntedd gydag ef, a Lois yn rhedeg ar ei hôl.

'Dysga i iddo fe beidio â darllen pethau mochaidd fel hyn . . .'

'Anna!'

Diflanna Anna i waelod y grisiau, ac mae Lois wrth ei sodlau uchel hi, yn gweiddi arni, yn ofni'r hyn mae hi'n bwriadu ei wneud, ond heb wybod beth ydyw.

'Dylwn i roi'r lluniau 'ma dros ei wal e i gyd. Os yw e'n hapus yn edrych ar bethau fel hyn, dylai fod dim ots gyda fe.'

'Ond Anna!'

Ond does dim modd ei stopio hi pan mae hi mewn mŵd fel hyn. O'r Arglwydd, mae hi'n mynd i'w wneud e hefyd, mae hi'n mynd i dorri'r *centrefold* mas o'r cylchgrawn.

'Anna, paid!'

Ond pam wy'n boddran, dw i ddim yn gwybod. Camsyniad oedd ei gadael hi am gymaint o amser ar ei phen ei hunan gyda'r gwin. Ac mae rhywbeth yn bod arni heno. Rhywbeth gwahanol i'r arfer. Mae rhywbeth wedi digwydd. Ond fydd hi byth yn dweud. Ffinda i mas rywbryd heno, siŵr o fod. Mae Anna eisiau i fi wybod, rwy'n gwybod, mae hi wastod eisiau i fi wybod, ond dyw pethau byth mor hawdd â 'ny gydag Anna. Trio rhoi sioc i Harriet mae hi nawr. 'Na'r syniad wrth redeg o gwmpas y tŷ gyda'r hen gylchgrawn 'na.

Olreit, mae e *yn* ffiaidd. Na, dw i ddim yn cytuno gyda lluniau fel'na o ferched. Ond eto i gyd, roedd yn eithaf cyffrous eu darganfod nhw. Dyw e ddim y math o beth rwy'n gyfarwydd â'i weld. Wedi'r cyfan, dw i ddim yn mynd mas a phrynu pethau fel hyn, ydw i? Ac wrth gwrs ro'n i eisiau edrych. Ond wnaeth e ddim fy ffyrnigo i cymaint ag y disgwyliais. Rhyfedd, yntefe?

Ac mae Richard yn olreit. Mae pethau gwaeth na hyn i'w cael. Ac mae e'n talu'n rheolaidd, ac mae e'n dawel, dyw e'n ddim trwbwl o gwbl, ac mae eisiau'r arian arna i, o Dduw, mae eisiau'r arian arna i. Petawn i'n gallu fforddio'r lle 'ma ar 'y mhen 'yn hunan, Duw a ŵyr, faswn i ddim yn cadw *lodger*. Does dim byd yn bod ar Richard, ond pam yn y byd dylwn i gadw *lodger*? Ydy, mae Richard yn hyfryd, a rhaid cyfaddef bod y cylchgronau hyn yn . . . yn . . . ddiddorol . . . o . . . o diar . . . beth mae'r ferch 'na yng ngwisg Siôn Corn yn trio'i wneud gyda'r afal 'na?

Ond dyw Anna yn dal ddim wedi gwneud dim. Fel o'n i'n disgwyl. Mae hi'n hofran ar ris gwaelod y grisiau. Yn aros yna, gyda'r *centrefold* yn ei dwylo. Yn aros i fi ddod yn agos ati. Wrth gwrs ei bod hi'n aros. Dyna'r bwriad, ondefe. Ond na, wna i ddim chwarae ei gêmau bach hi. Mae hi mewn mŵd mor od heno. A dyw hi ddim yn sylweddoli beth rwy i wedi mynd trwyddo yr wythnos hon. Dim ond Harriet sy'n gwybod. Mae hi'n gwybod, a dyw hi ddim yn deall.

'O, olreit.' Llais Anna yn gostwng, gyda mwy nag ychydig o ryddhad hefyd. 'Os wyt ti'n mynnu,' ac mae hi'n eistedd ar y grisiau, yn gadael i'r cylchgrawn gwympo ar ei gliniau, ac oddi ar ei gliniau i'r llawr. Mae hi'n edrych mor fflat, mor wag, ei gwallt trwchus yn lapio o gwmpas ei hwyneb, ei phen yn ei dwylo. Harriet yn edrych yn euog. Ac yn gwenu.

'Ble ŷn ni'n mynd i fynd heno, 'te?'

'Mae'r noson *singles* 'na yn y Castell.' Mae Anna fel petai wedi colli'i hegni yn sydyn. Ond mae hi'n aros, aros i weld effaith ei geiriau ar bawb arall. Ond mae Lois wedi mynd yn ôl i'r gegin.

'Ti'n gêm on'd wyt ti, Harriet? Sut mae dy fywyd rhywiol di y dyddiau hyn?'

'Does dim byd llawer yn digwydd – neb ar y sîn, rwy'n golygu.' Alla i ddim dweud dim byd mwy, nid yn y mŵd mae Anna ynddo, bydd hi jest yn gwneud sbort am ben popeth.

''Na beth o'n i'n meddwl. Beth am drio?'

Mae Harriet yn dal yn amheus. 'Wel, rwy wedi meddwl sawl gwaith . . .'

'Dyna ni 'te – Lois, Lois! Beth am drio'r clwb senglau, mae Harriet eisiau mynd!'

'Beth wyt *ti'n* meddwl, Lois?' Harriet yn edrych o'i chwmpas yn betrus, ei llais yn greadur eiddil ar ei ben ei hunan mewn llong fach yng nghanol môr mawr.

'Bydd e'n *laugh*, siŵr o fod.'

Ond dal i amau mae Harriet. Pryder yn gymysg â chyffro yn dal yn ei llais. 'Ond pa fath o bobl sy'n mynd i lefydd fel'na?' Rhyfedd, ond unrhyw noson arall baswn i'n neidio ar y cyfle i fynd. Rwy wedi bod yn meddwl

41

am ymuno â rhywbeth fel hyn am sbel, ond heb fod â digon o *guts* i fynd. Ond nawr mae'n bosibilrwydd, dw i ddim yn siŵr a wy eisiau cwrdd â rhywun ai peidio, nid *fel'na* rwy'n feddwl. Nid mewn lle fel'na, ond erbyn meddwl, bydd pawb 'na i gwrdd â rhywun, pawb â bwriad, uchelgais. Pawb yn chwilio am rywun arbennig, chwilio am yr Un. Am weddill eich bywyd. Dim ond am yr Un. Yr un delfrydol – felly pam rwy'n teimlo mor nerfus, mor ansicr yn sydyn?

'Maen nhw'n dweud yn yr *Evening Post* taw clwb ar gyfer pobl broffesiynol yw e.'

Mae Lois yn gwenu. 'Falle daliwn ni ddoctor neu gyfreithiwr cyfoethog.'

'Faset ti'n priodi doctor neu gyfreithiwr, Lois?'

'Wrth gwrs. Rhywun 'da arian fel'na. Fyddai dim rhaid i fi weithio rhagor wedyn, na fyddai.' Mae'n hawdd chwerthin, hawdd dod o hyd i rywbeth twp a llon i'w ddweud. Hawdd bodloni pawb gyda dywediadau doniol. Ond faswn i ddim yn priodi neb. Nid nawr. Sut alla i briodi neb? O, Daniel, pam nawr? Dw i ddim eisiau dy golli di, ond pam nawr? Pam ddest ti nawr ac nid mewn dwy flynedd? Dwy flynedd – dylai hynny fod yn ddigon. Digon o amser i fi lwyddo, digon o amser i fi greu rhywbeth arbennig, dim ond digon o amser i fi gwblhau fy nghynlluniau; setlo popeth; llwyddo. Digon o amser i ddechrau'r busnes a dechrau gweld elw. *Wedyn*, Daniel. Allet ti fod wedi dod wedyn. Baswn i'n barod amdanat ti wedyn.

'Wel, rwy i eisiau cwrdd â doctor.' Mae egni Anna yn codi eto, yn byrlymu i'r wyneb. Fel lafa. 'Un golygus, wrth gwrs. Un ifanc golygus.'

'Aros funud.' Mae Harriet wedi codi'r papur lleol, ac yn ei sganio nes dod o hyd i'r hysbyseb. 'Mae'n dweud fan hyn taw clwb i bobl broffesiynol dros ddeg ar hugain yw e.'

'Sdim ots, nac oes?' Mae Anna yn llon a llawn sbri.

'Dŷn ni ddim yn ddigon hen.'

'Allwn ni ddweud ein bod ni'n ddigon hen.' Anna eto. 'So ni eisiau rhywun rhy ifanc, ydyn ni? Rhaid iddo fe fod yn ei dridegau. O leia. Sneb wedi cael cyfle i ennill digon o arian nes eu bod nhw'n o leia'n dri deg.'

'Elli di feddwl am ddim byd heblaw arian?'

'Rwy eisiau gŵr cyfoethog,' yw ateb syml Anna. ''Na'r ateb i bopeth, ondefe? Wy'n iawn, on'd ydw i . . . Lois? Lois?'

Beth mae hi'n ei wneud nawr? Mae'r olwg bell 'na yn llygaid Lois eto, a dyma fi'n ceisio gwneud fy ngorau i beri iddi anghofio, am bopeth. Dyma fi'n chwarae lan fel ffŵl, ac wedyn dyna hi'n cilio i gornel eto. Eisiau mynd mas sy arni hi. Eisiau anghofio am y twpsyn 'na. Ro'n i'n gwybod o'r dechrau bod dim gobaith i'r berthynas 'na. Maen nhw wedi torri lan fwy o weithiau nac mae Harriet wedi bod ar *blind dates*. A dyma'r ddwy ohonyn nhw yn eistedd 'ma mewn tawelwch, yn edrych ar ei gilydd, fel cwpl o *pilchards* mewn ffridj.

O'r arswyd, mae'n rhaid i rywun wneud rhyw benderfyniad heno.

'Wel? Ŷn ni'n mynd, 'te. Ydyn ni? Wel, dihunwch ferched, ŷn ni'n mynd i fwynhau ein hunain neu beth?'

O'r diwedd, mae Lois fel petai'n deffro tipyn. 'Sbo. Beth amdani, Harriet?'

Harriet yn symud ei phen er nad yw'n llwyddo i gytuno nac i anghytuno gydag unrhyw un.

'Mae Harriet eisiau mynd, on'd wyt ti?' Prysurdeb yn llais Anna. '. . . on'd wyt ti? . . . Ŷn ni'n mynd.'

'Ffonia i am dacsi, 'te.'

Lois yn diflannu i'r cyntedd ac mae Anna yn gweiddi ar ei hôl: 'Chwech chwech chwech – tri chant!'

Lois yn ei hateb yn swrth, 'Rwy'n gwbod y rhif.'

'Na, aros funud . . .' Harriet yn rhedeg ar ei hôl hi o'r lolfa, a dal Lois cyn iddi allu godi'r ffôn.

'Beth sy'n bod?'

Harriet yn petruso wrth y drws, yn troi i edrych a ddilynodd Anna, ac yna yn edrych eto ar Lois, yn anadlu'n rhy drwm, fel petai ei pheiriant yn rhedeg yn gyflym ond nad yw ei holwynion yn cyffwrdd â'r ddaear.

'Dim. Dim byd . . . jest . . . rwy'n-gwbod-am-gwmni-tacsi-da-iawn,' a'i llais fel peiriant drymio artiffisial gyda'r botwm uchder sain wedi ei droi i lawr.

'Ond rŷn ni wastod yn defnyddio *Gold Cabs*,' yw ateb Lois, a'r ffôn yn ei llaw. Harriet yn edrych arni hi, ar y ffôn, ar ddrws y lolfa, ar y llawr, ar Lois eto. 'Ie . . . olreit.'

Ac mae Lois yn gwthio'r botymau. Daw'r ateb bron ar unwaith, yn Saesneg dioglyd Abertawe. Maen nhw'n gyfarwydd â llais Lois.

' . . . Ie, am wyth o'r gloch . . . *Castle Hotel* . . .'

A Harriet yn dal i sefyll wrth y drws.

'Bydd, bydd ugain munud yn iawn . . . ar gyfer Lois . . . ie, Lois. Ocê? Diolch.'

Aiff Lois i'r gegin ar ôl rhoi'r ffôn yn ôl yn ei le. Erbyn hyn mae Anna yn pwyso yn erbyn ffrâm y drws rhwng y lolfa a'r cyntedd, yn edrych yn graff ar Harriet a honno yn ei hateb gyda golwg amheus, ac yn gofyn y geiriau anochel, 'Wyt ti'n siŵr am hyn, Anna?'

Gobeithio ei bod hi'n gwybod beth mae hi'n ei wneud. Allwch chi fyth ddweud gydag Anna. A gobeithio wir na wnaeth hi fy nghlywed i gynnau. Byddai Anna wedi sylweddoli. Mae'n wahanol gyda Lois. Mae Lois wedi anghofio yn barod. Ond Anna, byddai Anna wedi cellwair gyda fi am weddill y noson. Byddai Anna wedi gwybod bod rhywbeth yn bod. Na. Ro'n i'n iawn yn y lle cynta. Fyddai ddim wedi bod yn syniad da galw am Steve. Ond roedd e'n fflyrtian â fi wedi'r cyfan. Ac roedd e'n eitha golygus, nawr rwy'n meddwl. Ond dyw hwnna ddim yn ddigon o reswm, ydy e? Dw i ddim yn credu 'mod i'n gwneud unrhyw ffafrau â'n hunan yn trio ei weld e eto. Wedi'r cyfan, dw i ddim eisiau'r broblem o gael gwared â fe wedyn, nac ydw i? Gwell anghofio amdano fe. Does dim rhaid i fi dderbyn pob gwahoddiad rwy'n ei gael, nac oes. A falle fod e ddim yn fy ffansïo i wedi'r cyfan. Falle taw fy nychymyg i oedd e. Do'n i ddim yn gallu gweld ei wyneb yn iawn, wedi'r cyfan, pan oedd e'n siarad. Na, gwell gadael i Lois ffonio ei chwmni hi. Nawr anghofia amdano fe, Harriet. Rho dy sylw ar rywbeth arall.

Mae hi'n chwilio'r ystafell am rywbeth i dynnu'r sylw oddi arni hi ei hunan a'r teimlad bod Anna yn edrych arni. A'i llygaid yn dod o hyd i het felfed yn gorwedd yn bendramwnwgl dros ochr un o'r cadeiriau, y brodwaith arni heb ei orffen, a'r nodwydd yn dal ar y gwaelod.

'Beth yw hwnna?' Mae edmygedd amlwg yn llais Harriet.

'Y clwtyn 'na?' Fe ŵyr Anna yn iawn, ond mae'n ffugio anwybodaeth. Mae wedi mynd i eistedd i lawr ac yn gwrthod troi ei phen oddi ar y cylchgrawn ag anturiaethau diweddaraf aelodau ieuangaf y teulu brenhinol ynddo.

'Ro'n i'n gwbod bod Lois yn gweithio ar rywbeth arbennig, mae hi wastod mewn mŵd od pan mae hi'n gweithio ar rywbeth.'

'Mae pawb mewn mŵd od heno.'

'Ond Anna, shgwl ar hwn ... mae'n hyfryd, mor brydferth ... y lliwiau 'na, a'r pwythau aur ar yr ochrau.'

'Sgoriwn ni heno. Mae teimlad da gyda fi.'

'Swn i'n rhoi *unrhyw beth* i allu creu pethau mor brydferth â hyn.'

'Bydd yn ofalus, Harriet, falle bod rhywun yn gwrando.'

'Ond byddai fe'n wych gallu creu rhywbeth fel'na.'

'Gwastraff amser.' Llais Anna yn galed, ei thrwyn nawr yn y drych bach o'i bag llaw, ei bysedd yn rhwbio'n ysgafn o dan ei llygaid, yn chwilio am frychau cyfeiliorn o fascara.

'Ond ti'n gwbod beth sy 'da fi, mae dawn gyda hi. Mae'n ofnadwy fod rhaid iddi weithio yn y siop erchyll 'na, mae hi'n werth mwy na 'ny.'

'Yn gwmws. A gallai hi fod wedi cael mwy na 'ny. *Roedd* mwy na 'ny gyda hi. Roedd hi'n ffŵl i roi'r gorau i'r swydd 'na. Pan wy'n meddwl am faint allai hi ennill mewn ysgol.'

'Ti *yn* jocan, on'd wyt ti?' Lois. Wedi bod yn sefyll yn y drws rhwng y gegin a'r lolfa am sbel.

Ac Anna yn cau'r drych gyda chlep cas. 'Allet ti ddal i wneud pethau fel hyn yn y nos ar ôl gwaith . . .'

Harriet yn gweld y gwres yn codi ar wyneb Lois, ac yn ceisio lleddfu'r cerydd. 'Byddai'r penwythnosau gyda ti.'

Mae hi'n teimlo'r geiriau'n dod cyn i Lois eu hynganu, yn ergydion chwerw, poeth.

'Oh, *come off it*, Hari, beth allet *ti* ei wneud ar ôl diwrnod o waith yn y twll tin du 'na? Bydd yn onest.'

'Ond Lois, mae Harriet yn siarad sens. Ti'n brin o arian, braidd yn gallu cadw'r lle 'ma; 'na pam mae rhaid i ti gael *lodger*.'

'A beth wyt ti'n gwbod am y peth? Pryd o't ti mewn ysgol ddiwetha? Mae popeth yn neis neis pan wyt ti'n mynd 'na ar nosweithiau rhieni, on'd yw e. Yr athrawon

46

i gyd mewn dillad ffansi, lluniau lliwgar ar y waliau a'r plant i gyd yn bihafio. Ti'n meddwl ei bod hi fel'na bob dydd? Sut allet ti fod mor dwp? Rwy wedi bod 'na, cofia. Rwy'n gwbod am beth rwy'n sôn. Alla i fyth sgrechen ar gannoedd o blant drwy'r dydd, ac wedyn disgwyl cael digon o egni i wneud rhywbeth creadigol ar ôl hynny. Dyw hi ddim yn bosibl. Petawn i heb adael pan wnes i, dyna lle fyddwn i mewn ugain mlynedd, yn dal i sgrechen, yn dal i ysu am rywbeth arall, yn dal i feddwl beth allwn i fod wedi'i wneud, a 'mywyd i wedi mynd i gyd, o flaen fy llygaid i, fel ffilm lle mae *walk-on part* gyda fi, a dim deialog. 'Na dy syniad di o fod yn synhwyrol, efe?'

'Olreit, olreit.' Mae Anna ar ei thraed nawr. 'Ŷn ni'n mynd mas, on'd ŷn ni? *Lighten up*, wnei di? Amser parti. Wy'n barod am barti beth bynnag. Nawr, pryd mae'r tacsi 'na i fod i gyrraedd?'

Lois yn edrych ar ei wats fel petai rhaid iddi weithio rhywbeth mas. 'Mewn chwarter awr.'

'Digon o amser i gael tipyn bach rhagor o win, 'te.'

'Ac mae'r tâp wedi gorffen.'

'Wel, rho rhywbeth arall mewn, chwaer fach. Hyd yn oed Meat Loaf os wyt ti eisiau. Rwy'n credu alla i oddef hwnna am chwarter awr arall – *jest*!'

O leiaf mae hi'n gwenu eto. Mae hi'n mynd mor ddifrifol weithiau. Yn amlach y dyddiau hyn, ers iddi adael ei swydd yn yr ysgol a dechrau gweithio yn y siop. Ac mae'r dyn 'na yn cymryd mantais ohoni. Yn disgwyl iddi weithio oriau hir. Ro'n i'n gallu gweld hynny'n dod, o'r cynnig cynta. 'Wedais i wrthi, on'd do. 'Wedais i, mae rhyw olwg lechwraidd yn ei lygaid e. Cadw draw, 'wedais i. Mae e'n edrych am rywun i'w ecsploitio. Gweithiwr siep. Oriau hir. Ond dyw hi byth yn gwrando, wrth gwrs. Sai'n deall beth yw e 'da hi.

47

Gweithio mewn ysgol yn cymryd gormod o'i hegni? Mae'n swnio'n well i fi na gweithio'r oriau hir 'na yn y siop – maen nhw'n gorffen yn yr ysgol am hanner awr wedi tri. Yr holl amser sbâr 'na! Mae'n anodd credu. A'r gwyliau. Yr haf i gyd?

Ond wna i ddim dadlau gyda hi heno. Dw i ddim yn hoffi ei gweld hi fel hyn. Falle taw bai Daniel yw hyn heno. Dyw'r dyn 'na ddim yn gwneud dim lles iddi. Mae hi'n cael y pyliau 'ma bob tro ma' fe'n dod draw. All hi ddim gweld y cysylltiad? Swydd synhwyrol sy ei heisiau arni hi, dyn neis, ac anghofio am yr holl nonsens creadigol 'ma. Ond pa ddylanwad sy 'da fi drosti? Maen nhw yn y gegin 'to nawr, y ddwy ohonyn nhw, mewn bwndel bach. Mae Harriet yn ei chefnogi hi wrth gwrs, ym mhob cynllun rhyfedd. Ond eto, mae'n dda bod ganddi ffrind cystal â hi. O, Lois, gwna rywbeth â dy fywyd, wnei di? Dyw hi ddim yn rhy hwyr i ti. Mae amser yn dal i fod gyda ti, dim cyfrifoldebau, ac amser ar dy ochr di o hyd. Ac mae amser yn mynd heibio mor gyflym.

'Mae'r het hon yn berffaith, Lois.'

Mae Harriet yn sefyll wrth ford y gegin, a chân roc uchel ansoniarus yn bloeddio o'r *ghetto-blaster* wrth y sinc.

'O leiaf mae rhywun yn ei hoffi hi, neu falle taw dim ond bod yn neis wyt ti.'

'Ond dylet ti drio ei gwerthu hi.'

'Ti'n meddwl 'mod i ddim wedi trio?'

Mae Harriet yn bodio'r defnydd, ei bysedd yn dilyn pob rhes o bwythau cywrain. 'Mae'n rhy hyfryd.'

'Rhy brid.'

'Falle.'

'Wyt ti'n sylweddoli faint mae'n rhaid i fi ei godi er mwyn gwneud unrhyw arian werth chweil mas o honna?

Mae oriau o waith ym mhob un o'r hetiau 'na, 'na'r broblem.'

Ond nid yw Harriet yn gwrando'n astud. Mae hi'n meddwl, ei llygaid yn dilyn y patrymau o gwmpas ochrau'r het. 'Alla i gael hon? . . . i hysbysebu rwy'n feddwl. Os wy'n gwisgo hon o gwmpas y lle, yn yr ysgol, a llefydd fel'na, falle bydd pobl yn gofyn i fi lle rwy wedi ei chael hi.'

'O'n i ddim yn gwbod taw dyna oedd dy steil di – smo ti'n gwisgo pethau hipi fel'na fel arfer. Ond os wyt ti eisiau . . .'

'Licwn i – a gofynna i o gwmpas y ddinas. Mae'n rhaid bod rhywun yn gallu gwerthu'r rhain – wyt ti wedi trio unrhyw le arall?'

'Caerdydd?'

'O'n i'n meddwl mwy am lefydd fel Caerfyrddin, Llandeilo, Llanymddyfri – lle mae pobl 'da arian, lle mae twristiaid.'

'Nagw, ond . . .'

'Gad i fi drio, Lois. Un peth yw gwneud y pethau hyfryd 'ma, ond mae'n rhaid i ti eu gwerthu nhw hefyd. Rwyt ti eisiau gwerthu, on'd wyt ti?'

'Fyddet ti wir eisiau gwisgo het fel'na?'

'Byddwn.'

'Wir? Petait ti ddim yn gwbod taw fi wnaeth hi?'

'Byddwn.'

'Ti'n dweud celwydd.'

'Os dwyt ti ddim yn 'y nghredu i beth alla i 'i wneud? Mae hon yn wreiddiol. Mae hon yn wahanol.'

'Wyt ti wir yn meddwl 'ny?'

'Odw – gwranda Lois, mae'n rhaid i ti gredu fod gyda ti dalent.'

'Wyt ti wir yn meddwl 'ny?'

Ond mewn gwirionedd *rwy yn* credu yn yr hyn mae

49

Harriet yn ei ddweud. Pan rwy ar fy mhen fy hunan. Ar fy mhen fy hunan rwy'n credu taw fi yw'r dylunydd gorau yn y byd, yr artist mwyaf dawnus a welodd y byd erioed. Y frodwraig fwyaf celfydd erioed. Ond wedyn mae'n rhaid i fi siarad â phobl. Wedyn mae'n rhaid i fi fod gyda phobl. Wedyn mae'n rhaid i fi weld gwaith pobl eraill. Ac wedyn mae'r sicrwydd – y gwybod – yn diflannu, yn datglymu fel rhes o bwythau gwallus, yn cael eu tynnu allan o'r defnydd, ac yn gadael marciau hyll ar eu hôl. Marciau clwyfus sy'n anodd eu cuddio. Ond mae Hari'n edrych yn hapus. Mae hi'n trio tynnu'r het i lawr ar ei phen, ond dyw'r steil ddim yn ei siwtio hi na gweddill ei dillad, a'r lliw coch llachar yn gwneud dim iddi gan fod ei gwallt mor olau. Ond chwarae teg iddi.

Harriet yn tynnu'r het ar ongl ar naill ochr ei phen ac yn dawnsio o gwmpas y gegin.

'Gwisga i hon. Ie, gwisga i hon. Fel hyn!'

Mae het Lois yn bert. Na, nid pert yw'r gair. Mae'n drawiadol. Gyda'r gwyrdd dwfn yn y defnydd, a'r coch, a'r pwythau sgleiniog mewn aur drosti. Allwn i fyth greu rhywbeth fel hyn. Mae dysgu eraill sut i'w wneud yn un peth. Ond creu eich hunan . . . mae hynny'n rhywbeth arall. Dylai hi arddangos, nid gwerthu. Mae pethau fel hyn yn gelfyddyd, nid yn grefft. Lois oedd myfyriwr mwyaf dawnus ei blwyddyn – ond doedd neb arall yn gwybod hynny ar y pryd ond hi a fi. Mae'n bechod nad yw hi yn cael y sylw dylai hi ei gael. Gall unrhyw un ddysgu. Galla i ddysgu, ond allwn i ddim creu fel hyn. Dylai Anna fod yn falch ohoni, yn ei helpu hi yn lle ei rhwystro hi a'i gwthio i lawr bob tro. Ond falle taw fel'na mae teuluoedd. Brodyr a chwiorydd. Falle fod brodyr a chwiorydd wastod yn trin ei gilydd fel'na.

'Ferched, ferched!'

Anna'n ffrwydro drwy'r drws i'r gegin, yn taflu un fraich o gwmpas gwasg ei chwaer mewn ystum lithrig, hawdd.

'Ych chi'n siarad yn ddifrifol eto.' Mae ei llais yn tonni i fyny ac i lawr wrth ddwrdio. 'Ŷn ni ddim 'ma i fod yn ddifrifol. Mae'n nos Wener – amser parti!'

Ac mae'r gwydrau yn cyffwrdd â'i gilydd unwaith eto. A Harriet yn dechrau canu gyda'r tâp.

'Rwy'n gwbod pob gair o'r record 'ma.'

'Fyddwn i ddim yn disgwyl llai!' Lois yn ategu, yn chwerthin, yn gweiddi arni.

Ac Anna yn cau ei dwylo o gwmpas ei chlustiau, yn cymryd arni bod y sŵn yn ei brifo. 'Ystyriwch fy nghlustiau, wnewch chi ferched!'

Mae'r ddwy yn dechrau meimio i'r gân. O, Duw a'm helpo. *Maen* nhw'n gwybod pob gair hefyd. On'd ydy hynny'n drist? Ac maen nhw'n actio pob gair mas nawr. Dyw hyn ddim yn digwydd. Rwy wedi fy nghloi mewn stafell gyda dwy rocyr wallgof. Hunllef! Rhaid bod ffordd mas o hyn! Ond mae Lois yn chwerthin, o leia. Dw i ddim yn deall beth mae'r ddwy 'na'n gweld yn ei gilydd weithiau. Ond mae Harriet yn dda iddi. Yr unig un all wneud iddi chwerthin fel'na. Ac mae hi wedi anghofio nawr. Do'n i ddim wedi bwriadu dechrau ffrae heno. Ond pan mae hi'n siarad yn ddwl fel'na, wel, mae'n rhaid i fi ddweud rhywbeth, on'd oes? Dw i ddim yn gallu dal fy hunan 'nôl rhywfodd. Mae hi'n hala fi mor wyllt weithiau. Ro'n i wedi bwriadu iddi fod yn noson fawr heno. Chwerthin, dawnsio, anghofio. Rhaid i fi ddal fy ngafael ar fy nhafod.

Maen nhw'n dawnsio o gwmpas y gegin. Yn gwenu, yn canu. Yn hapus. Amser i ymuno, rwy'n credu. Symud i gêr uwch. Amser i rywbeth ddigwydd. Nawr, ble roedd y cylchgrawn 'na?

'Chi'n gwbod beth rwy eisiau'i wneud?'

Does neb yn ateb. Maen nhw'n dal i ganu. Wel, alla i fynd ymlaen ar 'y mhen 'yn hunan. Maen nhw'n chwerthin nawr. Wedi cael amser i yfed rhagor o win, wedi dal lan gyda fi.

Anna yn gafael yn y cylchgrawn, ac yn dal y *centrefold* y tynnodd hi mas yn gynharach ar agor o'i blaen.

'Chi'n gwbod beth licwn i wneud gyda hwn?'

'Beth?'

Anna'n cymryd llwnc arall o wydraid rhywun.

'Dilynwch fi, ferched!'

Wyth o'r gloch y nos

Does neb ond Anna yn gwybod yr hyn sy ganddi mewn golwg, ac nid yw hi mor siŵr ag y dylai hi fod. I fyny'r grisiau â hi, a Harriet a Lois yn ei heglu hi ar ei hôl, yn hanner baglu dros lyfrau a phapurau wrth fynd.

'Hon yw ei stafell e, ondefe?'

Lois yn ateb gydag amnaid amheus.

'*Blu-tack* – glou, cer i nôl *blu-tack* i fi.'

'I wneud beth, Anna?' Mae llais Harriet yn sigledig gyda'r gwin a'r ansicrwydd.

'Beth ti'n ffycin meddwl? Os yw e mor hoff o'r stwff 'ma, fydd dim ots gyda fe eu gweld nhw ar ei ddrws e.'

Mewn fflach mae Lois yn ôl wrth ddrws stafell y *lodger* gyda phelen galed o stwff gludiog yn gymysgedd o las a gwyn, ac yn sylweddoli ei bod hi'n helpu ei chwaer yn hytrach na'i hatal.

'Dim ond hwn o'n i'n gallu ei ffindo.' Mae'n chwerthin wrth estyn y belen i'w chwaer. 'Ond mae hanner ohono fe'n galed. Allet ti wneud dy orau gyda hwn?'

'Ers pryd mae hwn gyda ti?' Mae Anna yn byseddu'r belen gnotiog â dirmyg. 'Mae hwn mor hen â fi. Ffan-ffycin-tastig . . . sori Harriet.'

'Pam fod pobl yn meddwl bod rhegi yn fy ypsetio fi?' Harriet yn estyn ei llaw allan yn rhwydd i dderbyn y darnau o *blu-tack* a'r tudalennau amrywiol o law Anna. 'Chi'n gwbod pam dw i ddim yn rhegi? Rwy wedi hyfforddi'n hunan i beidio, sai'n gallu cymryd y risg o rywbeth yn dod mas o flaen y plant yn yr ysgol. Rwy'n hoffi fy swydd ormod.' Saib, wrth iddi ystyried. 'Wel, na, dw i ddim yn hoffi fy swydd, ond dw i ddim eisiau ei cholli hi chwaith. Mae'n swydd saff, barhaol. Mae pobl yn lwcus os oes swydd fel'na gyda nhw y dyddie hyn . . .'

'Harriet – cau dy geg, a rho mwy o *blu-tack* i fi.'

'O – artistig iawn,' meddai Lois.

'A ti ddylai wbod, ti yw'r artist wedi'r cwbl.'

Nid oes gwawd yn llais Anna, dim ond balchder, ac mae Lois yn pwyso'n ôl yn erbyn y wal â boddhad. A'r tair yn sefyll yn ôl ac yn ymwybodol yn sydyn o'r arddangosfa maen nhw wedi ei chreu: Lois, gyferbyn â'r drws, ei hysgwyddau yn erbyn y wal, a'i chanol yn gwyro allan yn syllu ar y *collage* fel petai'n ddarlun newydd gan baentiwr cyfoes a hithau'n ceisio deall ei neges; Anna yn sefyll wrth ochr y drws a'i breichiau wedi'u plygu o'i blaen, yn gwenu'n fodlon, ei gwefusau ar gau; a Harriet yr ochr arall a'i cheg ar agor y mymryn lleiaf, a chrych bach rhwng ei haeliau.

'Pa fath o fenyw sy'n gwneud pethau fel'na, pwy fyddai eisiau bod mewn lluniau fel'na?'

Mae Anna'n ateb heb betruso. 'Un sy'n brin o arian, Harriet. Wyt ti'n cytuno, Lois?'

Ffyc. Dyna hi wedi mynd eto – mae ei llygaid yn niwl. Dyw hi ddim wedi yfed llawer chwaith, ddim cymaint â fi. Mae Harriet wedyn yn edrych yn wridog, o ystyried. Mae 'da fi deimlad od am heno. Od iawn. Ond mae'r posteri newydd 'ma'n edrych yn wych. Byddai unrhyw ddyn arall yn ei lladd hi wrth weld rhywbeth fel hyn, ond mae Richard yn *wimp*. Dim ond cochi wnaiff e, a dweud dim. Syndod meddwl ei fod e, o bawb, yn edrych ar stwff fel hyn. Ych chi byth yn gwybod, ych chi. Beth maen nhw'n ei ddweud am y rhai tawel eto? Rwy'n gwybod popeth sy i wybod am 'ny, ond ydw i.

Ond sut gall unrhyw ferch wneud rhywbeth fel'na? Oni bai bod hi'n desperet. Erbyn meddwl, falle baswn i'n gwneud hynny er mwyn Rhian. Na, rwy'n *sicr* y baswn i'n gwneud hynny er mwyn Rhian. Ond dim ond er mwyn Rhian. A neb arall. O diar, mae hi'n cilio i mewn i'w hunan unwaith eto. A dyw hynny ddim yn cael digwydd, ddim tra 'mod i 'ma.

'Lois? Beth wyt ti'n meddwl 'te?'

'Bydd e'n ein lladd ni pan ddaw e'n ôl.'

Rwy'n gwybod beth mae hi'n trio'i wneud. Yn trio edrych ar ôl ei chwaer fach hi. Does dim rhaid i ti Anna, wir i ti. Ond rwy wedi cael digon ar drio dweud wrthi. Mae hi'n teimlo bod rhaid iddi geisio fy niogelu drwy'r amser, oddi wrth unrhyw broblem, oddi wrth ddynion, oddi wrth y byd i gyd. Ydy hi'n meddwl nad ydw i'n gallu gweld trwy ei chelwydd hi erbyn hyn? Dyw hi ddim yn feddw, er ei bod yn ymddwyn fel petai hi, yn ceisio rhoi'r argraff ei bod hi off ei phen gyda'r gwin. Mae hi'n gwybod bod rhywbeth yn bod arna i, ac mae hi'n trio ei anwybyddu. Yn meddwl 'mod i'n mynd i anghofio hefyd, yn dal i feddwl y bydd problemau yn diflannu ond i chi beidio sôn amdanyn nhw. Mae ei rhesymu fel meddwl plentyn bach yn cuddio ei lygaid ac yn credu nad oes neb yn gallu ei weld, gan na all ef eu gweld nhw. Rwy wedi cael wyth mlynedd ar hugain ohoni, rwy'n ei nabod hi erbyn hyn, does bosib. Ond dydi o ddim yn gwneud gwahaniaeth mewn gwirionedd. Rwy'n gwybod bod ei chalon yn y lle iawn. Mae hi'n trio helpu, ac rwy'n gwerthfawrogi hynny. Ond nid heno, Anna. Celwydd onest, caredig yw ei chelwydd hi. Well i fi gymryd arna i 'mod i wedi cael sioc yn gweld y lluniau, a'r hyn mae hi wedi ei wneud. I'w chadw hi'n hapus. A chwarae teg, dyw hi ddim yn gwybod beth sy'n 'y mhoeni i, a pham ddylai hi wybod? Mae hi'n credu ei bod hi'n deall, ac mae hynny'n ddigon am heno. Alla i ddim sbwylo ei noson hi. Dyma'r unig noson mae hi'n cael yn rhydd, yr unig noson nad oes rhaid iddi boeni am Rhian. Dyw'r lluniau yn golygu dim i fi. Rwy wedi gweld pethau fel'na o'r blaen. Pethau gwaeth hyd yn oed. Pam ddylai llun o ferch a'i choesau ar led boeni dim arna i? Mae pethau gwaeth gyda fi i boeni yn eu cylch. Ond dyw hyn ddim yn deg ar Harriet chwaith. Dod mas i fwynhau mae'r ddwy, ac alla i ddim eu siomi. Rhaid i fi ddweud rhywbeth, i ddangos iddyn nhw 'mod i'n iawn, hyd yn oed os nad ydw i.

'Ti'n dawel Harriet, beth wyt ti'n ei feddwl?'

Dim ond chwerthin mae hi, ond daw geiriau yn y man. 'Beth petai e'n dod â'i fam 'nôl gyda fe?'

'Trystia ti i feddwl am hynna!'

'Ond rîlî,' medd Harriet yn sydyn ddifrifol. 'Falle dylen ni eu tynnu nhw i gyd i lawr 'to. Ŷn ni wedi cael ein sbort ni nawr.' Dw i ddim yn hoffi'r lluniau hyn. Ond dw i ddim mor naïf â hynny. Rwy wedi gweld pethau fel hyn o'r blaen. Ac nid dim ond mewn lluniau. Rwy'n gwybod sut mae pethau. Ond dyw hynny ddim yn golygu taw fel hyn y dylai pethau fod rhwng dyn a merch. Nid fel hyn y dylai rhyw fod, ond . . . mae rhywbeth yn hynod o gyffrous ynddyn nhw. Nid yn y wisg ryfedd mae'r ferch yn ei gwisgo, mae wedi ei gwisgo fel y nyrs ryfedda rwy wedi ei gweld erioed. Ond mae rhywbeth yn y ffordd mae hi'n gorwedd, yn y ffordd mae'n sefyll – mae'n gyffrous . . . ond ble mae'r rhamant? Ble mae'r dirgelwch? Dyw pethau ddim i fod fel hyn. Mae'r ddwy arall yn chwerthin nawr. Rwy eisiau tynnu'r lluniau hyn i lawr, eu rhwygo i lawr. I wneud yn siŵr nad ydy'r lleill yn gallu gweld fy meddyliau i. Ydyn nhw'n gallu gweld fy meddyliau, tybed? A ydw i'n eu darlledu cystal â 'ny? Ond edrych ar y lluniau maen nhw, nid arna i.

'Beth wyt ti'n meddwl, Anna?' Lois yn gadael Harriet yn ei mudandod, ac yn teimlo cyfrifoldeb i ysgafnhau'r sgwrs unwaith eto. Mae'n cymryd cam yn ôl, yn gwyro ei phen, ac yna'n camu ymlaen eto a symud y poster mawr ar ganol y drws i'w sythu, ac yn anelu'r cwestiwn at ei chwaer eto. 'Wel, Anna? Ti'n mynd i drio rhywbeth fel'na mas heno?'

Gwrid ysgafn, llaith yn codi dros wyneb Harriet.

'Wel . . .' Mae Anna'n dechrau ystyried. Yn gwyro ei phen hithau yn ôl ac ymlaen, yn ystyried y mater yn ddwys. Rhaid dewis rhywbeth addas i'w ddweud. Rhaid peidio â rhoi cyfle i'r sgwrs hon droi'n ddifrifol, ddim ar unrhyw gyfrif. A rhaid iddi hi ei hachub. A fydd hi'n trio rhywbeth fel'na mas heno?

'Mae'n dibynnu os alla i gael gafael ar wisg Siôn Corn,' yw ei hateb, gan edrych ar Lois, a thonnau o chwerthin yn byrlymu i'r wyneb.

'Eitha anodd yng nghanol mis Awst, 'swn i'n meddwl,' ymuna Lois mewn rhyddhad, ei hanadl yn fyr wrth igian chwerthin.

'Llawer haws na dod o hyd i ddyn i wneud hwnna gyda fe,' yw geiriau Anna, yn dawel. Iddi hi ei hunan mae'r geiriau, ond mae Lois yn eu clywed ac yn cydio yn ei braich, ac os clywodd y diferyn o chwerwedd a dreiddiodd i'r geiriau, penderfyna ei anwybyddu.

'Paid â phoeni, ffindwn i rywun i ti. Heno.'

Mae Harriet yn sefyll 'nôl, a golwg amheus yn ei llygaid eto.

'Rwy'n dal i gredu dylen ni dynnu'r rhain lawr. Roedd yn hwyl ei wneud e, ond mewn gwirionedd . . .'

'Ble mae dy synnwyr di o antur, Harriet?'

'Antur?' Sôn am antur. Mae Anna wedi torri'r cylchgrawn i gyd ac wedi glynu popeth bron ar ei ddrws e, a'r gweddill ar y tu mewn, ar waliau *lodger* Lois. Ac rwy wedi gwylio. Wedi helpu! O'r nefoedd, beth ŷn ni wedi ei wneud?

'Beiro?' medd Anna, fel un sydd wedi hen arfer cael ymateb i'w gofynion ar unwaith.

Lois yn neidio, wrth gwrs, ac mae beiro yn llaw Anna mewn fflach.

'*Knock before you enter* . . .' saif i glywed ymateb pawb arall. 'Ych chi'n cytuno? Ie? Sgrifenna i hwnna, ie?'

'Ie, cer amdani!' Llais Lois yn llon ac yn ysgafn. 'Ie, sgrifenna hwnna!'

Ac Anna yn ysgifennu ar y *centrefold* mewn llythrennau bras, hyderus.

Ac mae'r tair yn clywed corn car ar y stryd.

'Ffyc, mae'r tacsi 'ma.'

A phawb yn rhedeg i lawr y grisiau a gadael y campwaith artistig, yn gafael yn eu bagiau ac yn rhuthro am y drws.

'Gwesty'r Castell,' yw gorchymyn cwta Harriet. Druan o yrrwr y tacsi. Gyda'r tair ohonon ni'n neidio i mewn i'w gar. Dyw e ddim yn gwybod beth sy o'i flaen e.

'Ych chi'n gwbod beth sy'n digwydd yn y Castell heno?' gofynna Anna, yn swnio'n ansicr, fel petai wedi colli ei holl hyder yn sydyn, ac edrycha Harriet yn chwithig arni.

'Ro'n i'n meddwl dy fod ti'n gwbod am y lle 'ma.'

Hi oedd yr un â'r hyder i gyd. Hi oedd eisiau mynd i'r Castell yn y lle cyntaf. Ro'n i'n meddwl ei bod hi'n gwybod. O, Anna, rwy'n gobeithio nad wyt ti wedi gwneud camgymeriad ofnadwy. Mae teimladau rhyfedd gyda fi am heno. Ers i fi adael y tŷ. A sai'n gwybod beth ŷn ni'n gwneud 'ma o gwbl. Noson Anna yw hi heno. Datrys problemau Anna yw'r nod am heno. Mae Chris yn mynd i gwrdd â ni, on'd yw e? O leiaf, dyna'r hyn ddywedodd Lois ei bod hi wedi ei drefnu, oni bai 'mod i wedi camddeall. Fydd Anna byth yn cytuno i siarad ag e oni bai ein bod ni'n trefnu iddyn nhw gwrdd, oni bai ein bod ni'n eu cael nhw at ei gilydd eto. Mae ar ein hysgwyddau ni mewn gwirionedd, mae hyn i gyd ar ein hysgwyddau ni nawr, Lois a fi. Mae Anna yn cymryd arni bod dim ots gyda hi'r un ffordd neu'r llall, ond rwy'n gallu gweld trwy hwnna i gyd. Rwy'n gwybod ei bod hi eisiau ei weld e. Ei bod hi ond yn chwilio am esgus i'w weld e eto. Rhaid ei bod hi eisiau ei weld e eto. Maen nhw mor berffaith gyda'i gilydd. Maen nhw'n edrych yn debyg i'w gilydd i ddechrau. Ac mae hynny'n bwysig. Mae e ychydig yn dalach na hi. Digon i fod yn weddus, ond heb fod yn ddigon i edrych yn od. Mae 'da nhw'r un lliw gwallt fel cnau a llygaid gwyrdd. A 'dyn nhw braidd byth yn cweryla. Ond am y tro hwn. A dw i ddim yn gwybod beth aeth o'i le y tro hwn. A dyw Lois ddim yn fodlon dweud. Os yw hi'n gwybod o gwbl.

Sai'n gwybod faint mae chwiorydd yn dweud wrth ei gilydd. Sai'n gwybod sut mae chwiorydd yn siarad pan maen nhw ar eu pennau eu hunain. Ac os yw Chris ac Anna wedi cwympo mas dros rywbeth bach, wel, mae'n rhaid iddyn nhw gael help i sylweddoli eu camgymeriad. Sut all Anna ystyried bod hebddo fe? Mae e mor hyfryd. A beth bynnag, sut all hi feddwl am fod heb ddyn, pan fo ganddi un digon da yna o'i blaen hi? A hithau'n ei wrthod?

Rhaid iddi gael esgus i'w weld e heno, esgus i siarad â fe. A Lois a fi fydd yr esgus heno, a bydd Anna yn gwerthfawrogi hynny yn y pen draw. Bydd hi'n diolch i ni. Dyw hi ddim yn deg eu bod nhw ar wahân. Ond os allwn ni eu cael nhw gyda'i gilydd heno, yn ddamweiniol fel petai, bydd yn rhaid iddyn nhw siarad

59

â'i gilydd. Fydden nhw byth yn gwybod yr hyn sy wedi digwydd, jest yn meddwl taw ffawd sy wedi dod â nhw'n ôl at ei gilydd eto. Dyna fel y dylai pethau fod. A bydden nhw'n meddwl y dylen nhw fod gyda'i gilydd. Ond mae eisiau tamaid bach o help weithiau. Pam na ddylen ni wneud rhywbeth i helpu os ŷn ni'n gallu, Lois a finnau? Mae'n wirion bod dau o bobl sy'n caru ei gilydd ar wahân, os oes cyfle iddyn nhw fod gyda'i gilydd, i fod yn hapus.

Dyw'r gyrrwr ddim yn gwybod dim am y clwb senglau. Mae'r daith yn hir. Y tacsi'n fawr ac yn ddu, yn debyg i dacsis Llundain, a gormod o le yn y cefn ar gyfer y tair, a'r sedd yn galed ac yn llithrig. Mae'n gwibio drwy strydoedd y ddinas, dinas sy erbyn hyn yn brin o geir heblaw am y tacsis – y rhai mawr, a'r rhai bach, a'r rhai du, a'r *minicabs* o bob lliw – a phob un yn rhuthro i mewn i'r ddinas, ac yna yn mynd yn ôl mas eto, i gyrion y ddinas estynedig hon, i'r casgliadau o gymunedau a fu unwaith yn drefi a phentrefi ar eu liwt eu hunain, ond sydd erbyn hyn wedi eu clymu ynghyd mewn cadwynau, mewn un llinyn hir o ddinas.

Ac mae'r cerbyd yn rhuthro o un gornel i'r llall, a Harriet yn ei chael ei hun fwy nag unwaith yng nghôl Anna.

'Mae hyn yn neis!' Gwena Anna yn wirion unwaith eto. Harriet yn ateb drwy daflu braich o'i chwmpas ac yn nesu ati. Mor hyfryd yw cael teimlo corff rhywun yn agos at ei chorff hi. Cynhesrwydd a chysur, o'r diwedd, cael teimlo rhywun arall yn agos. Am unwaith mewn wythnos. Cnawd meddal, yn falm o'r diwedd, fel sugno llaeth cynnes. Mae gwybod bod rhywun arall yno yn ddigon am y tro. Distawrwydd am funud, yna Anna yn codi ei llais er mwyn gwneud yn siŵr bod y gyrrwr yn gallu clywed.

'Chi'n gwbod ein bod ni'n hoyw, on'd ych chi.'

Nid yw Lois yn gwerthfawrogi'r jôc. 'Anna!'

'Wel, gwell dweud y gwir o'r dechrau.'

Wyneb Lois wedi'i rewi. Mae'r gyrrwr yn dawedog. Ond falle ei fod e'n gwenu.

'Beth sy'n bod?' Ceisia Anna godi yn ei sedd, ond caiff ei gwthio yn ôl i mewn iddi yn ddisymwth gan symudiad sydyn y cerbyd yn siglo o gwmpas cornel hir a chrwn. 'Ych chi ddim yn credu taw *lesbians* ŷn ni?'

'O na, Anna, paid.' Mae hi wedi yfed gormod. Ro'n i'n gwybod y dylwn i fod wedi cuddio'r botel arall o win. Roedd honno ar gyfer yr wythnos nesa beth bynnag. Fwriedais i fyth iddi agor honna, i neb agor honna yr wythnos hon. Alla i ddim fforddio prynu un arall ar gyfer yr wythnos nesa. Mae'n hen bryd i Harriet gyfrannu rhywbeth hefyd, mae hi'n ennill digon. Hi yw'r unig un sy â swydd werth ei chael. Mae hi'n ennill mwy o arian na'r un ohonon ni.

'Rŷn ni i gyd yn hoyw.' Nawr mae Harriet yn ymuno â hi, yn dechrau teimlo cyffro'r nos, tonnau bach pleserus, cyfarwydd yn dechrau codi ynddi. 'Ie, ac rŷn ni ar werth hefyd!'

Harriet, o, paid. A plîs, allet ti stopio giglan am funud?

'Ie, a hi yw ein pimp ni!'

Na, Harriet, rwyt ti wedi mynd yn rhy bell nawr.

'Beth sy'n bod, Lois? Ti yw ein pimp ni, ondefe?'

Lois yn gostwng ei phen am eiliad, yna'n ei godi ac yn tynnu ei bysedd drwy ei gwallt fel petai am ei dynnu'n ôl oddi ar ei hwyneb, ond bod ei gwallt yn rhy fyr i wneud hynny. Mae ei llais yn sydyn ddifrifol, ac wedi colli y cellwair i gyd. Yn ei le gall Harriet glywed coegni blin.

'Os ŷn ni'n hoyw, pam yn y byd ŷn ni ar y ffordd i glwb senglau i gwrdd â dynion?'

'Paid â bod mor ddiflas.' Anna yn plygu dros Harriet ac yn gwthio Lois yn ei hystlys â'i phenelin. 'Pwy sy'n gwbod be all ddigwydd?'

Ond mae Harriet yn dal i syllu ar Lois. Yn closio ati. Yn gollwng Anna ac yn troi i gydio yn Lois.

'Beth sy? Dwed, beth sy?' sibryda, ei gwefusau yn agos at glust Lois.

Llais Lois yn furmur trwm, ei phen yn ei dwylo, a dim ond Harriet sy'n clywed. Ac mae ei llais hithau, wrth siarad â'r gyrrwr, yn glir a phendant.

'Rŷn ni wedi cyrraedd . . . Dere, Lois. Elli di ei dalu fe, Anna? Tala i ti'n ôl ar ôl i ni fynd i mewn.'

Mae'r tair yn dringo mas.

'Ych chi'n siŵr bod y lle 'ma'n iawn?' gofynna Anna i'r gyrrwr, tra bod Lois yn sychu ei llygaid. Neb arall yn clywed ei ateb, y tu allan i'r cerbyd. Mae breichiau Anna ar ben ffenestr agored y gyrrwr, ei phen wedi ei ostwng i edrych i mewn arno, a'i gwallt tywyll yn sboncio o gwmpas ei hwyneb wrth iddi siglo ei phen yn frwdfrydig wrth ddadlau, ei phen ôl wedi ei wthio allan y tu ôl iddi, yn siglo o un ochr i'r llall yn ei sgert dynn.

'Allwch chi aros? . . . Dewch 'mlaen . . . Jest am gwpwl o funudau . . . nes i ni weld beth sy'n digwydd mewn fan'na . . . Jest am gwpwl o funudau . . . Jest troi'r cloc bant am sbel . . . O *go on*, ŷn ni o ddifri . . . onest . . . Shgwl, so'n ni 'di bod i unrhyw le fel hyn o'r blaen . . . chi'n siŵr bo chi ddim yn gwbod sut math o le yw hwn? . . . Wel olreit . . . Allwch chi ddim mynd â ni'n ôl i'r ddinas? . . . Wel pam ddim?'

'Anna – dere!'

Harriet yn gafael yn ei siaced, ac yn ei thynnu wrth lond llaw o ddefnydd i gyfeiriad y prif fynedfa. Daw Anna ar ei hôl hi gan faglu ar hyd y maes parcio yn ei sodlau uchel.

Mae'r cyntedd yn wag, yn rhyfedd ac yn oer, a'r drysau mawr gwydr yn ysgubo ar agor ac yn cau eto, yn sugno i mewn y gwynt poeth sy'n codi'n uwch gyda phob awr. Ond mae'r bar mewn lle amlwg, yn gysurlon, yn galw.

'Fan hyn mae fe?' Anna sy'n gofyn, a'i llais yn rhy uchel i Lois deimlo'n gyfforddus. Yn tynnu gormod o sylw ati hi ei hun.

'Na, sai'n credu,' mae Lois yn mynnu, yn sibrwd. 'Mae'r bobl 'ma'n edrych yn normal.'

'Smo ti 'di bod i rywle fel hyn o'r blaen wyt ti, sut allet ti ddweud pa fath o bobl fydd 'ma?'

'Nid fi oedd eisiau dod yn y lle cyntaf.'

'Olreit.' Harriet yn ei gosod ei hunan yn gorfforol rhwng Anna a Lois. 'Sai'n hoffi ymyrryd mewn dadl deuluol, ond . . .'

'Mae Harriet yn iawn,' medd Anna wrth gyffwrdd â braich ei chwaer yn ysgafn. 'Ŷn ni mas i fwynhau. Wel, ferched. Beth ŷn ni'n mynd i'w wneud heno? Ŷn ni'n mynd i bigo lan rhywun cyffrous, neu beth?'

'Wy'n mynd i gael diod arall.' A diflanna Lois at y bar.

Ar ôl iddi fynd yn ddigon pell mae Anna yn sibrwd yng nghlust Harriet: 'Wel?'

'Wel beth?'

'Wel? Beth 'wedodd hi wrthot ti?'

'Pryd?' Harriet yn cymryd arni nad yw'n deall, ond dim ond cythruddo Anna a wna hyn a pheri iddi brocio'n fwy.

'Yn y tacsi. Roedd hi'n llefain, on'd oedd hi. Wy'n gwbod. Wy wastod yn gwbod.'

'Does dim byd yn bod.'

'Wrth gwrs bod rhywbeth yn bod. Rwy wastod yn gwbod pan mae rhywbeth yn bod arni. Y diawl 'na 'to, ondefe.'

'Sai'n dy ddeall di.'

'Ti'n gwbod. Mae hi'n dweud popeth wrthot ti. Beth ddwedodd hi – am Daniel?'

'Mae hwnna rhwng Lois a fi.'

'Ond rwy jest eisiau ei helpu hi, ti'n gwbod 'ny, dim ond eisiau iddi hi fod yn hapus. Rwy'n poeni amdani hi. Mae eisiau rhywun gwell iddi hi, nage'r ffŵl 'na. Breuddwydiwr yw e. Does dim gwaith gyda fe. Beth mae e'n bwriadu gwneud gyda'i fywyd? Ydy e'n bwriadu bod yn fyfyriwr am weddill ei oes? Mae un radd gyda fe, a dylai hwnna fod yn ddigon i unrhyw un. Ond mae breuddwydion twp gyda fe, jest fel sy gyda hi. Y ddau'n meddwl eu bod nhw'n gallu bod yn rhywbeth mawr, yn rhywbeth arbennig. Mae'n rhaid iddyn nhw ddihuno, y ddau ohonyn nhw, a sylweddoli eu bod nhw'n ddim gwell na neb arall.'

'Os yw hwnna'n wir, falle fod nhw'n siwtio ei gilydd 'te.' Ceisia Harriet gynnig rhywbeth positif.

'Os yw hynna'n wir, 'na'r brif reswm pam ddylen nhw ddim bod gyda'i gilydd – dwyt ti ddim yn gallu gweld 'ny, Harriet? Mae'n rhaid iddyn nhw fyw ar rywbeth. Mae'n rhaid i un ohonyn nhw ennill rhywbeth gwerth chweil. 'Wedodd e'r diwrnod o'r blaen fod e wedi treulio pedair blynedd yn trio gorffen beth bynnag mae fe'n trio'i orffen.'

'Doethuriaeth, Anna. Mae fe bron â'i gwpla. Mae fe'n mynd i fod yn ddoctor.'

'Cael ei ddoctro sy eisiau arno fe, os ti'n gofyn i fi. Pa swydd gaiff e wedyn? Pa iws yw *Marine Biology* i neb? Ac wedyn 'na hithau gyda'r syniadau mawr 'ma am ddechrau busnes. Mae pob busnes yn colli arian yn y blynyddoedd cynta, os ydyn nhw'n mynd i lwyddo o gwbl, ac wedyn does dim sicrwydd o hynny hyd yn oed. Sut maen nhw'n mynd i fyw?'

'Ond mae hi'n caru Daniel.'

'Dyw hwnna ddim wastod yn ddigon, Harriet. Pryd wyt ti'n mynd i dyfu lan?'

'Mae e wedi gofyn iddi briodi fe.'

'O, rwy'n gwbod 'ny. Ond bydd popeth yn iawn yn y pen draw. Achos roedd hi'n ddigon call i'w wrthod e. Sai'n gwbod pam mae hi'n crio. Mae hi wedi sylweddoli taw fe yw'r dyn anghywir iddi o'r diwedd, mae hynny'n amlwg, neu fyddai hi fyth wedi ei wrthod. Mae mwy o sens gyda hi nag o'n i'n credu. Mae hi wedi gwneud ei meddwl lan, a sai'n gwbod pam mae hi'n edrych mor ddiflas, oni bai ei bod hi'n gwamalu, yn gwanhau . . . ssh, mae hi'n dod 'nôl.'

Mae Lois yn agosáu, yn dal tri jin a thonig yn ei dwylo, ei bysedd ar led o gwmpas y gwydrau.

'Cymraist di dy amser.'

'Rhyw gnec wrth y bar yn trio chato fi lan. Roedd rhaid i fi gael gwared â fe.'

'Oedd e'n olygus?'

'Na.'

'Gwnest ti'r peth iawn, 'te.'

'Anna, mae pethau pwysicach na bod yn olygus.'

'O ie, Hari, a phryd est ti mas gyda dyn salw ddiwethaf?'

Llifa'r gwrid i wyneb Harriet.

'Nid dyna'r pwynt. A dw i ddim yn chwilio am rywun golygus, dim ond rhywun neis.'

''Na beth wyt ti'n dweud. Mae'n nobl iawn i 'weud 'ny, ond pan ddaw hi i'r pen, rwyt ti fel pawb arall. Os yw e'n edrych fel Brad Pitt – wel, wyt ti 'na fel cwningen yn y gwanwyn. Os na – dwyt ti ddim yn edrych arno fe ddwywaith.'

'Dw i ddim mor ffôl â 'ny. Mae personoliaeth yn bwysig, on'd yw e? Rwy'n cwrdd â dynion drwy'r amser 'da phersonoliaethau hyfryd.'

'Hyfryd i siarad â nhw falle, ond faset ti ddim yn mynd mas gyda nhw. Faset ti ddim yn eu ffycio nhw, 'na'r pwynt. Bydd yn onest, faset ti ddim. Beth wyt ti'n meddwl, Lois? Allet ti fynd mas gyda dyn hyll? Hyd yn oed un gyda phersonoliaeth hyfryd?'

'All y ddwy ohonoch chi siarad am unrhyw beth heblaw rhyw?'

'O Lois, pam wyt ti'n edrych mor uffernol o ddiflas? Rwyt ti wedi gwneud y peth iawn, ti'n gwbod, yn cael gwared â fe. Paid ag amau hynny am eiliad. Ŷn ni 'ma i gael noson heb ddynion heno. Am unwaith. Dylet ti anghofio am ddynion, a mwynhau dy hunan. 'Dyn nhw ddim yn werth y pryder.'

''Na pam ŷn ni mewn clwb senglau, yfe Anna?'

'Wel, rwy *yn* trio meddwl am bethau gwahanol i'w gwneud, yn lle mynd i'r un hen lefydd bob nos Wener. Mae'n rhaid i chi'ch dwy gyfaddef bod hyn yn wahanol.'

'Ond does dim byd wedi digwydd eto. Sut mae'r peth 'ma'n gweithio? Ydyn ni jest i fod i eistedd 'ma ac aros i'r dynion bigo ni lan neu beth? Sai'n ffansïo unrhyw un fan hyn. Ble mae'r doctoriaid a'r cyfreithwyr rhywiol?'

'Paid â gofyn i fi, Harriet. Sut wyt ti'n disgwyl i *fi* wbod? Cawn ni weld, mae'n gynnar eto, all unrhyw beth ddigwydd.'

'Wel, does dim byd yn digwydd fan hyn,' medd Lois gan edrych o'i chwmpas yn fygythiol.

'Ti'n siŵr taw fan hyn mae e, 'te?' Mae Harriet yn gwyro ei phen o gwmpas, yn syllu ar bawb.

'Cau dy geg, wnei di?' Anna yn gafael yn ei braich, ac yn ei thynnu i lawr, tynnu ei phen i lawr bron o dan y bwrdd. 'Paid â'i gwneud hi mor amlwg â 'ny.'

'Ond mae pawb mewn parau yn barod fan hyn.'

'Falle bod hynny'n dangos pa mor dda yw'r lle 'ma,'

mae Anna yn datgan i'r byd, a Lois hithau yn gadael y ford heb ddweud gair.

'Ble mae hi'n mynd 'to?'

'Cau dy geg, Harriet.'

'Beth sy'n bod ar bawb heno?'

Anna yn cymryd arni ei bod yn astudio'r llenni ar y ffenestri o'i blaen hi, a'r carpedi, a ffasiwn y merched sy'n eistedd wrth y bar, ond nid yw ei llygaid yn gadael ei chwaer. Mewn hanner munud mae Lois 'nôl.

'Wel?'

'Mae'r clwb senglau lan llofft.'

'O'n i'n meddwl bod rhywbeth o'i le fan hyn.'

'Wrth gwrs, Harriet. Rwyt ti'n gwbod popeth, on'd wyt ti?'

'Ydy'r *weirdo* 'na yn dal i fod wrth y bar?'

'Pwy?'

'Yr un oedd yn edrych arnat ti, Lois.'

'*Typical*, on'defe?' Gwawd gwneud yn llais Anna. 'Ŷn ni'n dod yn arbennig i le fel hyn ac mae Lois yn bachu un wrth y bar lawr stâr.'

'Dw i ddim wedi *bachu* unrhyw un. Ac roedd e'n erchyll, roedd e'n feddw a'i anadl e'n drewi.'

'Ond falle taw *brain surgeon* yw e, Lois,' ac mae Anna yn atalnodi ei geiriau wrth chwifio ei jin a'i thonig yn yr awyr o'i blaen. 'Ddylet ti ddim barnu wrth olwg rhywun – dyna beth mae Harriet wastod yn ei ddweud, ondefe, Hari?'

Ond dyw Harriet ddim yn gwerthfawrogi'r jôc, a daw tawelwch ansicr rhyngddyn nhw nes i Anna ddechrau gwthio'r matiau cwrw o gwmpas y ford fel ceir rasio, rhwng y gwydrau, a datgan yn ddiamynedd: 'Wel, ŷn ni'n mynd lan, 'te?'

Does neb yn ateb. Does dim plesio ar rai pobl, yn nac oes? Dyma fi yn gwneud fy ngorau drostyn nhw i gyd –

tynnu sylw Lois oddi ar ei beichiau hi . . . wel, dyna'r syniad. A Harriet – sawl gwaith yn rhagor sydd raid i fi wrando arni bob nos Wener yn mynd ymlaen am ddod o hyd i ddyn, a'i disgrifiad hi o'r dyn perffaith, ac fel maen nhw'n mynd i gwrdd. Dylai hi sgrifennu sgriptiau i S4C, dylai wir, y fath ddychymyg creadigol a hynod sy gyda hi. A dw i byth wedi cwrdd â dyn fel y rhai mae hi'n eu disgrifio. A wna i fyth chwaith. Ond eto i gyd, pwy a ŵyr? Falle bydd y tywysog 'na o fyd arall yn digwydd bod yng ngwesty'r Castell heno. A falle taw mochyn ag adenydd yw'r peth aeth heibio'r ffenest nawr. A falle bydd Lois yn anghofio am Daniel.

A fi? Tipyn o gwmni am noson efallai. Cael teimlo breichiau rhywun o'm hamgylch am dipyn. Cael cyffwrdd â gwefusau rhywun â 'ngwefusau innau. Dim ond bod rhywun yno heno i afael ynof. Dim byd rhagor. Galla i wneud heb yr holl drafferth – yr *hassle*. Ŷn ni'n iawn, Rhian a finnau. Popeth yn iawn. Ŷn ni'n llwyddo. Rwy'n ennill digon, wel, jest, sbo. Ac mae'r tŷ gyda ni. Ac mae hi'n gwneud yn dda yn yr ysgol. Ac mae hi'n hapus. Mae hi'n dweud ei bod hi'n hapus. Mae hi'n chwerthin. Ac mae hi'n cwtsho lan 'da fi ar y soffa o flaen y teledu, ac mae hi'n gofyn i fi a ydw i'n iawn. Mae hi'n wyth mlwydd oed ac mae hi'n gofyn i fi a ydw i'n iawn! Ond mae hi'n aeddfed am ei hoedran – yn rhy aeddfed. Wedi gweld gormod. Wedi dioddef gormod. Ond mae plant yn anghofio, on'd ŷn nhw? Yn anghofio. A neithiwr, neithiwr dwedodd hi paid â phoeni, Mami, wna i ddim dy adael di. Fydda i byth yn priodi, na mynd bant i weitho na dim byd. Bydda i'n aros fan hyn 'da ti am byth. Paid â bod yn dwp 'wedais i wrthi hi, a gwneud yn siŵr ei bod hi'n 'ngweld i'n gwenu'n braf, paid â bod yn dwp, bydda i'n falch o gael gwared â ti! A dyma ni'n dwy yn chwerthin. A finnau'n llefain yn dawel.

Dim ond rhywun i 'nal i'n agos sy eisiau arna i heno, i 'nal i'n dynn, fy nal yn gynnes, yn ddiogel. A gallaf freuddwydio wedyn. Breuddwydio, gyda dwylo a breichiau rhywun o 'nghwmpas. Dim ond am heno. Dim ond cusan neu ddwy. A theimlo bod rhywun yma, am ennyd, o leiaf. Haerllugrwydd fyddai gofyn am fwy.

'Wel, dere Anna – *ti* oedd eisiau dod 'ma yn y lle cynta!'

Mae Harriet a Lois yn gafael yn eu bagiau ac yn sefyll wrth ochr y ford, a Harriet yn cydio yn ei diod.

Mae'r cyntedd yn foel ac yn wag, a'r gwynt yn chwythu drwy'r drysau mawr, ychydig yn llaith erbyn hyn. Carped trwchus coch sydd ar y llawr a hwnnw'n cydio yn y sodlau uchel, a phawb yn teimlo'n noeth yn y gwacter wrth ddringo'r grisiau, un ar y tro, gan lynu'n agos at y wal.

Drws derw sydd ar ben y grisiau, ac mae ar agor. Ac wrth y drws, y tu allan, bord fawr a menyw ganol oed yn eistedd y tu ôl iddi, pentwr o bapurau o'i blaen, a blwch yn llawn o gardiau bychain wrth ei hochr.

Harriet yn gwyro ei phen ac yn dweud, i ddyfnder clust Lois: 'Ŷn ni'n siŵr ein bod ni eisiau mynd i mewn fan hyn?'

Ble yn y byd mae Anna wedi ein llusgo ni? Does neb fan hyn ond criw o ddynion rhyfedd yn eistedd wrth y wal. Rwy'n gwybod taw gwesty yw hwn, nid clwb, ond gallen nhw wneud mwy o ymdrech. Dyw e ddim yn edrych yn fodern iawn. Mae rhes o gadeiriau derw cerfiedig wrth y wal y tu fas i'r ystafell. Mae'r dyn 'na'n chwerthin arna i, yr un gyda'r bola mawr ac un stribyn hir o wallt wedi ei dynnu draw dros weddill ei ben moel. Rwy'n siŵr ei fod e'n chwerthin arna i ... Lois helpa fi ... ond mae hi'n siarad â'r fenyw y tu ôl i'r ford. Yr un sy'n gwenu'n rhyfedd wrth i Lois siarad.

Mae hi'n chwerthin arnon ni hefyd. Mae pawb yn chwerthin arnon ni.

'Dyw pethau ddim yn dechrau twymo lan tan ryw hanner awr wedi naw,' medd y fenyw. Mae hi'n dew, a'i gwallt wedi ei liwio i liw gwellt sy'n rhy felyn iddi, mewn cyrls sy'n rhy dynn.

Lois yn troi o gwmpas, a theimlo yn sydyn bod Harriet ac Anna yn edrych mor fach y tu ôl iddi. Nid yw hi'n dweud dim, ond mae ei llygaid yn ymbil ar rywun i ddweud rhywbeth, unrhyw beth, dim ond iddyn nhw ei ddweud e *nawr*. Anna sy'n derbyn yr her.

'Wel, ŷn ni'n mynd mewn?'

'Mae'r diodydd yn rhatach mewn fan'na na lawr stâr,' cyfranna'r fenyw wallt golau, gan edrych ar Anna, ei phensil yn ei llaw fel petai ar fin ysgrifennu yn yr awyr o'i blaen. Tro Anna yw hi i edrych yn rhwystredig. Y ddwy arall yn sefyll y tu ôl iddi, yn llechu yn agos at baneli derw'r wal.

'Wel? Dyna pam ddaethon ni 'ma.' Mae Anna'n troi o gwmpas. 'Beth sy'n bod arnoch chi? Tala i, reit?'

Ac am ryw reswm, mae pawb arall yn ei dilyn.

'Ych chi'n aelodau o'r clwb?' gofynna'r fenyw ryfedd. 'Mae'n rhatach os ych chi'n ymuno â'r clwb.'

A llais yn dod o ochr arall y cyntedd. Llais dwfn, ond â gwên ynddo: 'Ie, ac ŷn ni eisiau pobl ifanc fel chi i ymuno.'

Fel fflach mae Anna yn ymateb: 'Does dim pobl ifanc o gwbl 'ma, 'te?'

Mae hi'n anelu'r cwestiwn yn syth at y dyn a leisiodd y sylw, yr un â'r pen moel sy'n eistedd ar y gadair dderw agosa ati, un sydd rhywbeth yn debyg i gadair eisteddfodol. Ac mae e'n gorffwyso'n ôl, fel petai newydd ennill y brif wobr, yn arllwys ei hunan i mewn i'r gadair ac yn gorlifo dros yr ochrau.

70

'Wel, 'wedwn ni fe fel hyn,' mae e'n dweud, yn estyn ymlaen, yn anadlu'n drwm, ei lais yn diferu o hen, hen driogl, yn atsain â wisgi a sigârs. Mae e'n cymryd saib, yn troi i'w dde, yn amneidio at y dyn â'r gwallt llwyd seimllyd, yn y siwt lliw gwin o'r saithdegau sydd ar fin dod yn ôl i ffasiwn – ond ddim cweit wedi cyrraedd eto. ''Wedwn ni fe fel hyn, ferched,' ac mae e'n oedi er mwyn i effaith ei eiriau gyrraedd y tair yn llawn. 'Fe yw'r ifanca 'ma.'

'O, ie,' mae Anna yn cellwair yn ôl.

O leiaf, rwy'n gobeithio mai tynnu coes mae e. Mae'r dyn 'na'n hanner cant – o leiaf. Ond mae e'n chwerthin yn braf. Yn mwynhau. Gwell mynd i mewn, ac anghofio amdano fe. Wedi'r cyfan, beth all fynd o'i le? Y peth gwaetha all ddigwydd yw'n bod ni ddim yn lico'r lle hwn, a gallwn ni adael unrhyw bryd ŷn ni eisiau. Trueni bod rhaid i ni dalu cyn gweld. Pam oedd rhaid i fi dalu am bawb arall hefyd?

'Wel, mae digon o le i eistedd,' medd Lois.

Mae Harriet yn edrych o'i chwmpas ar y rhesi taclus o fordydd sgwâr o gwmpas llawr dawnsio o bren sgleiniog, a disgo bach henffasiwn gyda goleuadau nad oes neb wedi eu troi ymlaen eto.

'Cawn ni ddewis y ford orau,' mae Harriet yn dweud. Wel, mae digon o ddewis. Dim ond ni sy 'ma. Beth ŷn ni'n ei wneud fan hyn? Os na gwrdda i â rhywun arbennig fan hyn, ble dw i'n mynd i gwrdd â fe? Pobl broffesiynol, meddai'r hysbyseb. Duw a ŵyr, rwy wedi bod yn meddwl am esgus i ddod, ac wedi trio cael rhywun i fynd gyda fi i un o'r llefydd 'ma o'r blaen. Yn meddwl baswn i'n cwrdd â rhywun gwahanol i griw y farchnad gig yn y clybiau nos. Ond os ydyn nhw i gyd fel yr hen ddynion 'na tu fas . . .

Mae miwsig yn chwarae. Miwsig tâp. Y seiniau diweddaraf. Ond heb neb yn eu cyflwyno. Y rhai ysgafna. Y rhai mwyaf rhamantus. Y rhai sy'n gyfarwydd i bawb. Yn chwarae ar gylch diddiwedd, un ar ôl y llall, ac yn ôl eto i'r dechrau, a dechrau ar eu cylch unwaith eto.

'Beth ŷn ni'n ei wneud 'ma?' Llais Harriet yn fwy nag amheus nawr, ac yn dechrau swnio'n rhyfedd. Lois sy'n cynnig cysur. Lois sy'n estyn ei braich ac yn cyffwrdd â'i llaw.

'Mae'r dynion 'na wrth y drws yn cael eu cics drwy wneud sbort am ben aelodau newydd. Bydd popeth yn iawn. Cei di dy gyfreithiwr.'

'Wyt ti'n meddwl?' Llais Harriet yn fach wrth iddi sipian ei gwin coch.

Mae Anna ar fin dweud rhywbeth, ond yn cymryd llwnc arall o'i diod. Yna'n edrych o'i chwmpas ar y gwacter enbyd, a seiniau'r deg uchaf yn taro'r papur wal blodeuog ac yn neidio oddi yno yn ôl i'r gwagle.

'Beth fyddet ti'n moyn, Lois?' Llais Anna yn swnio'n ddifrifol ond mor amwys. Wel, does dim byd arall i'w wneud, nac oes? Man a man.

'Ti eisiau i fi ddweud nawr? Fan hyn?' A daw goleuadau rhyfedd i chwarae yn ei llygaid, a Harriet yn syllu ar y ddwy arall.

'Am beth ych chi'n siarad?' Mae Lois fel petai'n deall. Mae rhywbeth rhyngddyn nhw, ill dwy. Chwiorydd. Rhywbeth alla i ddim ei ddeall. Ond ddylwn i ddim ceisio deall. Mae rhywbeth rhyfedd rhwng chwiorydd, on'd oes? Rhyw len alla i ddim ei thynnu i lawr, ddim ei rhwygo. Licwn i fod wedi cael chwaer. Allwch chi drafod cymaint o bethau gyda chwaer. Ond baswn i wedi bodloni ar frawd.

'Na,' sigla Anna ei phen yn herfeiddiol. 'Achos dwyt ti byth yn cael ffantasïau, wyt ti.'

Lois yn meddwl am dipyn.

'Ti'n golygu breuddwydion? Uchelgeisiau?' Mae Anna yn ei hannog gyda'i llygaid a Lois yn ei dilyn. 'Fel cael fy musnes fy hunan? Fel . . .'

'Ro'n i'n meddwl,' meddai Anna, gan hanner cau ei llygaid. 'Yn fwy am freuddwydion gwahanol. Yn fwy am freuddwydion . . . gwahanol iawn.'

'Ti'n golygu,' a daw dealltwriaeth lawn i daenu dros wyneb Lois, 'Ti'n meddwl, *ffantasïau*, ffantasïau *fel' na*?'

'Oes rhywun yn mynd i esbonio wrtha i?' Mae'r ddwy yn chwerthin. Dim ond gwylio alla i wneud nes bod rhywun yn datgelu'r gyfrinach wrtha i. Dw i ddim yn dweud dim. Gwell peidio â dweud dim. Dim ond aros.

Ond mae Lois yn gwrido. 'Ti'n golygu ffantasïau *fel' na*?'

'Ydw.'

Wel, o leiaf maen *nhw'n* deall ei gilydd.

Mae Lois yn dechrau chwarae gyda'i mwclis. Nid yw'n un arbennig nac yn un drud. Un yn y sêl yn *Miss Selfridge* yr wythnos diwetha. Darn bach o wydr glas yn hongian oddi wrth gadwyn lliw arian.

'Wel, mae un gyda fi.'

'Wel, dere, mas â hi.'

Edrycha Lois i lawr ar y ford. 'Ych chi'n siŵr bo' chi eisiau clywed?'

'Beth wyt ti'n meddwl?'

Lois yn edrych o'i chwmpas, wedyn yn pwyso ychydig ymlaen yn ei sedd dros y ford. Y ddwy arall yn pwyso ymlaen yr ochr arall i'r ford er mwyn clywed y rhyfeddodau'n iawn, er nad oes neb arall yn yr ystafell. Bu rhywun y tu ôl i'r bar rhai munudau ynghynt, ond mae e wedi diflannu erbyn hyn. Lois yn pwyso ymlaen mor agos ag sy'n bosibl at wynebau'r ddwy arall.

73

'Na, alla i ddim.'

Ac mae Harriet ac Anna yn pwyso'n ôl eto, yn ochneidio fel un ferch.

'Fyddai hi ddim yn deg – beth am i chi ddweud eich storïau chithau hefyd.'

Edrycha Anna ar Harriet.

'Beth amdani 'te, Harriet? Bargen? Un stori yr un. A phaid â dweud dy fod ti ddim yn cael ffantasïau rhywiol; rwyt ti'n ddynol, on'd wyt ti?'

Ond alla i ddim siarad am bethau fel'na. Mae'n wahanol iddyn nhw. Chwiorydd ydyn nhw. Maen nhw'n siarad am bethau fel hyn drwy'r amser. Mae'n naturiol iddyn nhw rannu pethau fel'na. Maen nhw'n gwybod storïau ei gilydd yn barod, siŵr o fod. Dyw hi ddim yn deg. Petawn i'n gwybod ar y dechrau beth oedd ym meddwl Anna . . .

Nid yw Harriet yn teimlo fod ganddi lawer o ddewis. Ac mae Lois yn dal yn amheus. Mae'r tair yn eistedd mewn distawrwydd ar eu pennau eu hunain wrth ochr llawr dawnsio hollol wag a goleuadau unig y bêl belydrog yn gwibio drosto. Ond o gwmpas y ford maen nhw mewn ystafell fach glyd, ddirgel, ddirgel. A phopeth yn ddistaw.

Ac mae Lois yn dweud yn sydyn: 'Ych chi'n addo? Y ddwy ohonoch chi? Os disgrifia i fy ffantasi rywiol i, byddwch chithau'n gwneud yr un peth?'

'Wrth gwrs,' meddai Anna, yn glir. Ac yn ddideimlad. Harriet yn ciledrych yn rhyfedd arni. Edrycha Lois o'i chwmpas eto, fel petai ar fin datgelu cyfrinachau pennaf ei gwlad. Dechrau sigledig, trafferthus, ond yn fuan yn setlo i lawr i'w geiriau llyfn, hawdd. Ac mae'n haws na'r disgwyl.

'Wel, yr un peth yw hi bob amser.' Mae hi'n oedi, yn edrych o'i chwmpas eto, ond yn gwybod nad oes neb yn agos i'w chlywed, a hyd yn oed petai rhywun wrth y bar neu wrth y ford nesaf, byddai'r miwsig yn rhy uchel iddyn nhw glywed sibrwd herciog Lois beth bynnag. 'Yr un peth, ond mewn ffyrdd gwahanol, ond yr un peth yn y bôn.' Tynna anadl, a'i llais yn setlo, ei hanadl yn llyfnach nawr. Nid yw mor anodd ag y tybiodd hi, unwaith iddi ddechrau. 'Weithiau rwy ar seit adeiladu, neu ar long yn llawn dynion yng nghanol y môr.'

'Rwy'n ei licio hi'n barod, Lois,' mae Anna'n codi ei diod iddi, a Lois yn codi ei haeliau'n ddiamynedd.

'A dyma fi'n meddwl dy fod ti o ddifri eisiau clywed . . .'

'O, cer 'mlaen, mae'n swnio'n wych hyd yn hyn.'

'Diolch.' Mae hi'n plygu ei phen, yn edrych i lawr ar y ford, yn chwarae â'i bysedd. 'Mae'r lleoliad a'r cymeriadau yn gallu newid, ond yr un amlaf . . . wel, weithiau . . . chi'n mynd i feddwl 'mod i'n dwp . . .'

'Na!' medd Anna a Harriet fel parti cydadrodd.

'Wel, olreit . . . rwy'n dychmygu 'mod i'n teithio o gwmpas gyda'r grŵp roc 'ma, yn y ffantasi 'ma. Ac ar ôl un o'r sioeau y digwydd hyn. A fi yw'r unig ferch sydd i fod 'na. Ac mae'r *roadies* 'na hefyd, ac maen nhw mor fawr, chi'n gwbod? Ac maen nhw'n cael parti. Ac maen nhw i gyd yn edrych arna i. Mae merched eraill 'na, 'dyn nhw ddim i fod 'na, wedi twyllo eu ffordd i mewn, ond does neb yn edrych arnyn nhw. Maen nhw'n sefyll yn y gornel yn edrych yn genfigennus arna i, achos fi sy'n cael y sylw i gyd. Ac mae'r gerddoriaeth mor uchel, yn gwthio i mewn i mi, y rhythm yn gwasgu i lawr arna i. Mae ym mhobman. Yn fy mhen, yn fy nghlustiau, ar fy nghorff, yn yr aer rwy'n ei anadlu. Ac mae un, 'dyw e ddim yn olygus, sbo, ond mae ei lygaid fel bachau yn fy nghipio i, mae e'n cydio yno' i. Yn dawnsio gyda fi. Yn fy nal yn agosach. Ac yn 'y nghusanu i. Ac rwy'n llithro o'i afael e, mor hawdd, mor naturiol, mor . . . ac yn troi, ac mae rhywun arall o 'mlaen i. Rwy'n dawnsio'n agosach ato fe bob munud, ac yn dawnsio'n agosach fyth, yn ei wynebu, yn rhwbio yn ei erbyn, ac mae e'n gafael yno' i, wedyn mae'r un nesa yn gafael yno' i. Ac rwy'n mynd o un i'r llall, ac mae'r gerddoriaeth yn codi'n uwch, a rwy'n gadael iddyn nhw wneud unrhyw beth maen nhw moyn gyda fi, un ar ôl y llall, drwy'r nos . . .'

'O Lois, rwy'n teimlo'n llaith yn barod!'

'Anna!' Mae Harriet yn ei phwno gyda'i phenelin.

''Wedaist ti fyddet ti ddim yn gwneud sbort am 'y mhen i,' mae Lois yn cwyno.

''Wedais i ddim o'r fath.' Ond mae ei chywair yn newid. 'Na, dw i ddim yn chwerthin, faswn i fyth yn gwneud hwnna, ddim rywbeth fel hyn. Merched ŷn ni i gyd, ondefe? Mae'n rhaid i ni sefyll gyda'n gilydd, parchu'n gilydd. Ond mae jest yn gwneud i fi feddwl. Does dim byd yn newydd, nac oes? Mae pob ffantasi yr un peth, gyda merched beth bynnag. Alla i ddim siarad am ddynion. Wel, galla i, ond mae'n well 'da fi beidio. Gyda ni dim ond un peth neu'r llall yw hi ondefe – ufudd-dod neu ddominyddiaeth yw hi. Wedi ei wisgo mewn gwahanol bethau, ond un neu'r llall bob tro.' Mae hi'n edrych at Harriet wrth ei hochr, a honno'n gobeithio y byddan nhw'n anghofio amdani hi. 'Beth amdanat ti, Hari – ufudd-dod neu ddominyddiaeth sy'n ei wneud e i ti?'

Mae Harriet yn chwerthin. Ond nid yw hi'n teimlo fel chwerthin. Dim ond rhywbeth i dorri'r iâ sy'n cau amdani'n rhy gyflym.

'Wel, sai'n gwbod. Dw i erioed wedi meddwl am y peth fel'na o'r blaen.'

'Ond mae rhaid bod *rhyw* ffantasi gyda ti.'

'Wel, oes, sbo, ond . . .'

'Wel? Mas â hi. Rŷn ni i gyd wedi addo. Mae Lois wedi dweud ei hun hi. Rwy'n addo gwneud yr un peth, a dy dro di yw hi nesa. Dere.'

'Allet ti ddim mynd nesa, Anna?'

'Rwy'n addo, Harriet, Ocê? Nawr dere – *gimme gimme gimme*!'

'Wel . . . *mae* 'na rywbeth . . .'

Naw o'r gloch y nos

'O'n i'n gwbod dy fod ti'n ddynol, Hari.'

'Ond . . . Ond dyw hi ddim yr un peth ag un Lois.'

'Gorau oll.' Mae llygaid Anna yn disgleirio. 'Gorau oll – beth amdani?'

'Wel . . .' Dechreua Harriet yn betrus. 'Mae hyn i gyd yn digwydd yn y gorffennol. Peidiwch â chwerthin . . . Rwy'n mynd i weithio mewn tŷ mawr ganrif neu fwy yn ôl, fel morwyn, neu athrawes, neu rywbeth fel'na. Does dim dewis gyda fi, chi'n gweld. Does dim arian gyda fi. Rwy'n amddifad. Dim ffrindiau. Neb. Neb yn y byd. Does dim byd arall alla i ei wneud. Mae fy rhieni wedi marw, does dim ffordd arall alla i ennill bywoliaeth. Ro'n i eisiau priodi, ond bu farw fy nghariad yn y rhyfel. Rwy'n hollol unig a diymadferth. Neb yn y byd.'

'Ie, ie, ni'n cael y syniad, Harriet . . .'

'Anna! Mae hi'n dweud ei stori. Gwranda, wnei di?'

Harriet yn diolch i Lois yn sobr, ac yn ailddechrau.

'Mae perchennog y tŷ, dyw e ddim yn olygus, ond, ond . . . wel, does neb yn ei ddeall e, chi'n gweld. Mae e'n byw ar ei ben ei hunan . . . heblaw am y plant wrth gwrs. Roedd e'n briod unwaith, ond bu farw ei wraig, ond doedd e ddim yn ei charu hi. Priodas gyfleus oedd hi pan oedd e'n ifanc. Cawson nhw ddau o blant – wel, tri os ych chi'n cyfri'r un bu farw yn fis oed, bachgen oedd hwnnw. Ar ôl hwnna aeth e a'i wraig i Ewrop am gyfnod, ond doedd hwnna ddim wedi helpu, ac wedyn . . .'

'Harriet – brysia. Rwy'n mynd yn hen.'

'Olreit, jest eisiau rhoi'r cefndir i chi.'

'Ŷn ni ddim eisiau clywed yr holl *mini series – cut to the chase*, Hari, glou!'

'Olreit. Os wyt ti eisiau clywed gad i fi 'weud hyn yn fy ffordd fy hun.'

Amneidia Anna gyda'r wedd athronyddol ddwys, gyfleus, mae hi'n ei chadw ar gyfer adegau fel hyn. Ond mae'n ddigon i fodloni Harriet.

'Mae e'n gas wrtha i, mae e'n gweiddi arna i. Ond does dim ots gyda fi. Rwy'n gallu gweld bod dyn y tu mewn, bod calon dda gyda fe, bod cynhesrwydd rhywle ynddo fe, ond mae e wedi cuddio hwnna, gan ei fod e wedi cael ei frifo cymaint gan fywyd. A fi yw'r unig un sy'n dangos caredigrwydd tuag ato fe. Ac un noson . . .'

'O'r diwedd . . .'

Lois yn siglo'i phen yn chwyrn ar ei chwaer, a hithau, y tro hwn, yn cau ei cheg yn sydyn a Harriet yn cario ymlaen fel na phetai neb wedi ymyrryd.

'Rwy o ddifri, Anna.'

'Sori.'

Mae wyneb Harriet yn raddol yn ailymgymryd â'i gwedd ddifrifol, ddistaw.

'Olreit. Mae e mor sensitif y tu mewn, ond dyw e byth yn dangos 'ny, a dim ond fi sy'n gallu gweld hyn. Ond dyw e ddim yn agor lan i fi o gwbl, er i fi drio, er i fi ymbil arno fe, er i fi drio drosodd a throsodd i'w gael e i siarad amdano fe ei hun, i ymlacio, i'w ryddhau ei hunan. Ond mae e'n fy nghau i mas, fel mae e'n cau pawb arall mas. Wel, un noson rwy'n cael digon ohono fe. Rwy'n gadael. Jest fel'na. Rwy'n gadael. Ond ar ôl i fi fynd rwy'n sylweddoli faint mae e'n ei olygu i fi, ac rwy'n dod 'nôl, pan oedd e'n meddwl 'mod i wedi mynd am byth. Ac mae'n synnu cymaint fy ngweld i'n dod 'nôl. Mae e'n sylweddoli ei fod e'n fy ngharu i o'r diwrnod cyntaf gwelodd e fi. Roedd e ar fin lladd ei hunan drosto i. Ac rwy'n ildio iddo fe. Beth arall alla i ei wneud? Ac mae e'n perthyn i fi, a dim ond fi. Ond y peth yw, dyw e ddim yn meddwl amdana i o gwbl, rwy'n gwbod ei fod e'n hunanol, yn gwbod bydd e'n gas wrtha i, fydd e ddim yn meddwl amdana i, ond mae e mor bwerus, mor nerthol. Mor rhamantus . . .'

'Wel, Harriet,' nodia Anna ei phen yn ddwys. 'Mae hwnna'n . . . ddiddorol.'

Duw a'n helpo. Beth ydw i i fod i'w wneud gyda'r criw pathetig hwn? Mae Lois eisiau cael ei threisio gan *Spinal Tap*, a Harriet eisiau byw *Jane Eyre*. Ble aeth *girl power* yn sydyn? Ond mae Harriet wedi dechrau bywiogi o'r diwedd. Gofyn i fi 'te, dere 'mlaen Harriet, gofyn! Dim ond aros ydw i. Ond dyw hi ddim yn dweud dim. Beth sy'n bod arnyn nhw? 'Dyn nhw ddim eisiau gwybod fy ffantasi i, 'te? Bydd hon yn werth ei chlywed, galla i addo hynny iddyn nhw, ond iddyn nhw ofyn!

'Beth amdanat ti, 'te Anna?'

'Wel . . .wel, sai'n gwbod.'

O'r blydi diwedd! Nawr mae pethau'n dechrau digwydd. 'Beth sy'n bod arnoch chi? Dw i ddim yn mynd i ddweud rhywbeth *fel' na* wrthoch *chi*.'

'Ond dyw hwnna ddim yn deg – ti wedi cael ein ffantasïau i gyd mas ohonon ni.'

'O.' Gofyn 'to. Gad i fi dy glywed di'n gofyn 'to, Harriet!

'Fydd neb yn chwerthin.'

'Ti'n siŵr?'

Ie, Harriet, tria gysuro fi, tria wneud i fi deimlo'n saff!

'Does dim ots beth wyt ti'n ei ddweud . . .'

'O . . . olreit.' Olreit. Os ych chi'n mynnu. Dim ond os ych chi'n mynnu. Ych chi yn mynnu, on'd ych chi? Dewch nawr, gwnewch yn siŵr eich bod chi'n mynnu!

'Ti'n gallu dweud wrthon ni – onest. Beth sy wedi bod yn dy feddwl di?'

'Y ffantasi rwy wedi bod yn ei dychmygu fwyaf yn ddiweddar?'

'Ie.'

'Wel, olreit, os wyt ti'n mynnu.'

Hmm. Munud i feddwl. Beth am . . . Ie. Rwy'n gwybod.

'Fy ffantasi rywiol gryfa. Dw i ddim yn *wimp* fel y ddwy ohonoch chi, mae hynna'n bendant. Beth sy'n bod ar y ddwy ohonoch chi? Ildio i ddynion fel'na? Jest gadael iddyn nhw wneud popeth maen nhw moyn? Deffrowch, y ddwy ohonoch chi. Mae'n wahanol gyda fi. Rwy gyda rhywun rwy wedi nabod ers sbel. Dw i ddim yn ei garu fe wrth gwrs, ond rwy wedi ei nabod yn dda yn y ffantasi 'ma, ac mae fe'n meddwl 'mod i'n ddiniwed ac yn swil.'

'Ffantasi yw honna, yn bendant!'

'Paid Harriet.' Lois yn pwnio Harriet yn ei hystlys, ond ni all hithau osgoi gadael i bwff o chwerthin ddianc nawr ac yn y man, ond nid yw Anna fel petai yn sylwi; mae ei gwedd mor ddifrifol, ei llygaid yn serio.

'Rwy o ddifrif, Harriet. Dwedais i taw ffantasi oedd hon, on'd do fe? Mae 'da fi hawl i'n ffantasi i, yn gwmws fel ti. Wnes i ddim chwerthin ar dy ben di, naddo? Reit 'te, mae fe'n gwbod 'mod i'n swil a diniwed, reit?'

'Reit!' o enau tyn Harriet, wrth iddi geisio carcharu gwên.

'Ac un noson rwy'n ei wahodd e i ddod draw i'n lle i. I siarad. Yfed coffi. Pethau fel'na. Ond pan mae e'n cyrraedd rwy'n ei hudo fe rhywfodd i mewn i'r stafell wely. Ac mae gwely mawr haearn gyda fi, gyda'r cefn cymhleth, gothig, fel yn *Interview with the Vampire*, y math yna o beth, y cefnau ych chi'n gallu gafael ynddyn nhw, os ych chi'n fy neall i, ferched. O . . .'

'Beth sy'n bod?' Llais Harriet, yn ymateb i'r olwg boenus yn llygaid Anna.

'Brad Pitt,' daw'r esboniad. 'Rwy newydd feddwl am Brad Pitt eto . . . byddai'n meddwl amdano fe drwy'r nos nawr ar ôl hyn . . . Beth o'n i'n ei ddweud? Rwy wedi colli 'nhrywydd i'n gyfan gwbl nawr . . .'

'Y gwely,' portha Harriet.

'Ie, y gwely. O, mae bron yn ormod i feddwl am Brad Pitt a gwely ar yr un pryd, beth ych chi'n feddwl, ferched?'

Dim ateb. Maen nhw'n edrych arna i fel 'swn i wedi colli pob pwyll. O wel, rhywbeth iddyn nhw wir feddwl amdano. Ond allen nhw ymateb mewn *rhyw* ffordd, does bosib . . . o wel, ymlaen â ni. 'Ac rwy'n ei wthio fe ar y gwely ac yn cloi'r drws.'

O, rhywbeth heblaw gwên ar wyneb Harriet. Mae hynna'n fwy addawol.

'A dyw e ddim yn gwbod beth i'w wneud na lle i edrych. Ac rwy'n gofyn iddo fe orwedd ar y gwely, ac mae fe'n gwneud, heb ddadl, achos mae fe mewn sioc.'

Mae Lois yn trio cymryd arni nad oes diddordeb ganddi. Ond rwy'n adnabod yr olwg 'na. Mae hi wedi ei bachu.

'Ac wedyn rwy'n clymu ei freichiau wrth y gwely . . . ac wedyn rwy'n ei ddadwisgo . . . ac yn dechrau llyfu . . . llyfu . . . nes ei fod e'n gwichian . . . mewn ecstasi neu boen, ond does dim ots gyda fi pa un, wedyn . . .'

'Rwy'n credu ein bod ni'n deall,' Lois sy'n torri ar ei thraws.

'Paid, Lois, roedd hwnna ar fin dechrau dod yn ddiddorol!'

Ac mae Anna yn gwenu. 'Wel, bydd rhaid i ti ddefnyddio dy ddychymyg dy hun i'w gwpla, Harriet!'

Mae wyneb Harriet yn bictiwr. Ydw i wedi llwyddo

i'w chyffroi, tybed? Ac mae hi'n fy nghredu, wrth gwrs. Ffantasi. Hy! Rwy'n gallu siarad cymaint o rwtsh â neb arall. Ond wyneb Harriet. Roedd yn werth e i weld ei hwyneb. Ydy hi wir yn credu 'mod i'n cael ffantasïau fel'na? Petai hi ond yn gwybod. Petai'r ddwy ond yn gwybod yr hyn nad ydw i wedi dweud wrth neb, a'r peth na fydd yr un ohonyn nhw'n cael gwybod fyth. Achos mae'r gwir y tu hwnt i gred unrhyw un.

Wrth gwrs 'mod i'n cael ffantasïau rhywiol fel pawb arall, ac weithiau maen nhw'n cynnwys pŵer dros rywun. Ac mae pawb yn cael y rheina, os ydyn nhw'n eu cyfaddef ai peidio. Ildio neu orchfygu. Mae'r rheina'n normal, on'd 'yn nhw? Rwy'n cael ysbeidiau o feddwl fel'na. Ond fy ffantasi eithaf, y bwysicaf ohonyn nhw i gyd? Mae mor *boring* mewn gwirionedd, ond eto mor wefreiddiol ar yr un pryd. Petawn i'n datguddio fy ngwir ffantasi rywiol, fyddai neb yn fy nghredu, fyddai pawb yn chwerthin ar fy mhen. A fyddai dim diddordeb gan neb chwaith. Ond weithiau, pan rwy yng nghanol pobl, yng nghanol ffrindiau, fel hyn, rwy'n meddwl – alla i ddim peidio â meddwl – tybed a ydy e yno yn rhywle, dyn fy ffantasi i? Fy ffantasi ryfeddol, anhebygol, amhosibl i?

Brad Pitt? Hy! Baswn i'n hapus yn cyfnewid cant ohono fe am un fel hwn, am un dyn, dim ond un a fyddai'n dod â fy ffantasi yn real. Fy ffantasi bennaf. Yr un sy'n fy witsio, yn troi ac yn troi yn fy mhen, yn fy nghadw i ar ddihun weithiau, hyd oriau mân y boreau, y dyn a fydd yn ffrind i fi.

Fydd e ddim yn rhyfeddol o olygus, nac yn meddu ar unrhyw arbenigrwydd heblaw am un. Sef bydd e'n fy ngharu i. Bydd e'n ffyddlon i fi. Bydd e'n gwrtais, yn ŵr bonheddig, yn ddibynadwy, yn fy nhrin i gydag addfwynder, a thynerwch. A byth yn codi ei lais, a byth

yn codi ei law. Yn edrych ar fy ôl i. Bu merched eraill
cyn y fi, wrth gwrs, fel y bu dynion eraill cyn efe, ond
roedd e'n aros am rywun fel fi, ond erioed yn credu y
baswn i'n dod ato fe.

Ond faswn i fyth yn cyfaddef hyn wrth neb.

Wrth gwrs byddwn ni'n ffraeo weithiau, anghytuno,
dadlau, camddeall ein gilydd. Rwy'n disgwyl hynny.
Rwy'n barod am hynny. Ond byddwn ni byth yn
meddwl am wahanu. Rwy'n sôn am berthynas mor
ddiogel, un a all wrthsefyll pob anghydfod, a wynebu
popeth a ddaw, y ddau ohonom, fel un dyn.

Ffantasi. Ffantasi bur! Sut allwn i adael i'n hunan fod
mor ddwl? Dyw hyn ddim fel fi. Rwy eisiau llefain, ond
byddan nhw'n gwybod wedyn, a alla i ddim gadael i
hynny ddigwydd.

Ffantasi, ondefe. Gwir ffantasi. Dyn alla i ddibynnu
arno yn gyfan gwbl, un na fyddai'n edrych ar ferch arall
ar ôl fy ngweld i. Ond faint o ffantasi all hynny fod pan
rwy'n gwybod 'mod i'n barod i fod yn ffyddlon i ddyn a
fydd yn fy ngharu i, yn wir yn fy ngharu i? Rwy'n barod i
fod yn gwbl ffyddlon, ond iddo fe fy mharchu, a 'ngharu.
Ond a ydyw dynion mor wahanol i ferched? Ble mae'r
dyn all roi hyn i gyd i fi? Bydd rhaid i fi fodloni'n hunan
ar chwarae bach gyda'r dynion bach 'ma, a gwybod na
fydd neb yno i fi, na all neb fy modloni eto. Ond y gwir
yw y galla i fyw heb wyneb golygus, heb arian, heb ryw
cyffrous. Does dim eisiau'r un o'r pethau yna arna i. Na,
wir. Brad Pitt, cer i grafu! Does arna i mo dy eisiau di!
Petaen nhw ond yn gwybod. Does dim un o'r pethau hyn
yn bwysig. Ar un adeg, o, roedd pethau'n wahanol, pan
o'n i'n ddeunaw oed, a wyneb hardd a chorff cyffrous yn
golygu popeth i mi, a allwn i ddim dychmygu amser pan
na fyddai'r rhain yn bwysig i mi. Rwy'n dal i gael fy
nghyffroi gan gorff golygus, ond daw pethau eraill yn

bwysicach gyda phob blwyddyn. Yr hyn rwy wir eisiau nawr yw onestrwydd, ffydd, harddwch enaid ac ysbryd a chariad, gwir gariad, nid serch na rhyw, ond cariad.

Ond mae hynny'n fwy o ffantasi na band roc Lois, neu uchelwr tywyll, rhamantus Harriet, on'd yw e. On'd yw e.

On'd yw e?

'Ti'n ddistaw, Anna.'

'Dim ond meddwl am rywbeth.'

O na, mae'r dyn rhyfedd 'na'n dod 'nôl 'to. Mae e'n dal ei freichiau allan wrth ei ochrau wrth gerdded gan nad oes lle iddyn nhw ar ochr ei gorff gan fod ei fola mor fawr, yn chwyddo mas ar yr ochrau yn ogystal ag o'i flaen. Mae e'n ein cyfarch ni, ac mae rhywbeth yn ei lais. Mae baw yn rhywle. Rhyw hen laid yn treiddio o'i oedran a'i gefndir. Ond nid ei fai e yw hynny. Mae ei gymhellion yn rhai da.

'A sut ych chi ferched? Mwynhau?'

Harriet sy'n ei ateb, heb edrych arno. 'Ni'n iawn, diolch.'

Mae hi'n ceisio rhoi ei chefn rhyngddi ag ef heb fod yn anghwrtais, ond mae nerfusrwydd ei gwên yn dangos ei bod hi'n sylweddoli ar unwaith nad yw hyn yn bosibl, ac mae hi'n ychwanegu'n frysiog: 'Diolch am ofyn. Ni'n iawn.'

Anna yn sylwi fod Lois wedi newid. Mae hi bron fel petai hi'n mwynhau nawr. Mae hi'n gwenu arno fe. Beth wyt ti'n ei wneud, Lois? Eisiau cael gwared â fe sy eisiau arnon ni. Y ffordd wyt ti'n disghwl, bydd e'n dy ddilyn di gartre. Bydd yn ofalus, Lois.

'Lois.' Anna yn cyffwrdd â'i braich yn ysgafn, fel nad oes neb arall yn sylwi, ac yn gostwng ei llais, ac yn amneidio at y drws mewn ystum mor fach bron nad yw'n bod. Ond nid yw Lois yn cymryd sylw.

Mae hi'n chwerthin nawr. Lois. Yn chwerthin. Ac o'n i'n poeni cymaint amdani. Ond mae hwnna wastod yn digwydd. Y jin sydd i'w ddiolch siŵr o fod. Gweithio bob tro. Mae rhyw ddireidi peryglus yn ei llygaid. Rwy wedi gweld hyn o'r blaen. Dyw hi ddim wedi newid dim ers iddi fod yn fabi bach. Mae hi'n barod i daflu unrhyw beth a ddaw i'w chyfeiriad yn ôl i le y daeth. Ydy'r dyn hwn yn gwybod hynny, tybed? A ddylai rhywun ei rybuddio? Ddim nawr, Lois. Dw i ddim yn y mŵd nawr. Unrhyw bryd arall a baswn i'n ymuno â ti. Does dim llawer rwy'n hoffi'n fwy na gêm fel hyn, ond rwy wedi cael digon heno. Rwy eisiau mynd. Ond mae hi'n benderfynol o chwarae gyda fe.

'Pryd mae'r lle 'ma'n dechrau twymo lan, 'te?' mae Lois yn gofyn.

'Unrhyw funud nawr. Mae'n neis cael gweld merched ifanc pert fel chi o gwmpas y lle!'

'Unrhyw dalent yn dod 'ma?'

'Lois,' ac mae Anna yn cyffwrdd â'i braich yn ysgafn eto. 'Lois, paid â gwneud ffŵl o dy hunan.'

'Dw i ddim yn ddigon da i chi?'

'Wel, cawn ni weld.'

'Lois – paid.'

'Beth sy'n bod arnat ti, Anna?'

'Jest eisiau gair 'da ti, am eiliad.'

Lois, paid. Rwy wedi cael digon o'r lle 'ma. Rwy eisiau mynd. Jest eisiau mynd. Plîs, gawn ni fynd? Nawr?

'Harriet – wyt *ti* wedi cael digon o'r lle 'ma?'

Harriet yn edrych yn ddryslyd.

'*Ti* oedd eisiau dod yn y lle cyntaf, Anna.'

'Rwy'n gwbod, ond rwy wedi cael digon, rwy eisiau mynd. Dere di 'da fi, wnei di?'

'Beth sy'n bod yn sydyn?'

'Dim byd arbennig. Rwy jest eisiau mynd. Allwn ni fynd 'nôl i'r dre. Mae'n flin 'da fi 'mod i wedi tynnu chi i gyd i'r lle erchyll 'ma. Allwn ni fynd nawr, plîs?'

Lois yn edrych yn gonsýrn i gyd yn sydyn ac yn anghofio am y dyn sy'n dal i sefyll wrth ochr y ford, yn ceisio deall yr hyn sy'n mynd ymlaen.

'Beth sy wedi digwydd? Ydw i wedi dweud rhywbeth i dy ypsetio di?'

'Na, dim byd i'w wneud â ti.'

Ac ni all Anna esbonio. Dim ond eisiau cau ei cheg a dweud dim. 'Dim byd i'w wneud â ti. Onest. Dim ond fi. Dechreuais i feddwl am rywbeth, dyna i gyd.'

''Wedaist ti dy fod ti'n meddwl am Brad Pitt!'

'Wel, ie, ond 'na'r broblem – jest meddwl pa mor debygol yw hi iddo gerdded i mewn i'r clwb senglau 'ma a chael *fling* tanbaid gyda fi!' O'r Arglwydd, rhaid i fi drio gwenu, trio mwynhau. Er mwyn Lois a Harriet. Ac er fy mwyn i. Er fy mwyn i fy hunan.

'Shgwl Lois,' yw geiriau sydyn Harriet. 'Shgwl ar y ddwy 'na sy wedi dod miwn.' Beth ddigwyddodd i Anna, 'te? Aeth hi'n welw yn sydyn, ar ôl iddi sôn am ei ffantasi rywiol. Yn sydyn fel'na. Falle fod meddwl am y peth yn ormod iddi. Ond pwy fuasai'n meddwl y byddai rhywun fel hi yn cael ffantasïau am bethau fel'na? Wel, faswn i ddim yn credu petawn i ddim wedi ei glywed fy hun o'i genau hi. Rhyfedd fel bod chi ddim yn nabod pobl, ond yn meddwl eich bod chi'n eu nabod nhw. Ond dyna fe. Mae'r syniad iawn gyda hi beth bynnag. Pam ddylen ni fod yn oddefgar drwy'r amser? Ond gobeithio ei bod hi'n iawn. Mae hi mor ddistaw. Ond dw i ddim yn gwybod beth i'w ddweud wrthi hi. Newidiodd hi mor sydyn. Falle fod rhywbeth mwy na meddwl am Brad Pitt. Gobeithio taw dim byd o'n i wedi'i ddweud oedd yr achos . . . Mae'r menywod 'na mor rhyfedd, y rhai sy newydd ddod i mewn. Yn eu ffrogiau ffrils gyda phatrwm blodau, a'u gwallt yn steil deng mlynedd yn ôl. Beth yn y byd ŷn ni'n ei wneud mewn lle fel hyn? Mae Lois yn mynd i siarad â nhw. Mae hi'n gofyn iddyn nhw sut fath o le yw hwn.

Mae'r fenyw dewaf yn chwerthin. 'Os ych chi moyn tipyn o hwyl,' mae ei gwên yn llydan, agored, mor wag â'r llawr dawnsio. 'Ond peidiwch â disgwyl cwrdd â breuddwyd. Ŷn ni'n dod 'ma am dipyn o hwyl, on'd ŷn ni, Doreen?'

O ffyc.

''Nôl i'r dre?'

'Beth?'

'Dihuna, Harriet,' mae llais Lois yn finiog, wedi'i hogi. 'Mae unrhyw le yn well na'r twll 'ma!'

Anna fel petai'n adfywio'n sydyn, yn cyffwrdd â'r ddaear unwaith eto, yn siglo ei hunan.

Mae Lois yn dal i glebran. 'Wel, rwy'n benderfynol 'mod i ddim yn mynd i droi mewn i un o'r rheina,' meddai, ei haeliau wedi eu crymu ar i fyny, ac wedi'u hanelu at y ddwy fenyw dew ar y llawr dawnsio.

'Ti ddim yn meddwl . . .' Daw cysgod sydyn dros wyneb Harriet, fel petai wedi gweld ei dyfodol, yn sydyn, a hwnnw ddim yn rhywbeth hardd. Mae Anna'n rhoi ei braich yn gynnes dros ei hysgwydd hi.

'Amser i fynd, rwy'n credu.'

Ni? Na, nid ni. Fyddwn ni byth fel'na, byth bythoedd os oes 'da fi unrhyw ddylanwad dros bethau.

'Dewch, ferched!' meddai Anna, yn codi'n sydyn o'i sedd. 'Rŷn ni'n mynd. Rwy'n mynd i ffonio am dacsi.'

'Na,' mae Harriet yn gweiddi yn rhyfeddol o uchel, â phendantrwydd sydyn. 'Af i i ffonio. Ffonia i am dacsi.' Mae ei llais yn bendant ac yn gryf heb unrhyw amheuaeth, heb unrhyw gryndod, yn ddiemosiwn bron. 'Rwy'n gwbod am rywun da. Y gorau.'

Nid oes neb yn dadlau gyda hi, nid oes neb yn gofyn iddi pwy mae hi'n mynd i ffonio, nac yn sefyll yn ei ffordd. Mae gadael y lle hwn yn bwysicach na dim byd arall nawr. Gadael yn gyflym. A does dim ots sut.

Mae'r tywydd wedi newid yn sydyn, a'r glaw yn bygwth. Gwynt cryf yn dechrau chwythu gwaelodion ffrogiau a chotiau wrth i'r tair sefyll yn y drws.

'Pum munud, ddwedodd e.' Mae Harriet yn gwenu nawr, y bwganod nawr wedi eu herlid ac wedi eu gorchfygu gan un alwad ffôn, ond mae hi'n teimlo y dylai hi ychwanegu rhywbeth er mwyn esbonio rhywfaint. 'Roedd un o'r gyrwyr yn digwydd bod yn agos.'

Anna yn edrych arni â diflastod, fel petai hi ddim eisiau i'r tacsi ddod o gwbl nawr.

'Ti'n defnyddio'r cwmni 'ma'n aml, 'te?'

'Bob tro, i fynd â fi o'r tŷ,' meddai gan edrych yn rhyfeddol o fodlon.

'Ti'n cael *special rates*, 'te?'

Mae hyn yn cyffroi Harriet, yn ei chyffroi drwyddi. Mae hi'n edrych yn lletchwith, fel petai'n ceisio cuddio rhywbeth.

Ond nid oes diddordeb gydag Anna, nid gwir ddiddordeb. Dim ond rhywbeth i'w ddweud oedd e. Rhywbeth rhag disgyn ymhellach i mewn i'w hunan.

'Rwy'n mynd i aros tu fas,' mae Anna'n dweud yn sydyn. Mae'n rhaid i fi anadlu. Mae'r gwynt yn teimlo'n braf ar fy wyneb. Rwy'n gwybod ei fod yn llugoer, afiach, yn llawn o lygredd y ddinas a'i fod yn chwythu 'ngwallt i bob siâp, a'r glaw mân yn dechrau disgyn ar fy wyneb, ar 'y ngholur. Ond mae'r gwlybaniaeth mor dosturiol drosof, y diferion yn oer ar fy wyneb, maen nhw'n teimlo fel rhyddid dros fy nghorff. Ydy hynna'n gwneud sens? Dw i ddim yn siŵr. Dim ond geiriau ydyn nhw. A dyw geiriau ddim yn bwysig. A does neb yn edrych arna i, neb yn sylwi arna i, neb yn fy nghaethiwo. O, damia'r tacsi 'na'n dod mor gyflym. Dw i ddim eisiau mynd i mewn i'r ddinas heno. Rwy jest eisiau mynd . . . ble? Nid adre. Dim eto. Dim ond eisiau teimlo'r glaw mân yn fy ngolchi'n rhydd am eiliad yn rhagor.

'Beth sy'n bod arni hi?' mae Harriet yn dechrau poeni, ond mae Lois yn gweithredu'n reddfol, yn tynnu pob sylw oddi ar ei chwaer, ac yn troi i wynebu Harriet ac yn newid testun y sgwrs heb drafferthu fod yn gyfrwys. Mae ei llais wedi newid hefyd, yn gynnes, ac wrth siarad mae hi'n llithro ei braich drwy fraich Harriet a'i thywys yn annwyl i gornel y porth.

'Dwed wrtha i am y dêt 'ma sy 'da ti fory.'

Harriet yn edrych yn amheus, yn taflu trem ansicr at Anna, sy'n dal i sefyll y tu allan, yn dal ei phen yn ôl, yn wynebu'r awyr sy'n dal i fod yn olau, y glas wedi'i lygru nawr gan gymylau brown. Yna, edrycha'n ôl at Lois.

'Alla i sôn am hynny rywbryd 'to, Lois, ond tra 'i bod hi mas fan'na, dwed, fydd Chris yn y dre?'

'Dw i ddim yn meddwl bod hyn yn syniad da, Hari.'

'Wel, 'wedaist ti fod ti'n mynd i siarad â fe. Wnest ti, neu beidio?'

'Wel . . . ' Paid â bod yn dwp, Harriet. Ro'n i'n meddwl ein bod ni wedi siarad am hyn, ro'n i'n meddwl ein bod ni wedi gweithio hyn mas i gyd. Dw i ddim eisiau siarad am hyn eto. Elli di gau dy geg am fwy nag eiliad, Harriet? A chadw dy drwyn mas o fusnes pawb arall? Rwy wedi cael digon. Ond wnaiff hi ddim derbyn hynny, a dw i ddim eisiau cwympo mas gyda hi heno. Ŷn ni mas i fwynhau ein hunain, on'd ŷn ni? Mwynhau, ac mae hynny'n golygu chwerthin, nid cwyno. Dweda i

90

rywbeth i'w chadw hi'n hapus, rhywbeth diniwed, wedyn newid y pwnc. 'Dwedais i basen ni siŵr o fod ar Wind Street rhywbryd yn ystod y . . .'

'Da iawn!' Mae Harriet yn dyrnu'r awyr ac yn rhoi naid bach o orfoledd.

'Ond ro'n i'n meddwl bydden ni yn y Mwmbwls, ond trodd pethau mas fel hyn.'

O, Harriet, elli di ddim anghofio am hyn? Busnes Anna a Chris yw e, nid busnes neb arall.

'Wel, mae Mam wastod yn dweud bod pethau yn gweithio mas am y gorau, yn arbennig gyda chariad.'

'Harriet, mae dy fam di'n byw ar ei phen ei hunan mewn tŷ cyngor ym Mlaenymaes, yn byw ar sieri siep . . .' Saib hir ar ôl i Lois dewi a chyn iddi feddwl am rywbeth arall i'w ddweud. 'Sori, do'n i ddim yn bwriadu . . .'

'Paid â phoeni, dyw hi ddim yn gyfrinach. Ond doedd pethau ddim mor wael â 'ny pan o'n i'n tyfu lan. Mae pethau'n wahanol i ni. Mae cyfle gyda ni o leiaf. Doedd dim llawer o ddewisiadau gyda Mam, yn enwedig ar ôl i fi gyrraedd. Mae'n wahanol i Anna. Mae'n anodd iddi hi, rwy'n gwbod, ond o leia mae eich mam chi o gwmpas i helpu, ac mae tad Rhian yn helpu, on'd yw e . . .' Mae cysgod sydyn tywyll yn symud dros wyneb Lois, ond nid yw Harriet yn sylwi arno, '. . . ac yn gweld Rhian yn aml, yn mynd â hi mas. Roedd digon o ddynion o gwmpas pan o'n i'n tyfu lan. Ond wnaeth dim un ohonyn nhw aros yn hir. Wyt ti'n credu ei bod yn bosibl cael perthynas sy'n para? Perthynas fel yr un sy gyda ti a Daniel?'

'Harriet, rwy wedi dweud wrthot ti am hwnna.'

'Ond mae e eisiau dy briodi di!' Saib, fel petai'r geiriau hyn yn ddigon. Yn ddigon i esbonio popeth. 'Mae e eisiau dy briodi di!'

Lois yn edrych o'i chwmpas, i bobman ond i wyneb Harriet. 'Shgwl – do'n i ddim yn golygu dim wrth ddweud beth ddwedais i gynnau. Onest. Ddylen i ddim fod wedi dweud unrhyw beth. Mae'n flin 'da fi.'

'Olreit.' Harriet yn byseddu ei bag. Ble mae'r tacsi 'na? Mae'n rhaid i fi gael diod arall. Mae wedi bod yn rhy hir ers i fi gael diod. Mae effaith yr un diwethaf yn dechrau gweithio bant.

Lois yn mynd am y drws.

'Ond wyt ti'n credu bydd Chris yn y dre?'

Mae Lois yn aros, hanner ffordd mas.

'Dw i ddim eisiau bod 'na os ydyn nhw'n mynd i ddod wyneb yn wyneb heno. Os wyt ti eisiau cynllunio rhywbeth, mae hynny lan i ti. Ond cadw draw, Harriet, gwranda arna i.'

'Dwyt ti ddim eisiau iddi hi fod yn hapus?'

'Harriet – beth wyt ti'n meddwl fydd yn digwydd os bydden nhw'n cwrdd heno? Onest nawr. Lladdith hi fe. Rwy'n dweud wrthot ti, lladdith hi fe. Dyw hi ddim eisiau ei weld e. Os wyt ti'n meddwl unrhyw beth ohoni hi, a fe hefyd, fe wnei di gadw mas o hyn i gyd.'

'Dim ond trio helpu o'n i.'

'Ond dwyt ti ddim yn gwbod beth sy wedi bod yn mynd ymlaen, dwyt ti ddim yn deall y sefyllfa.'

'Pam na elli di esbonio wrtho i 'te? Pam na elli di esbonio?' Mae hi'n mynd mas ar ei hôl hi nawr, ar ôl ei chwaer. Dyna'r peth. Mae ffrindiau yn un peth, ond mae chwiorydd yn rhywbeth arall. Ych chi'n gwybod bod rhywun arall 'na, drwy'r amser. A does dim ots os ych chi'n cwympo mas, mae wastod ffordd 'nôl. Ellwch chi ddweud unrhyw beth gyda theulu, cymryd pob math o risg na ellwch chi eu cymryd gyda chyfeillgarwch. Dyw hyn ddim yn deg. Maen nhw fraich ym mraich nawr. Eu breichiau o gwmpas ei gilydd. Does dim lle i fi yn hyn.

'Ti'n iawn?'

'*Lwc owt* – dyma'r tacsi – sôn am liw . . . beth yw hwnna, banana?'

Ac mae Anna'n ôl, yr Anna ddisglair, llachar, yr Anna anhygoel, beryglus.

'Galw Harriet wnei di? Beth mae hi'n gwneud nawr? Dyw'r groten 'na byth yn y lle iawn pan mae ei heisiau hi!'

Rhedeg trwy'r glaw at y tacsi, a thaflu eu hunain i mewn i'r minicab melyn. Lois ac Anna yn eistedd ychydig yn agosach at ei gilydd nag sy raid yn y sedd gefn, a Harriet yn suddo i'r sedd flaen.

Y gyrrwr yn troi i edrych i'w chwith. 'Harriet, ondefe? Harriet?'

Harriet yn gwrido, yn gwenu'n lletchwith, a phawb arall yn gwyro ymlaen i edrych arni hi.

'Sut mae'r noson wedi bod?' Wedi ysbeilio ei hymennydd am rywbeth i'w ddweud dyna'r unig beth ddaw i feddwl Harriet.

'O, gweddol,' yw'r ateb. 'Sneb wedi bod yn sâl yn y car eto.'

'Ych!' Mae Lois mewn hwyliau da eto, yn anwybyddu Anna nawr ac yn gafael yn ysgwyddau Harriet o'r sedd gefn, ac yn chwerthin yn afreolus. A Harriet yn ymateb yr un ffordd, ond heb fod yn hollol siŵr pam ei bod hi'n chwerthin. Ac Anna, y tu ôl i'r gyrrwr, yn pwyso ymlaen i sibrwd rhywbeth yn ei glust, ond does neb arall yn clywed yr un gair.

A Harriet yn sibrwd yng nghlust Lois, sy'n dal i afael yn ei hysgwyddau hi o'r cefn, ei breichiau yn hongian yn llac dros fronnau a stumog Harriet. Maen nhw'n siarad yn isel, ei lleisiau nawr yn llawn maddeuant cynnes yn eu clymu at ei gilydd fel petaent yn rhannu'r un got mewn cawod o law.

93

'Do'n i ddim yn trio achosi trwbwl, 'na i gyd o'n i'n meddwl oedd base fe'n syniad da iddyn nhw gwrdd eto, o leiaf unwaith.'

'Sai'n credu y byddai hynny'n syniad da.'

'Iawn. Ocê Lois, ond dyw hi ddim wedi rhoi cyfle iddo fe.'

'O, Harriet – mae hi wedi rhoi digon o gyfle iddo fe, a beth wnaeth e? Does dim diferyn o ffyddlondeb yn unrhyw ddarn o'i gorff e – rhai darnau yn enwedig . . .'

Harriet yn agor ei cheg i dorri ar ei thraws, ond mae Lois yn rhy gyflym iddi.

'Shgwl, Harriet, mae hi'n haeddu gwell na Chris. Mae hi'n gallu cael rhywun gwell.'

'Olreit.'

Mae hi'n haeddu rhywun gwell. Falle. Ond pryd? Mae'n iawn, aros, aros am rywbeth gwell. Ond allwch chi aros yn rhy hir. Mae Anna wedi aros, wedi bod yn aros. Olreit, mae hi wedi bod yn anlwcus, ond dylai hi drio eto nawr. Mae hi ddwy flynedd yn hŷn na fi. Mae amser yn rhedeg mas. Ac mae hi'n dal i fod ar ei phen ei hunan. Alla i ddim fod ar fy mhen fy hunan. Dw i ddim eisiau mynd i'r dre, a chwrdd â'r un math o bobl eto. Dim ond dynion sy moyn noson o ryw. Dyna i gyd. Bod yn lwcus. Ffindo merch fach fydd yn cytuno cael eu ffycio ganddyn nhw. Un sy'n fodlon. Dyw hwnna ddim yn rhywbeth i fod yn falch ohono. A does dim rhaid i ferch fod yn sengl ar ei phen ei hun, yn nag oes? Mae mor hawdd cael dyn, mor hawdd cael rhyw. Does dim rhaid bod yn brydferth, yn ddisglair, yn gyffrous i gael dyn. Na chlyfar chwaith. Dim ond yn fodlon. Gostwng eich safonau ddigon. Does dim cyfrinach yn y peth.

Ŷn ni mor dawel. Beth sy wedi digwydd? Mae Anna yn edrych yn ei chôl, a Lois yn syllu mas drwy'r ffenest. Ac rwy'n teimlo rhyw ddrafft oer yn dod o rywle. Mae'r tacsi yn cymryd oesoedd. Do'n i ddim yn sylweddoli ein bod ni mor bell mas o'r dre. Mae Steve yn edrych arna i drwy gil ei lygad. Sai'n gwybod beth welais i ynddo fe yn y lle cyntaf. Does dim byd arbennig ynddo fe, nac oes. A sut all unrhyw ferch ffansïo cochyn? Mae e'n gwenu arna i. Ydy e'n disgwyl rhywbeth? Wnes i ddim addo dim, wnes i? 'Wedais i ddim byd, rwy'n siŵr o 'ny. Unrhyw funud nawr mae e'n mynd i 'weud wrtha i pryd mae e'n cael noson bant. Rwy'n adnabod yr arwyddion. Dyna'r peth sy'n dod nesa. A bydd rhaid i fi 'weud rhywbeth wrtho fe. Sai'n credu 'mod i'n barod i gael fy modio mewn rhyw hanner golau unwaith eto. O, Dduw, dim eto.

'Oes rhywun wedi penderfynu lle ŷn ni'n mynd?' mae hi'n gofyn yn gyflym.

'Rhywle yn y dre,' yw murmur tawel Lois, ond mae Anna yn ei chlywed.

'Allwn ni fynd i rywle gwahanol? Rhywle gwahanol i'r arfer?'

'Wel, trion ni hynny heno, a shgwl beth ddigwyddodd.'

'Chawsoch chi ddim amser da 'te, ferched?' Mae Steve yn ceisio ymyrryd, ac yn sylweddoli ei gamgymeriad yn syth. Does neb yn ateb. Neb. Ond wrth sylweddoli hyn, mae Anna yn dechrau dweud rhywbeth, a'i llais nawr yn perthyn i rywun hŷn, aeddfetach.

'Doedd dim byd arbennig yn mynd ymlaen 'na. Mae mwy yn mynd ymlaen yn y dre ar nos Wener.' Ac mae hi'n syrthio'n ôl i'w hanner cwsg yn y sedd gefn.

'Roedd hi'n erchyll 'na.' Mae Lois yn teimlo bod yn rhaid iddi ei ddweud. Byddwn ni'n olreit os awn ni ddim yn agos at y Kingsway heno. Dyna lle bydden nhw, siŵr o fod, Daniel a'i ffrindiau fe. Bob nos Wener. Mae rwtîn gyda nhw. Yr un tafarndai, un ar ôl y llall nes eu bod nhw'n cau, wedyn y clwb nos. Dyna'r rheswm am fynd i'r Mwmbwls. Petaen ni wedi aros yn y gwesty, basen ni ymhell i ffwrdd o'r dre. Ond roedd y lle 'na'n rhyfeddol o erchyll. 'Dŷn ni ddim mor desperet â 'ny. Wel, ddim 'to. A dweud y gwir, dim ond mynd yna er mwyn Harriet o'n i. Mae hi mor desperet i ddod o hyd i ddyn. Nid 'mod i'n ei chofio hi'n cael unrhyw broblem o gwbl denu dyn – mae ganddi rywun bron bob wythnos. Sai'n deall. Rhaid ei bod hi'n hapus neu fyddai hi ddim yn ei wneud, ond wedyn mae hi'n cwyno bod neb gyda hi. Siarad am ddod o hyd i ddyn mae hi, drwy'r amser. Dw i ddim yn mynd mas i gwrdd â dyn. Nid nawr. Dw i ddim eisiau dyn. Dw i ddim eisiau dyn yn agos ata i. Eisiau cael gwared ag un sy arna i. Na, dw i ddim eisiau cael gwared â fe, jest ddim eisiau ei weld e heno. Dim ond eisiau tipyn o dawelwch. Bydd e 'na yn y dre heno. Rŷn ni'n mynd i gwrdd â fe. Rwy'n gwybod bydd e 'na. Alla i ddim ei weld e heno. O Dduw, beth yn y byd dw i'n ei wneud yma?

'Beth am ochr arall y dre – y lle newydd 'na . . .'

'Ond mae'r bobl 'na mor hen, Harriet.'

'Wel olreit, nage 'mai i yw 'ny!' Dylwn i fod wedi eistedd yn y sedd gefn falle. Ro'n i'n meddwl byddai'n haws i siarad â Steve o fan hyn. Ond mae Anna'n siarad â fe. Dros ei ysgwydd. Yn ei glust. Ro'n i wedi gofyn amdano fe. Gofyn ar y ffôn amdano fe, amdano fe'n arbennig. Roedd e fel 'sa fe â rhyw ddiddordeb arbennig yno 'i gynnau, a nawr dyma fe'n siarad ag Anna gyda'r un faint o frwdfrydedd. Maen nhw'n sibrwd ac yn giglan. Dim ond ffordd o drin cwsmeriaid falle. Pam dyw e ddim yn talu mwy o sylw i fi? Gofynnodd i fi ei ffonio fe. Ai dim ond eisiau *fare* arall oedd e? Licwn i wybod beth mae e'n ddweud wrth Anna nawr, ond maen nhw'n siarad yn rhy dawel, ac mae Lois yn mynnu siarad hefyd, drostyn nhw. A does dim byd arbennig ganddi i'w ddweud. Dim byd pwysig. Ond sai'n gwybod beth o'n i'n ei ddisgwyl. Ond beth mae fe'n ei ddweud wrthi? Dywedodd e 'mod i'n bert gynnau. Clywais i hynny, on'd do? Nid fi oedd yn dychmygu pethau? A does dim diddoreb gan y ddwy arall! Ro'n i'n poeni am gwrdd â fe 'to, ro'n i'n meddwl basen nhw i gyd yn gofyn cwestiynau, basen nhw i gyd yn chwilfrydig, ond does neb wedi dweud dim! Ro'n i'n meddwl basen nhw i gyd eisiau gwybod pam o'n i wedi ffonio Steve. Eisiau gwybod popeth amdano fe. Ond does dim ots gyda nhw. Ro'n i'n barod i deimlo embaras, teimlo'n lletchwith. Ond allwn i feddwl taw fe yw'r dyn hyllaf yn y byd a fasen nhw ddim yn dweud gair. Mae'r noson 'ma'n hunllef. Beth sy gyda fi i edrych ymlaen ato, a dweud y gwir? Beth sy gyda fi i edrych ymlaen ato fory? *Blind date* arall gyda rhyw gnec arall. Dim ond pobl fel'na sy'n ymuno â chwmni dêts cyfrifiadur, ondefe. Ac ie, rwy'n gwybod, beth mae hynny'n ei ddweud amdana i? A falle fydd e ddim yn troi lan. Falle bydd e'n erchyll, ond rwy'n gyfarwydd â hynny, rwy'n gallu ymdopi â hynny, rwy wedi cael digon o ymarfer, ond os 'dyn nhw ddim yn troi lan, mae hynny'n waeth na dim. Eistedd 'na ar eich pen eich hunan yn yfed coffi ar ôl coffi, ac wedyn yn mynd, a'r staff i gyd yn gwybod beth sy wedi digwydd. Dim ond ceisio ffindo rhywun ydw i. Dw i ddim eisiau chwarae'r gêm erchyll hon.

Gobeithio fydda i ddim yn cwrdd â neb heno. Rwy wedi cael digon o gwrdd â dynion mewn bar hefyd, a threfnu dêt, ac wedyn 'dyn nhw ddim yn troi lan. Rwy wedi aros digon o weithiau, aros amdanyn nhw, a 'dyn nhw byth yn dod. A phob tro rwy'n dweud fydda i byth yn aros eto. Fydda i byth yn sefyll 'na yn goddef y

nonsens i gyd, ond mae'n digwydd bob tro, on'd yw e?
A'r tro hwn rwy'n gwybod y bydd yn digwydd eto. Er
bod fy llygaid ar agor, alla i ddim newid y ffordd rwy'n
teimlo. O Dduw, gad i fi beidio â chwrdd â neb heno.
Gad iddyn nhw i gyd fod yn hyll, yn annioddefol, yn
rhyfedd. A Duw, plîs Dduw, gad i fi ddweud 'na'.

'Sut ych chi i gyd 'nôl fan'na?'

'Ni'n iawn,' Anna sy'n ateb.

'O'n i jest yn meddwl bod chi mor dawel, dyna i
gyd.'

'Ŷn ni'n iawn.'

'Ble ŷn ni'n mynd, 'te?' mae Anna yn gofyn.

'Beth am Wind Street?' Harriet yn gwthio i mewn, ei
llais yn canu yn glir uwch sŵn peiriant y tacsi. 'Mae
digon o ddewis o dafarndai fan'na.'

Mae Lois yn ei phinsio o'i sedd y tu ôl iddi.

'Beth sy'n bod ar fan'na?' Mae Harriet yn sibrwd, yn
rhy isel i Anna ei chlywed.

'Ti'n gwbod pam. 'Na le mae Chris yn mynd.'

''Na'r syniad.'

'Harriet, rwyt ti'n chwarae 'da tân.'

'Gad i *fi* boeni am hynny.'

Ac wrth ddadlau, mae'n anghofio am Anna yn
eistedd y tu ôl i'r gyrrwr.

Ac mae honno'n datgan dros leisiau ei chwaer a'i
ffrind, ei llais yn glir ac yn herfeiddiol. 'Wind Street.
Pam lai?'

Deg o'r gloch y nos

'Dyma ni, ferched – Wind Street. Iawn fan hyn?'

Ond does neb yn ateb, neb yn symud.

'Wind Street 'wedoch chi, ondefe?'

'Ie.' Dyma Harriet yn ysgwyd ei hunan ac yn estyn i mewn i'w bag bach du â'r tsaen aur ffug sy ar ei hysgwydd.

'Na, cest ti'r bil diwetha – tala i hwn,' cynigia Lois.

'Na,' mae Harriet yn dadlau. 'Na,' ac mae Lois yn gweld rhywbeth yn agos at banig yn ei llygaid.

'Cer â hwn.' Lois yn gwthio papur degpunt i law Harriet gyda winc cyfrin.

Nid yw Harriet yn dadlau gyda Lois. Mae hi'n cymryd yr arian o'i llaw, yn agor drws y tacsi a mynd allan ac yna yn talu drwy'r ffenest agored. Ac yn aros ychydig yn fwy nag sy raid. A Lois yn sylwi ar hyn. Ond yn dweud dim. Mae Anna yn sylwi hefyd.

'Hei, Hari, dere 'mlaen, mae'r alcohol a'r dynion yn aros amdanon ni!'

'Paid, Anna. Rho amser iddi hi. Rwy'n meddwl bod rhywbeth yn mynd 'mlaen fan hyn.'

Mae Hari'n troi i edrych. Mae hi'n gwrido. Mae hi'n dywyll erbyn hyn ond rwy'n gallu gweld ei bod hi'n gwrido. Ond beth sy'n bod ar hynny? Cadwa i mas. Am y tro, beth bynnag. Pam na ddylai hi gael y cyfle i fod yn hapus? On'd ydy'r byd yn lle gwallgof? Dyna hi'n desperet am berthynas barhaol, am briodi. Ie, priodi, rwy'n gwybod beth sy ar feddwl Hari, rwy'n ei nabod hi'n ddigon da. Ers i fi gwrdd â hi gynta. Yn y coleg.

'Stalwm. Chwilio am ŵr. Ych chi'n fethiant os nad oes dyn gyda chi. Unrhyw ddyn. Druan ohoni. A dyma fi . . . Ond rwy wedi penderfynu peidio â meddwl am Daniel heno, na phriodi, na dim byd fel'na. Ond dyw hi ddim yn bosib, ydy hi? Mae Anna yn edrych yn ddiamynedd eto. Mae hi wedi newid eto. Sai'n gwybod beth sy'n bod arni y dyddiau hyn. Falle fod Harriet yn iawn wedi'r cyfan. Roedd Anna'n sefydlog pan oedd hi gyda Chris. Roedd e'n dda iddi. Yn ei chadw hi'n dawel. Dere 'mlaen Harriet. O'r diwedd, dyma hi'n gorffen. Ac mae'n rhaid i fi fynd i'r twll yn y wal cyn i ni fynd i unrhyw le arall. Maen nhw wedi gorffen. Mae Harriet yn gwenu hefyd. Diolch byth. Mae Anna wedi sylwi hefyd. Ond iddi beidio â dweud dim nawr, dim byd twp.

'Ti *mewn* fan'na, Hari, mewn yn sownd, cred ti fi.'

'Paid â bod yn dwp.'

'Gwranda di ar dy Anti Anna nawr, rwy'n gwbod y pethau 'ma.' Dyw gwenu a chwarae rhan y ffŵl ddim mor anodd â 'ny, ddim gydag ymarfer. Ac ych chi'n dechrau credu ynddi eich hunan. Falle taw dyna'r perygl. Beth sy'n bod ar Lois yn sydyn? Oedd hi'n meddwl 'mod i'n mynd i ddweud rhywbeth *embarrassing*? Fyddai hynny ddim yn deg. Mae pethau fel hyn yn ddifrifol, ac mae eisiau ychydig o lwc ar Harriet druan. Na, poeni am ei harian mae Lois eto.

'Mae'n rhaid i fi gael arian.'

'Reit – draw â ni.'

Nid yw'r peiriant yn bell, diolch byth. A dim ond dau yn aros yn y ciw. Mae Lois yn ffwndro yn ei bag am ei charden. Ac mae ei thro yn dod gyda'r peiriant. Ac wedyn Harriet ar ei hôl hi.

'Well i fi gael peth hefyd, rhag ofn.'

Ond mae'n cymryd fwy o amser nag y dylai, ac mae hi'n troi yn ôl at Lois, sy'n aros y tu ôl iddi, gyda chiw o ryw dri arall wedi ymddangos yn y munudau diwethaf, gyda'u ffrindiau yn sefyllian o gwmpas. Mae Harriet yn troi, a sibrwd yng nghlust Lois, ac mae rhywun ymhellach yn ôl yn y ciw yn griddfan. Mae rhywbeth yn debyg i arswyd ar wyneb Harriet.

'Beth yw'n rhif i, Lois?'

'Wel, paid â gofyn i fi.' Llygaid Lois yn mynegi anghrediniaeth, ond mae hen gynefindra y tu ôl i'w gwedd, a dim ond dryswch yn llygaid Harriet.

'Rwy wedi trio ddwywaith yn barod. Y tro nesa bydd y ffycin peiriant 'na'n llyncu'r garden.'

'Pam gofyn i fi?'

'Ti wastod mor dda gyda phethau fel'na.'

'Ond sai'n gwbod dy rif personol di.'

'Wyt, ti yn, ti'n cofio fi'n dweud wrthot ti? Rhag ofn?'

Mae rhyw rith o atgof yn taenu dros wyneb Lois. A rhywun y tu ôl iddi yn y ciw yn ochneidio'n ddiamynedd, yn cwyno wrth ei ffrind yn uchel er mwyn i Harriet glywed hefyd.

'Roedd côd gyda fi, rhywbeth i wneud â blwyddyn, a rhif ffôn, a . . .'

Mae llygaid Lois yn rholio. 'Gostwng dy lais 'te, a dere'n agosach.'

Rwy'n cofio'n awr. Ond alla i ddim gweiddi'r peth mas o flaen pawb fel hyn. Sibrwd yn ei chlust. Mae hi'n trio. Wrth i Harriet ddyrnu'r rhif i mewn i'r peiriant mae'r ferch mewn sgert mini a sodlau uchel yn mwmian rhywbeth yn uchel eto, a Lois yn troi ati, wedi cael hen ddigon arni.

'Allwch chi ddim cael tamaid bach o amynedd?'

'Ych chi ddim wedi bod yn aros 'ma am oriau.'

'Peidiwch â bod yn dwp – ŷn ni 'di bod 'ma am funud ar y mwyaf.'

'*Fuck off.*'

'*Fuck off* i chi hefyd!'

'Lois . . .' mae Harriet yn gafael yn nefnydd siaced Lois. Mae ei hwyneb yn fflat.

'Llyncodd e'r garden. Maen nhw'n dweud bod rhaid i fi alw mewn yn y banc fory i siarad â nhw.'

'Paid â phoeni, Hari,' medd Anna gan daflu ei braich o gwmpas ysgwydd Harriet. 'Prynwn ni ddigon o ddiod i ti,' ac mae Lois yn cwblhau'r triawd ar yr ochr arall.

'*Fucking slappers!*' Mae'r ferch yn y ciw yn gweiddi ar eu holau ac mae Anna yn chwifio ati ac yn gwenu, fel petai hi'n ffarwelio â hoff fodryb. Ac wrth iddi droi a gwthio bys canol ei llaw dde i'r awyr i gyfeiriad y ciw, mae'r ferch yn ceisio rhuthro ymlaen atyn nhw, ond mae ei ffrindiau yn ei dal yn ôl.

Ŷn ni'n dair nawr. Yn un. Yn llenwi lled y pafin. Gwae neb a ddaw yn ein ffordd.

Mae'r dafarn yn llawn. Fel arfer. A'r gerddoriaeth mor swnllyd, fel clwb. A phwy bynnag sy'n llwyddo cyrraedd y bar yn gyntaf sy'n prynu'r diodydd. Oni bai am Harriet wrth gwrs, achos does dim arian gyda hi.

Tri jin a thonig. A thri arall. A sedd yn rhywle, os yw hynny'n bosibl. Sedd ar ochr llawr y bar ar y balconi, mae Anna yn mynnu, fel bod y bobl wrth y bar yn gallu eu gweld nhw'n hawdd, y *dynion* wrth y bar mae hi'n ei olygu. Mae'r tair yn codi eu gwydrau, fel bod y tri gwydryn yn cyffwrdd â'i gilydd unwaith eto, ac mae Anna'n cyhoeddi:

'Dyma ni ferched, edrychwch yn rhywiol!'

Sai'n gwybod pam ddywedais i hwnna. Sai'n gwybod pam rwy'n ymddwyn fel hyn. Dyma fel cwrddais i â Chris. Ro'n i'n eistedd fan hyn gyda Lois a Harriet, a Lois oedd wedi sylwi arno, nid sylwi arno achos roedd e mor olygus (achos dyw e ddim) ond achos ei fod e'n syllu arna i, 'wedodd hi, yn siarad â'i ffrindiau, ond roedd ei lygaid yn troi i'n cyfeiriad ni drwy'r amser. Falle ei fod e'n edrych arnat ti, 'wedais i, neu ar Harriet. Ond na, 'wedodd Lois, roedd hi'n gwybod. Doedd e ddim yn dal ei llygaid hi, felly rhaid ei fod e'n edrych arna i. Rwy'n cofio edrych draw, dros y balconi, at drwch y pennau, y wynebau gwahanol a sylwi arno fe ar unwaith. Do'n i ddim yn meddwl llawer ohono fe, wrth gwrs. Roedd ei wallt yn rhy hir, dyw hynny ddim yn ffasiynol nawr. Ac roedd e'n gwisgo sbectol. Dw i erioed wedi meddwl llawer o ddynion mewn sbectol. Rhagfarn, wrth gwrs, rwy'n gwybod hynny. Tybed faint o ddynion rwy wedi gadael i fynd achos eu bod nhw'n gwisgo sbectol? Gwell peidio â meddwl am bethau fel'na. Ond eto, pam fod bywyd mor llawn o wastraff? Petaen ni'n cael gweld beth sy i ddod gallen ni ddewis a dethol, a phenderfynu peidio â gwastraffu'r blynyddoedd prin ar ddynion sy'n hollol ddiwerth, a threulio'r amser gyda'r rhai da, hyd yn oed os ydyn nhw'n gwisgo sbectol. Ond ych chi ddim yn sylweddoli eu bod nhw'n werth llai na dim ar y pryd.

Do'n i erioed wedi ei weld o'r blaen. Ro'n i yma gyda Lois a Harriet fel arfer, ar nos Wener. Ac ro'n ni'n eistedd fan hyn. Yn siarad. Yn symud 'nôl ac ymlaen yn dwp i'r gerddoriaeth, a sefyll a gwneud dawns fach ryfedd nawr ac yn y man. Ac roedd popeth yn iawn a phawb yn cael hwyl. Ond roedd y dyn 'ma yn edrych arna i. Rhyfedd fel ych chi'n gallu sylwi ar bethau fel'na. Cannoedd o bobl mewn lle fel hyn – wir cannoedd, braidd dim lle i anadlu ar nos Wener. Ond ro'n i'n sylwi ei fod e'n edrych arna i, un wyneb yng nghanol y dorf. Yn edrych drosodd a throsodd, am dros hanner awr. A fi'n edrych yn ôl nawr ac yn y man, ac yna'n ceisio peidio â gwneud. Mae'n un o'r pethau anodd yn y byd, ceisio peidio ag edrych ar rywun sy'n syllu arnoch chi. Dyw e ddim byd i wneud â'r cwestiwn a ych chi'n eu ffansïo nhw ai peidio. Do'n i ddim yn ei ffansïo fe. Wel, do'n i ddim wedi cael cyfle i feddwl am y peth. Dim ond gweld hwn yn edrych arna i. A sylwais i ar rywbeth arall hefyd, heblaw Lois yn fy mhwno yn fy ochr drwy'r amser ac yn giglan fel ffŵl. Roedd dwy ferch gyda fe, ac roedd un ohonyn nhw'n edrych arno fe yn edrych arna i, â melltith yn ei llygaid. Roedd hynna'n eitha doniol. Ac yn ei wneud yn anoddach fyth i fi edrych i ffwrdd, ond eto yn bwysicach i mi wneud hynny. Ro'n i'n wynebu'r posibilrwydd y gallai fe ddod ar fy ôl i, ond wedyn gallai hi hefyd, ac am resymau gwbl wahanol. Trois fy nghefn ato, a siarad â'r merched, ond yn teimlo eu llygaid nhw ill dau, fe a'r ferch, ar fy nghefn fel niwl yn dechrau fy amgylchynu.

'Oes rhywun eisiau diod arall?' roedd Lois wedi gofyn, a phetawn i ond yn meddwl, mae diogelwch mewn niferoedd, on'd oes? A'r lle mor llawn, a Harriet yn troi o gwmpas i chwifio at rywun roedd hi'n ei nabod ar ochr arall yr ystafell. A gwneud hynny yn hollol amlwg fel bod pawb yn ei gweld. Plygodd hi i lawr wedyn i ffidlan â'i hesgid, fel ei fod e – Chris, er 'mod i ddim yn gwybod ei enw fe ar y pryd – yn meddwl 'mod i ar fy mhen fy hunan ac yn dod draw o'r diwedd. Symudiad celfydd iawn, Harriet. Chwech llawn am dechneg ac am argraff artistig hefyd. A dwedodd e . . . wel, doedd dim ffordd i unrhyw ferch wrthod hwn. Roedd digon o gellwair yno, ac roedd e'n rhoi argraff o onestrwydd. A dwedodd e, rwy'n cofio pob gair, dwedodd e: 'Rwy'n gwbod fod hyn yn swnio'n *corny*, ond mae'n wir. Ond bydda i'n hollol onest a gobeithio wnei di ddeall, os 'weda i 'mod i'n dy ffansïo di'n wyllt. Rwy'n teimlo fel 'sa fi wedi cwrdd â ti o'r blaen, fel 'sa fi'n dy nabod di'n barod.'

Mae Lois yn gwybod 'mod i'n meddwl amdano fe nawr. Alla i ddim cuddio llawer oddi wrthi hi. Ond rwy'n gwybod beth sy'n mynd drwy ei phen *hi* hefyd. Mae'n gweithio'r ddwy ffordd. Ond mae hi'n mynd i nôl rhagor o ddiodydd nawr, ac yn cwyno bod neb wedi sylwi arnon ni 'to. Ond rwy'n gwybod mai act ydy hwnna i gyd. Dyw hi ddim eisiau i neb ddod draw aton ni, yn fwy na fi.

Pan gododd Harriet eto, ar ôl tynnu ei sgert i lawr, neu dynnu rhywbeth oddi ar ei sawdl, neu rywbeth fel'na, rwy'n cofio hi'n closio ata i, wedyn symud i ffwrdd eto yn gyflym pan welodd Chris, tynnu'n ôl fel petai wedi ein gweld ni'n hollol borcyn, yn mynd wrthi fel cŵn ar y llawr o'i blaen hi. Roedd fy llygaid arni hi wrth iddi orffen ei diod ac edrych o'i chwmpas, ond ei llygaid yn crwydro'n ôl nawr ac yn y man i 'nghyfeiriad i. Harriet ofalus. Harriet annwyl. Roedd hi'n deall y rheolau nas ysgrifennwyd. Y rheolau sanctaidd: cadwch draw, pan mae rhywbeth fel hyn yn digwydd. Rhowch gyfle i'r un sy wedi bod yn lwcus i ddal sylw rhywun. Rhowch gyfle iddyn nhw. Falle taw hwn yw'r un mawr. Yr un. Ond cadwch yn agos hefyd. Gyda dieithryn, cadwch yn agos. Cadwch olwg. Peidiwch â gadael i'r llall fynd o'ch golwg am eiliad. Gwyliwch am arwyddion o letchwithdod, o bryder. Byddwch yno, yn ddigon agos i gamu i mewn, i afael yn y sefyllfa. I achub. Ŷn ni'n gofalu amdanon ni ein gilydd.

A heb ddangos iddo fe 'mod i'n cyfathrebu â neb arall teflais drem sydyn ati, ac yna yn ôl ato fe. Diolch, Harriet. Rwy'n iawn. Paid â dod yn rhy agos, ond paid â mynd yn rhy bell oddi wrtha i chwaith. Jest rhag ofn.

Ro'n ni'n sefyll yn barchus, troedfedd rhyngom ein gilydd. A fi'n pwyso yn ôl yn erbyn y balconi. Do'n i ddim yn ei ffansïo, wel, ddim yn ddifrifol, ond roedd y sbectol fechan gron 'na'n dechrau chwarae arna i rywfodd, a'r ffordd roedd y goleuadau'n chwarae ar y lensys. Roedd ei wyneb ychydig yn grwn, a rhyw haelioni dilys yn ei wên lydan a boneddigeiddrwydd yn ei holl osgo. Roedd hwn yn wahanol i'r gweddill. Roedd e eisiau siarad. A doedd e ddim yn feddw. Falle y byddai'n werth gwrando ar hwn, am dipyn. Ac roedd ei eiriau, ei frawddegau yn gwneud sens.

Pan ddiflannodd e'n ôl i'r dorf, trodd Harriet ata i, gyda'r cwestiwn arferol.

'Sut aeth hwnna?'

'Roedd e'n syllu arna i am dros hanner awr cyn dod draw,' meddwn.

'Sylwais i ddim.'

'Wel, faset ti ddim.'

'Wel?' gofynnodd gan olygu, 'beth yw'r clecs, pwy yw e?'

'Wel, Chris yw ei enw fe. Welaist ti'r fenyw 'na'n edrych arno fe? Wel, ro'n i'n meddwl taw ei wejen e oedd hi, y ffordd roedd hi'n edrych arno fe yn edrych arna i. Ond rhywun mae fe'n gweithio gyda hi yw hi. Mae hi wedi ei ffansïo fe am sbel, ond dyw e ddim yn meddwl dim ohoni hi, ac mae hi'n grac am hynny, mae'n debyg. Mae fe newydd gael dyrchafiad ac maen nhw'n mynd â fe mas. Dyw e ddim fel arfer yn dod i lefydd fel hyn.'

'Mae hynny'n swnio'n addawol.'

''Na beth o'n i'n meddwl, ddim y sbwriel arferol. Ac roedd e'n swnio'n eithaf deallus hefyd, fel petai e'n gwbod sut i ddarllen.'

'Ond ddim mor olygus â 'ny.'

'Rwy'n gwbod y teip wyt ti'n mynd amdanyn nhw, Harriet – cyhyrau i gyd, a dim *brains* – ond mae fe'n eitha ciwt, ti ddim yn meddwl? Do'n i ddim yn meddwl 'ny ar y dechrau, ond nawr rwy'n dechrau . . .'

'Bydd yn ofalus – mae hyn yn swnio'n *major* – a ti wedi gadael iddo fe fynd jest fel'na?'

'Na, wy ddim yn dwp – mae ei rif ffôn e gyda fi.'

'Hei! *Nice work* – a ydy dy rif ffôn di gyda fe?'

'Harriet, 'wedais i 'mod i ddim yn dwp, ond dw i ddim yn hollol wallgof chwaith, dim eto o leiaf. Beth wyt ti'n olygu, rhoi fy rhif ffôn i iddo fe? Ond rhoddais i rif ffôn y swyddfa iddo fe. Jest rhag ofn. Jest i fod yn sicr. Gallai fe ddishgwl hwnna lan yn y llyfr ffôn beth bynnag. Cawn ni weld. Os yw e o ddifrif, bydd e'n ffonio.'

Mae Lois 'nôl. A'r olwg 'na o gonsýrn ar ei hwyneb hi unwaith eto. Ydy 'nheimladau i mor agos at yr wyneb heno? Mae'n rhaid i fi gael gwared â'r teimlad 'ma. A, rhywfodd, peidio â meddwl am Chris. Roedd yn gamsyniad dod yma. Gormod o bethau cyfarwydd, gormod i'n hatgoffa i. Ro'n i'n meddwl buasai popeth yn iawn, ond dw i ddim yn credu alla i ymdopi â hyn. Rwy'n teimlo fel dawnsio. Ie, dyna fe. Rhaid i ni fynd i ddawnsio! Symud a symud nes ei bod yn amhosibl meddwl. Miwsig hapus, cyflym. Yn rhy uchel i siarad. Rwy eisiau chwyrlïo'n hunan o gwmpas, a does dim ots gyda fi pwy sy'n fy ngweld i, na beth mae neb yn ei feddwl. A does dim ots gyda fi pwy sy'n dawnsio gyda fi, achos fydden nhw ddim yn bwysig, fydda i ddim yn sylwi arnyn nhw. Rwy eisiau dawnsio'r diafol allan ohona i. Dawnsio ar y beiau a'r gwendidau nes eu bod nhw'n ildio. Dawnsio nes bod y bwganod yn cael digon, nes eu bod nhw ddim yn gallu goddef mwy, nes eu bod nhw'n dianc ohona i mewn anrhefn chwyslyd, poenus.

Mae Lois yn dosbarthu'r diodydd, cymysgedd o alcohol a soda yn diferu ar ei llawes.

'Cymrwch 'rhain oddi wrtha i rywun – glou, maen nhw'n strywio'n siaced i!'

'Buest ti eitha sbel.'

'Roedd dynion tal o 'mlaen i – edrych arna i. Dim ond pump un ydw i, mae bron yn amhosibl cael sylw fel'na.'

Yfed yn fud, y miwsig yn llenwi'r gwacter.

'Sneb ni'n nabod 'ma heno, 'te?'

'Na, diolch byth.' Lois sy'n ateb Harriet, gan fod Anna fel petai hi'n ymweld â'i byd bach gwag ei hun.

Beth sy'n bod ar Harriet? Y ferch ddwl. Mae'n beryglus bod 'ma. O'n ni i fod yn y Mwmbwls heno. Yn saff. Dyw Harriet ddim yn sylweddoli. Ond does dim ots gyda fi os wela i Daniel heno, o ddifri . . . er byddai'n well i fi beidio. Rwy eisiau bod mas gyda'n ffrindiau heno, heb unrhyw ddyn yn y ffordd i gymhlethu pethau. Bydd rhaid i fi siarad â fe'n hwyr neu'n hwyrach, beth bynnag, ond erbyn 'ny bydda i wedi penderfynu beth yn union rwy'n mynd i'w ddweud wrtho fe, bydda i wedi dewis y geiriau yn iawn, ac wedi eu dysgu. A byddwn ni'n trafod y peth fel oedolion, nid mewn lle fel hyn heno, a'r ddau ohonon ni'n chwarae, fel pawb arall, fel plant, a'r tafarndai a'r clybiau nos yn ffair neu chwaraefa antur, wedi eu pweru gan alcohol. Sut rwy'n mynd i ddweud wrtho? Sut. Nid *beth*. Rwy wedi gwneud y penderfyniad 'na. Ond sut i esbonio hyn wrtho fe, sut i wneud yn siŵr ei fod e'n deall pam. Mae mor bwysig ei fod e'n deall pam.

Mae'r miwsig mor uchel, ac rwy eisiau iddo fod yn uwch, a mydru reit drwy 'ngwythiennau i a thrwy 'nghalon i. Mae Anna yn dweud ei bod hi eisiau dawnsio. Awn ni i ddawnsio! Awn ni nawr, cyn bod neb yn torri ar ein traws ni, cyn bod neb yn cael y cyfle i ymyrryd. Rwy'n cofio'r gân hon. Hen gân. Ro'n nhw'n chwarae hon ar y radio bob dydd y flwyddyn gadewais i'r coleg. Ac yn y parti ffarwél dawnsiais i hon, ac roedd pawb yn canu, yn gweiddi'r geiriau gyda'r record. A'r hyder – o, y teimlad bod unrhyw beth yn bosibl!

Alla i ddim teimlo fel hynny eto? Rwy *yn* teimlo fel hyn. Yn aml, ond dyw'r teimlad ddim yn para. Mae codi ar don o hyder wastad yn golygu disgyn ar yr un don. Fel syrffiwr yn dawnsio ar y tonnau. Ond rhaid i fi ddal yn sownd yn atgof y don fwyaf, y codi'n uwch ac yn uwch.

Sut alla i briodi Daniel nawr? Bydd rhaid iddo fe aros amdana i. Rhaid iddo fe ddeall. Nid bod pethau eraill yn bwysicach i fi na fe, ond bod pethau eraill yn bwysicach i fi *nawr*. Ydy hynny mor afresymol? Rwy'n mynd i lwyddo. Rwy'n mynd i greu a gwerthu fy nillad fy hun, fy mrodwaith fy hun. Wnes i ddim gadael swydd dda, reolaidd dim ond i aberthu popeth gerbron gŵr a phlant. Rwy'n gwybod 'mod i'n gallu llwyddo, ond i fi gael amser a lle. Alla i ddim bod fel Anna, rwy'n mynnu peidio â bod fel Anna – yn ddeg ar hugain oed, gyda phlentyn yn ei chadw'n gaeth i'r tŷ bob nos heblaw nos Wener, ar ei phen ei hunan. A dim yn ei dyfodol hi. Dim i edrych ymlaen ati ond rhesi o nosweithiau Gwener, un ar ôl y llall, yn toddi i mewn i'w gilydd a mwy o golur a lliw gwallt bob blwyddyn. Fel y gweddill o gwmpas y lle 'ma. Rwy'n eu gweld nhw nawr yn eu sgertiau byr a'u sodlau uchel, yn chwilio am ddyn ifanc, yn gobeithio na fydd y rheiny yn dyfalu eu hoedran nhw yn y tywyllwch ac yng ngoleuadau gwyllt y clybiau nos. Wna i ddim yr un camgymeriadau. Alla i ddim bod fel hi!

Rwy'n mynd i fod yn gryf. Esbonio wrth Daniel. Esbonio pam alla i ddim ei briodi fe. A glynu at hynny, beth bynnag fo'r canlyniadau. Alla i ddim mynd yn ôl ar hynny nawr. Fi sy'n bwysig nawr. Nid fe na neb arall. Mae'n rhaid i fi gael yr amser hyn i fi, a fi'n unig. Hunanol? Ond byddai'n fwy hunanol gwybod hyn a phriodi yn gwybod hyn, a chael plentyn. O diar. Mae Anna'n edrych yn wyn yn sydyn, a'i gwydryn ar ongl bergylus. Gwell i fi wneud rhywbeth cyn i'w diod fynd drosti i gyd.

'Ffycin Iesu Grist!' Jest 'yn lwc i. Mae 'na dduw yn y nefoedd wedi'r cyfan, ac mae fe'n fy nghosbi i.'

'Hei, mae Rob a Chris draw fan'na.'

'Ie, Harriet, rwy'n gallu gweld hefyd.'

'Anna? Ti'n gweld Chris?'

'Mae hi'n gallu gweld, Harriet.'

Ond mae Harriet, yn ei gorfoledd, yn dal i bwnio Lois yn ei hystlys yn frwdfrydig.

'Ti'n gweld? Ro'n i'n gwbod byddai'n syniad da dod fan hyn. Ŷn ni wedi gweld Chris wedi'r cyfan. Ro'n i'n gwbod basai fe o gwmpas. Roedd rhaid cael rhyw ffordd o ddod â nhw at ei gilydd.'

Lois yn ochneidio ac yn gosod un llaw yn drwm ar ei thalcen.

'Cae dy geg am funud Harriet, wnei di?'

'Mae Daniel gyda fe – bydd hyn yn gyfle i chi'ch dau gymodi hefyd. Ydy e wedi prynu'r fodrwy eto?'

'Ffyc.'

Y siarad yn gostwng i sibrwd wrth i'r dynion gyrraedd ac amgylchynu bord y merched. Chris yn wên i gyd, yn dal ei wydryn peint yn agos at ei frest. Daniel yn llithro i'r man gwag wrth ochr Lois fel petai hawl ganddo fod yno, hawl ganddo lithro ei fraich o gwmpas ei gwasg hi heb ofyn.

'Mae'n rhaid i fi gael sigarét!'

'Ond rwyt ti wedi rhoi'r gorau iddi, Lois.' Mae Harriet yn edrych yn hurt ar Lois.

'Ti'n meddwl 'ny, wyt ti?' ac mae hi'n codi er mwyn mynd at y peiriant sigarennau. Ond mae Daniel un cam o'i blaen hi.

'Af fi drosot ti – paid â phoeni, rwy'n gwbod beth wyt ti eisiau.'

'Diolch.'

Nid 'mod i'n diolch mewn gwirionedd. Heblaw amdano fe, fyddai dim eisiau'r pethau melltigedig arna i. Alla i ddim credu hyn. Un noson hebddo fe. Dyna'r unig beth o'n i ei eisiau. Dim ond un noson hebddo fe. I feddwl. I deimlo. I drio gweithio mas yr hyn rwy ei eisiau mewn gwirionedd. A beth wnes i? Gwenu. Gwenu! 'Wedais i ddim byd, jest gadael iddo fe eistedd i lawr, a gwneud ei hunan yn gyfforddus wrth 'yn ochr i. A 'wedais i ddim byd, dim ond gwenu'n gwrtais. Ond Anna, rwy'n poeni am Anna. Mae'n wahanol i fi, rwy'n gallu ymdopi â Daniel heno. Ond Chris? Dyw hi ddim wedi dweud dim chwaith, a dyw hynny ddim fel hi. Dw i ddim yn bwriadu ei gadael hi ar ei phen ei hunan gyda fe heno. Dyna'r hyn mae Harriet eisiau, ond dyw hi ddim yn deall, y ffŵl bach plentynnaidd iddi. Mae Anna yn dawel, yn rhy dawel. Mae hynny'n fy mhoeni i. Mae Daniel yn gwthio drwy'r dorf nawr i gyrraedd y peiriant sigarennau. Yn chwilio drwy'r dewis. Yn gwasgu'r botymau . . . mor annwyl . . . achos dyw e ddim yn hoffi ysmygu . . . ddim yn cytuno â fi'n ysmygu . . . wedi helpu fi i roi'r gorau iddi . . . a nawr dyma fe'n prynu rhai i fi . . . i 'ngwneud i'n hapus. Ac mae hynny mor annwyl. A welsoch chi erioed wallt mor dywyll â'i wallt e? A'i gorff yn gyhyrog heb fod yn rhy fawr. A'i lygaid mor gryf ond eto mor hynaws. Welsoch chi'r pethau hyn i gyd mewn un person erioed? Ac mae'r ddiod a sŵn y dorf yn tiwnio drwy 'mhen, yn mynd rownd a rownd a rownd. Gormod o bobl.

'Dyma Richard, a Doug, a Steffan . . . Lois, rwyt ti'n nabod pawb on'd wyt ti?'

'Ydw, Chris.'

Chris yn cyflwyno Harriet i bawb. A hithau'n ysgwyd llaw â nhw i gyd. Yn gwrtais. A gwên hyfryd ar ei hwyneb. Fel sy'n weddus. Ond mae Anna mor dawel. Rhybuddiais i Harriet, on'd do. Dylwn i fod wedi rhybuddio Anna falle. Dweud beth oedd ar feddwl Harriet. Ro'n i'n gwybod y byddai hyn yn digwydd, wrth gwrs. Doedd dweud wrth Harriet ddim yn ddigon. Ond mae hi'n cael y syniadau hyn yn ei phen, yn byw mewn breuddwyd. Dyma hi'n siarad â Steffan nawr. Yn chwerthin. Mae e'n edrych arni hi. Ydy hi wedi sylweddoli hyn? Mae ei lygaid e drosti i gyd. Dylai hi fod yn ofalus os nad yw hi eisiau ei bryfocio fe. Ond falle mai dyna'i bwriad. Pwy a ŵyr gyda Harriet. Dyma Daniel'n ôl. Mae e'n dod ata i. Yn fy nhynnu i'r naill ochr. Yn breifat. Yn breifat yng nghanol y dorf fawr 'ma. Mae cymaint o sŵn o'n hamgylch cystal i ni fod mewn stafell ar ein pennau ein hunain.

Dyma fe'n edrych yn lletchwith eto, yn newid ei bwysau o un droed i'r llall yn rhythmig. Yn cymryd llynciadau bach byr o'i beint.

'Ble ych chi ferched yn mynd heno, 'te?'

Roedd e wedi bwriadu i'r cwestiwn swnio'n ddifater, ond mae fel croesholiad.

'So'n ni 'di penderfynu eto.'

'Ti'n gwbod 'mod i ddim yn hoffi i ti fynd mas fel hyn ar dy ben dy hunan.'

'Ond fydda i ddim ar fy mhen fy hunan, bydda i 'da'n ffrindiau.'

'Ti'n gwbod beth rwy'n olygu,' a'i ddiod yn newid o un llaw i'r llall unwaith eto.

'Na, dw i ddim.'

Ond rwy'n gwybod yn iawn, rwy'n gwybod yn berffaith, a dylwn i adael iddo fe esbonio, pwysleisio ei letchwithdod. Rwy eisiau ei frifo, ei gosbi. Ond dyw e ddim yn haeddu hyn. Fy mhroblem i yw hyn. Mae e wedi ymddwyn fel gŵr bonheddig.

'Falle,' rwy'n dweud o'r diwedd. 'Falle bydd *dynion* mas 'na, a byddan nhw'n gwneud pethau ofnadwy i fi.'

'Rwyt ti'n gwneud sbort am fy mhen i nawr.'

Ac mae e'n iawn. Mae e'n iawn wrth gwrs.

Allwn ni fynd yn ôl at y grŵp mawr nawr plîs? Dw i ddim eisiau siarad fel hyn jest gyda ti.

Mae wyneb Anna yn felltith. Druan ohoni. Ond mae Harriet fel 'sa hi'n gwneud yn dda gyda Steffan. Pam oedd rhaid i Daniel ddod â Chris heno? A pham aros 'ma gyda fe? Ro'n i'n meddwl bod mwy o synnwyr cyffredin gyda Daniel. Mae e'n gwybod yr hyn sy'n mynd ymlaen rhwng Anna a Chris, dim popeth falle, ond digon i sylweddoli mai fe yw'r person olaf ar wyneb y ddaear mae Anna eisiau ei weld heno. Ro'n i'n disgwyl gweld Daniel rhywfodd, ac mae'n rhaid i fi siarad â fe. Cystal i fi ei wneud e nawr wedi'r cyfan. Ond mae Anna yn cwrdd â Chris yn rhywbeth cwbl wahanol. Ond fi oedd yn gyfrifol am hyn hefyd wrth gwrs. Fi gyflwynodd y ddau i'w gilydd, Daniel a Chris. A nawr maen nhw mor agos, mae fel 'sa'r cyfeillgarwch 'ma yn golygu mwy iddyn nhw nag i un ohonon ni. Dw i ddim yn gwybod pam mae Daniel eisiau 'mhriodi i, mae'n gweld mwy o Chris na neb arall y dyddiau hyn. Wna i fyth ddeall dynion.

A dyw Chris ddim yn cadw draw chwaith. Mae llai o sens gyda fe na neb arall. Mae e 'na nawr, yn trio dod yn agosach at Anna, yn cyffwrdd â'i llaw. Dyw hi ddim yn dweud dim. Ond nawr ac yn y man mae hi'n troi i edrych arno fe. Petaech chi ddim yn eu nabod, basech chi'n dweud eu bod newydd gwrdd, a'i fod e'n ei ffansïo hi, ond ei bod hi'n swil. Mae hi'n gwenu yn nawr ac yn y man, ond dim ond fi sy'n gwybod mai gwên gwneud, â'i gwefusau'n dynn, yw hi. Nid gwên agored, hapus. Mae hi'n ceisio rheoli ei hun. Ond dim ond rhywun sy'n ei nabod yn dda fyddai'n sylweddoli hynny.

'Dere draw fory.' Dyna'r peth mwyaf synhwyrol i ddweud wrth Daniel nawr. 'Nid fan hyn yw'r lle i drafod.'

'Ond do'n i ddim yn bwriadu siarad am ddim byd *heavy* heno.'

'Wel, gorau oll. Siaradwn ni fory. Rwy wedi dod i benderfyniad. Esbonia i fory. Nid heno. Rwy eisiau mwynhau heno. Siarada i â ti fory. Rwy'n addo. Esbonia i bopeth. Ond paid â dweud dim heno.'

Dyw e ddim yn dweud dim. Chwarae teg iddo, mae e'n ceisio fy neall i. Ro'n i'n disgwyl iddo fe wneud stŵr, fy llusgo i allan fel petai'n ddyn hynafol, yn llusgo ei fenyw'n ôl i'w ogof gerfydd ei gwallt. Ond dyw e ddim. Mae e'n sefyll 'na ac yn amneidio.

'Unrhyw beth wyt ti eisiau. Rwy jest eisiau i ti fod yn hapus.'

O, pam fod rhaid iddo fe fod mor rhesymol? Mae jest yn gwneud hyn yn anoddach, yn llawer anoddach. Mae ei lygaid mor llawn o boen. Nid fi sy'n gyfrifol am hyn? O Dduw, dwed nad fi sy'n gyfrifol am hyn?

'A ble wyt ti'n gweithio, 'te?' Mae llais Harriet yn uwch na'i chywair arferol, a thinc chwerthin ynddo.

'Gyda Doug, yn y gwasanaeth tân.'

'Dyna pam fod cyhyrau mor fawr gyda ti, 'te.' Mae hi'n chwerthin, ond yn gwrthod y reddf sydd ynddi i bwysleisio ei phwynt drwy fyseddu'r cyhyrau hynny. Ond yn gwrido fel petai hi wedi gwneud hynny wedi'r cyfan. Ac mae'r gwrid yn gweddu iddi hi, nawr, yn y lle hwn. Yn gwneud ei gwallt brown golau, sydd wedi ei sgubo gan y gwynt dros ei hwyneb disglair, yn brydferth, ei bochau'n gloywi'n ddeniadol ac yn sgleinio â hud ei hatyniad tuag at y dyn hwn.

'Wyt ti'n dod 'ma'n aml?'

'Eitha aml – ond dw i ddim yn cofio dy weld di 'ma o'r blaen.'

Pwy yw'r dyn 'ma? Pam dw i ddim wedi cwrdd â fe o'r blaen? Mae e'n newydd ar y *watch* mae fe'n dweud. Dyna pam. Y bachgen newydd. Mae e'n fawr. Rwy'n lico dynion mawr. Ond mae e'n edrych mor ifanc. Y wên yn y llygaid siŵr o fod. Gobeithio nad yw e'n iau na fi. Alla i ddim mynd mas gyda dyn sy'n iau na fi. Ydy e'n sylweddoli 'mod i mor hen? Rwy'n wyth ar hugain. Ydy e'n sylweddoli hynny? O fan hyn mae mor anodd dyfalu ei oedran, ac alla i ddim gofyn. Falle fod e'n bump ar hugain, a bydd hynny'n drychinebus. Neu'n iau hyd yn oed. Pryd maen nhw'n cael dechrau gweithio yn y Gwasanaeth Tân? Un ar hugain? Iau na hynny? Ond mae e eisiau siarad â fi, a dim ond fi. Mae e'n anwybyddu Anna a Lois. Ond mae e'n gwybod taw Daniel sy biau Lois. Rwy eisiau troi at Anna a siarad â hi, ond mae e'n tynnu'n sylw i drwy'r amser. Mynnu siarad â fi. Gwell cymryd y risg, 'te. Ac mae e mor *hunky*. Mae gwallt golau 'da fe. Fel arfer rwy'n hoffi dynion gyda gwallt tywyll, dw i ddim yn edrych ar ddynion â gwallt golau, ond rhywfodd does dim ots gyda fe. Ond mae e mor fawr, mor gyhyrog. Pan aeth y merched 'na heibio funud yn ôl, ar eu ffordd i'r bar doedd dim digon o le, a wnaethon nhw 'ngwthio i'r naill ochr, a 'ngwthio i yn ei erbyn e, ac roedd ei frest e'n galed.

Ac nid dyna'r unig beth sy'n mynd yn dda heno. Mae Anna yn siarad â Chris. O leiaf rwy wedi llwyddo i'w cael nhw gyda'i gilydd. Ond licwn i wybod beth maen nhw'n ei ddweud wrth ei gilydd. Dyw ei hwyneb hi'n dweud dim. Mae'n anodd canolbwyntio arnyn nhw, a rhoi'n sylw i gyd i Steffan ar yr un pryd. A galla i ddim peidio â meddwl amdano fe. Sai'n gwybod sut allwn i fod wedi bod mor lwcus.

Mae Chris yn closio ati. Mae hynna'n arwydd da. Mae hi'n troi ac yn gwenu arno fe. Gwell fyth. Mae *hi'n* gwenu. *Rhaid* bod hwnna'n arwydd da. Falle 'mod i wedi dechrau rhywbeth heno. Bydd hi'n diolch i fi yn y dyfodol. Bydd y ddau yn diolch i fi am eu cael nhw'n ôl at ei gilydd. Rhaid i fi ddweud rhywbeth.

'Wyt ti'n mwynhau, Anna?'

'O ydw, amser gorau 'mywyd i, Harriet.'

'Hyfryd.'

'Ie, wnes i ddim sylweddoli bod profiad fel hyn yn bosibl.'

'Dyna hyfryd.'

'Ie, Harriet.'

Bydda i'n iawn unwaith y bydd y cnec 'na'n mynd mas o'n ffordd i. Dyw'r ffŵl bach o ffrind sy 'da Lois ddim yn sylweddoli, ydy hi. Mae hi siŵr o fod yn meddwl taw hyn yw'r peth mwyaf doniol yn y byd. Ond dw i ddim yn mynd i wneud sîn. Rwy wedi penderfynu 'mod i ddim yn mynd i wneud sîn. Ddim yn gyhoeddus fel hyn. Pam ddylwn i? Pam ddylwn i gael fy nhynnu i mewn i rywbeth fel'na? Mae hunanddisgyblaeth gyda fi, ac mae hunan-barch gyda fi. Rwy'n mynd i anadlu'n ddwfn, a chadw hunanreolaeth, ac ymddwyn yn gwrtais, a trio ymddwyn fel na phetai e wedi cysgu gyda phob merch sy yn y dafarn 'ma heno. Falle dylwn i ysgrifennu rhybudd, a'i lynu wrth ei gefn, neu ei godi uwch ei ben, gyda saeth enfawr yn pwyntio i lawr ato: 'Merched, cadwch draw!'

Rwy'n deall yr apêl. O, ydw. Mae e'n gallu edrych mor annwyl. Y sbectol sy'n gyfrifol am hyn, rwy'n siŵr taw'r sbectol sy'n gyfrifol. Mae e'n edrych mor ddiniwed weithiau, ac mor ddeallus hefyd. Deallus. Hy! Fi yw'r un sy'n mynnu bod Rhian ddim yn barnu pobl yn ôl sut maen nhw'n edrych. Ac ro'n i'n meddwl 'mod

116

i wedi dysgu hynny'n hunan hefyd. Ond ces i 'nhwyllo, rhywfodd. Rwy wastod wedi gwneud yn siŵr 'mod i ddim ond yn mynd mas gyda dynion achos eu bod nhw'n olygus – dysgais i'r wers honno gyda thad Rhian – ond do'n i ddim yn sylweddoli bod yr un peth yn berthnasol i ddynion sy *ddim* yn olygus hefyd. Maen *nhw'n* gallu bod yn gymaint o ddiawliaid â'r lleill. Meddwl bod y rhai plaen yn saffach. O ble ges i syniad mor dwp â hwnna?

'Ie, Chris, mae hi'n noson braf heno on'd yw hi?'

Ti'n bwriadu mynd 'mlaen wyt ti? Gyda'r bechgyn? Y *llanciau*? Wel, rhwydd hynt i chi i gyd. Gobeithio byddwch chi'n iawn. Chi a'r bechgyn. Ych chi'n siwtio'ch gilydd. Gobeithio y byddwch chi'n hapus iawn gyda'ch gilydd.

'Wyt ti eisiau dawnsio?'

'Gyda ti?' Byddai rhaid i ti lusgo fy nghorff marw i ar draws y llawr dawnsio, cariad.

'Ro'n ni'n meddwl am fynd i glwb.'

'O – mae hynna'n swnio'n neis.' Gobeithio y ffindi di ryw slebog fach siep i dy blesio di heno. 'Mwynha dy hunan, 'te.' Gwên Anna yn llydan ac yn llon. O hen ymarfer. 'Mwynha dy ddawnsio, a gweddill y noson,' a dalia rhyw glefyd *embarrassing* heno hefyd, wnei di plîs?

Mae e'n gwenu'n ôl arna i. Does bosib ei fod e'n meddwl 'mod i'n mynd i'w ddilyn e mas o'r lle 'ma heno? Dyw e ddim yn credu 'mod i o ddifri, ydy e? O, Iesu mawr.

A ble mae Lois? Ydy Dan wedi mynd â hi i rywle? Dyw hynny ddim yn syniad da. Rhaid i fi ei thynnu hi'n ôl i mewn i'r grŵp. Does dim ffordd rwy'n mynd i adael i hwnna fynd â hi bant rhywle am weddill y noson. Dyw hi ddim yn gryf. Un gair o'i enau fe, a gallai hi wneud unrhyw beth.

Dyma ni, mae Chris yn siarad eto. Ai geiriau yw'r seiniau rhyfedd 'na sy'n dod o'i geg e?

'Ble wyt ti'n mynd heno, 'te?'

'Unrhyw le na fyddi di, cariad.'

Dyw e ddim yn ateb. Tybed pam? O na, mae e'n trio eto. Beth yn y byd mae e wedi'i wneud i'w wallt? Rhywbeth rhyfedd gyda *gel* rwy'n credu. Beth oedd yn ei feddwl e? Ar rywun ddeng mlynedd yn iau falle, ond arno fe? O, na. A'r crys ofnadwy 'na. Mae'n drosedd rhoi'r lliwiau 'na 'da'i gilydd, ar rywun dros un ar hugain beth bynnag. Peth ofnadwy yw cyffyrddiadau cyntaf canol oed, ondefe cariad.

'Wyt ti'n mynd mas gyda unrhyw un nawr?'

Gallwn i ddweud nawr 'mod i'n cael rhyw cyffrous bob nos, gyda haid o feicwyr, gan gynnwys gefynnau llaw a PVC du. Ond fyddai e ddim yn credu hynny.

'Na,' yw'r ateb gorau. 'Roedd dy garu *di'* n ddigon i bara fy mywyd i gyd.'

Ond mae'r hurtyn penwan yn meddwl taw *compliment* yw hwnna, on'd yw e. Y diawl ansensitif, hunanbwysig. Dylwn i fod wedi ystyried hynny.

'Ti'n gweld, cariad, roedd blwyddyn gyda ti yn ddigon i 'nhroi *off* dynion am weddill fy mywyd i. Ti wnaeth hwnna i fi. *Comprendo*? Ti.'

Oedd hwnna'n ddigon clir iddo fe? Allwn i ddim fod wedi defnyddio geiriau symlach, na'u dweud yn fwy uniongyrchol na 'ny. Mae e'n symud oddi wrtha i, dim ond rhyw droedfedd. Ond mae'n ddigon. Ac mae'n rhodd. Fydd dim rhaid i fi sefyll ar ei bwys e am y cwpl o funudau nesa o leiaf. Licwn i siarad â Harriet, ond dw i ddim eisiau ymyrryd rhyngddi hi a Steffan. Fyddai hynny ddim yn deg. Maen nhw'n methu tynnu eu llygaid oddi ar ei gilydd, y ddau ohonyn nhw. Ond fydd gair bach ddim yn sbwylo dim, jest i wneud yn siŵr ei bod hi'n iawn, a'i bod hi'n gwbl hapus gyda hyn.

'Iawn, Harriet?'

'Iawn!'

O, mae ei gwên yn dweud cymaint. Does dim rhaid i fi boeni. Ac rwy'n gwenu'n ôl arni. Ie, *good on you*, Harriet. Cer amdani. Pob lwc i ti. Os wyt ti'n gweld cyfle, cer amdani. Rŷn ni'n cael cyn lleied o gyfleoedd yn y byd hwn i fod yn hapus.

Un ar ddeg o'r gloch y nos

Daniel a Lois wedi symud i gornel wrth y bar, ar wahân i bawb arall. Ymhell oddi wrth bawb arall.

'Wel, wyt ti wedi penderfynu ble rwyt ti am fynd heno, ar ôl gadael fan hyn?' gofynna, ond mae ei hwyneb hi'n arw.

'Dim fy newis i yn unig yw e. 'Wedais i. Rwy mas gyda'r merched. Mae'n rhaid i ni benderfynu gyda'n gilydd.'

'Does dim rhaid i ti. Gallet ti ddod i rywle gyda fi. Gyda'n gilydd.'

'Nid heno, Dan. Noson i'r merched yw hon i fod. Noson i fi ac Anna a Harriet. 'Wedais i hwnna wrthot ti ddoe. Mae 'da fi ddyletswydd iddyn nhw. Allaf i mo'u gadael nhw.'

Fe ddwedais i, on'd do? Eisiau bod ar fy mhen fy hun. Dim ond y merched. Y merched gyda'i gilydd. Heb ddynion i gymhlethu pethau. A dyma ni yn eu canol nhw. Edrych ar Harriet – edrych arni! Mewn bwndel wrth draed y Steff 'na, fel cath fach gyda phelen o wlân. Roedd y noson hon yn mynd i fod mor wych hefyd. Ac ŷn ni ddim yn mynd i gael gwared â nhw, ydyn ni. A Harriet yn ei *flirt mode*. Fydd neb yn gallu ei gwahanu hi oddi wrth Steffan nawr. Bydd hi'n ei ddilyn e, a bydd pawb arall yn ei dilyn hi. Does dim modd eu hosgoi nhw nawr, nac oes?

'Ble ych chi'n bwriadu mynd, 'te?' Cwestiwn Lois yn arwynebol fel ei goslef.

'Ni?'

'Ie, dy griw di.'

'Does fawr o ddewis, nac oes. Dim ond y rwtîn arferol. Mae pob man arall tamaid bach yn rhy ifanc, ti ddim yn meddwl?'

'I ti falle. Ŷn ni'n mynd i le gwahanol bob nos Wener. Ond os wyt ti'n mynnu.'

'Dw i ddim eisiau dy orfodi di i wneud unrhyw beth.'

'Wrth gwrs.'

'Ond os oedd trefniadau eraill gyda chi.'

'Na, dim trefniadau gwahanol.'

O, Daniel, dw i ddim eisiau dy frifo di. Dwyt ti ddim yn gallu gweld hynny? Ond cadw draw am dipyn, wnei di? Mae'n eironig on'd ydy hi. Sawl gwaith ydw i wedi clywed dynion yn cwyno fod merched yn trio eu caethiwo, eisiau bod yn rhy ddifrifol, eisiau priodi. Jest fel fi i fod yn wahanol. Ond myth y cyfryngau yw hwnnw. Yn fy marn i. O 'mhrofiad i. Rwy'n nabod cymaint o ddynion sy eisiau priodi a chael plant â merched fel Harriet sydd eisiau yr un fath. A dw i ddim mor siŵr ei bod hi eisiau gŵr a phlant wedi'r cyfan. Dw i ddim yn gwybod am beth mae hi'n chwilio, ond mae hi'n chwilio. Chwilio er mwyn chwilio erbyn hyn, hwyrach. Mae fy mhen i'n troi. Dw i ddim yn barod am hyn eto. Edrych arna i Daniel, dw i ddim yn barod am briodas, am blant, am yr holl beth, am y ffrog wen a'r rhieni-yng-nghyfraith a'r dillad gwely sy'n matsio a phob plât a phob cwpan â'r un patrwm blodeuog arnyn nhw. Ydw i'n edrych yn barod am hynna i gyd? Ond dwyt ti ddim yn gwybod hynny, wyt ti. Dwyt ti ddim yn gallu darllen fy meddwl i, wyt ti. Diolch i'r drefn.

Mae'r staff wrth y bar yn galw am archebion olaf, a phawb yn troi at Daniel. Yr arweinydd naturiol. Am ryw reswm.

'Wel, ŷn ni'n mynd 'mlaen rhywle, 'te?'

Neb yn ateb. Pawb â gormod o ddiddordeb mewn gorffen eu diodydd rhag gorfod gadael dim ar ôl.

'Wel? Pwy sy'n dod am *bop*?'

'Dewch 'mlaen, ferched. Bydd yn hwyl.' Lois sy'n ceisio annog, yn trio swnio'n frwdfrydig, heb wybod pam ei bod yn gwneud cymaint o ymdrech.

Ond erbyn meddwl, bydd yn hwyl mewn grŵp mawr fel hyn. Tair o ferched gyda phum dyn. Swnio fel sbort. Digon o bobl. Grŵp, nid cyplau. Bydd yn anoddach ffurfio'n gyplau, mewn grŵp o rif fel'na. Ie, awn ni i gyd gyda'n gilydd. Y peth callaf i'w wneud dan yr amgylchiadau. A beth arall allwn ni ei wneud?

'Pam lai?' Mae Anna yn ei ddweud ond nid yw ei llais yn argyhoeddi.

'Wel, os nag wyt ti eisiau . . .' Mae gofal yn llais Lois.

Mae hi eisiau bod unrhyw le ond fan hyn nawr. Rwy'n gallu darllen hynny ar ei hwyneb. Ond beth allwn ni wneud? Mynd adre? Falle. Os bydd rhaid mynd adre, awn ni nawr. Bydd hynny'n datrys y sefyllfa ar unwaith. Bydd hi'n gallu gadael Chris fan hyn, a fydd dim rhaid i fi wynebu geiriau lletchwith gyda Dan eto heno.

'Beth am fynd? – mynd 'nôl i'r tŷ . . .'

Ond mae Anna'n gwrthod y cynnig.

'Na, bydd clwb yn iawn gyda fi.' Ac mae hi'n gwenu, gwenu gwên lydan, hyfryd sy'n goleuo ei hwyneb. 'Awn ni fan'na,' ac wedyn mae'n ychwanegu, 'Paid â phoeni. Rwy'n iawn. Dim ond cadw golwg ar Harriet, wnei di?'

Beth sy'n bod ar fynd i'r clwb wedi'r cyfan? *Fi* oedd eisiau dawnsio, ondefe? A fydd dim rhaid siarad mewn lle fel'na. Ac mae'n dywyll rhwng fflachiadau'r goleuadau. A fydd dim rhaid i fi ddawnsio gyda fe, wedi'r cyfan. Ac os yw Lois yn mynd yno, does dim un ffordd rwy'n mynd i'w gadael hi ar ei phen ei hunan. Mae'n rhaid i fi edrych ar ei hôl hi, yn enwedig nawr. A bydd Harriet ddim lot o iws o hyn ymlaen heno. Pam 'dyn nhw ddim jest yn gadael nawr, Steff a hi, yn lle gwastraffu'r ddwy awr nesa yn cymryd arnyn nhw eu bod nhw eisiau dawnsio gyda'i gilydd, a gwastraffu eu harian ar bris mynediad a mwy o ddiod?

'Ti'n dod, Hari?'

'Ydw!' Mae hi'n codi ei bys bawd fel ateb cadarnhaol.

Os ŷn ni i gyd yn mynd, rwy'n *game* am unrhyw beth. Cyn belled â bod Steffan yn dod hefyd. Rhyfedd fel mae ganddo gymaint o ddiddordeb yno' i. Mae e wedi prynu cymaint o ddiodydd i fi dw i ddim yn credu galla i sefyll i gerdded ymhellach heno. Ac mae'n rhaid i ni gerdded eitha pellter. Ond falle bydd e'n gadael i fi bwyso yn ei erbyn. Ie, hynny fyddai orau. Dyna beth rhyfedd. Ŷn ni'n mynd i rywle mas o'r ffordd fel y gwesty erchyll 'na er mwyn trio cwrdd â rhywun, ond wedyn yn rhoi'r gorau iddi a dod i'r dre, ond i bigo rhywun lan fel hyn? Mae'n anhygoel on'd yw hi? A rhywun fel fe? Mae ei wallt e mor olau, a lliw brown iach ar ei groen. Yn dal ac yn gyhyrog. Neis. Falle gadawa i iddo fe ddal fy mhwysau i wrth i ni gerdded i'r clwb. Beth sy'n bod Anna, pam nad wyt ti'n gwenu? Mwynha! Mae'n nos Wener! Ŷn ni mas!

Pawb yn gadael eu diodydd yn ddisymwth, ac nid yw'r merched yn poeni am faint sy ar ôl yn y gwydrau. Gadael a chamu i lawr y ffordd mewn pentwr rhyfedd ac anniben ar hyd y pafin. Yn union fel llawer o grwpiau tebyg erbyn hyn, ar bob ochr o'r stryd – rhai'n sgrechian, rhai'n cerdded fraich ym mraich, rhai'n pwyso ar ei gilydd, cyplau, grwpiau o ferched a grwpiau cymysg, y grwpiau o ddynion yn camu ymlaen yn benderfynol, i gyd yn mynd i'r un cyfeiriad. Y goleuadau'n creu rhith prydferthwch ar hyd y ffordd. Allwch chi ddim gweld y baw ar y stryd drwy'r golau melyn a'r alcohol. Yr unig rai ar y stryd sy'n dal yn sobr yw'r bobl ifanc sy'n dosbarthu tocynnau i roi mynediad i'r clybiau i ddau am bris un. Rhywun yn gwthio un i law Anna.

'Clwb *Dazzlers*!' darllena, fel na phetai hi wedi clywed am y lle o'r blaen. 'Ble mae hwnnw? Ydy e'n newydd?'

'Cadw draw o fan'na!' Mae Harriet yn gweiddi gydag arswyd. ''Na le mae 'nisgyblion i i gyd yn mynd!'

'Ro'n i'n meddwl 'ny.' Anna'n troi yn ôl at y ferch sy'n dosbarthu'r tocynnau, ac yn cynnig y garden sgleiniog yn ôl iddi. 'Oes rhywbeth gyda chi ar gyfer oedolion?'

Erbyn hyn mae Chris wedi gafael yn ei braich ac yn ei thynnu gydag ef er mwyn dal i fyny gyda'r lleill.

'Os awn ni ddim nawr, chawn ni ddim disgownt. Mae'n hanner pris cyn un ar ddeg.'

'Wel, ŷn ni wedi colli hwnna,' mae Anna yn dweud wrth edrych ar ei wats a cheisio peidio ag edrych ar Chris.

Mae criw o ddynion ifainc ar y gornel, a buasent yn siŵr o fod wedi cynnig rhywbeth amheus i'r merched petai'r dynion ddim gyda nhw. Mae'n gwneud i Lois deimlo'n saff, yn gynnes. Ac mae hi'n llithro ei braich drwy fraich Daniel. Yntau'n closio ati. Yn cerdded braich ym mraich ar hyd y stryd. Mae Harriet yn agos at Steffan. A dim ond Anna sy ar gyrion y grŵp.

'Ble ŷn ni'n mynd, beth bynnag? Ro'n i'n meddwl ein bod ni wedi penderfynu mynd . . .'

'Y clwb newydd,' mae Harriet yn galw'n ôl arni a chyffro yn ei llais.

'Pwy benderfynodd hynny?' mae Anna'n cwyno wrth gamu'n sigledig. 'Dw i ddim yn cofio penderfynu mynd i fan'no?'

I lawr y Kingsway, a wynebau ifainc, eiddgar a disglair yn edrych mas o'r bwytai pizza a'r bistros ffasiynol. Mae un dyn wrth ford yn ffenest y bar gwin yn ceisio dal sylw Anna. Yn gweiddi rhywbeth anweddus arni drwy'r gwydr. Lois yn dechrau poeni, er ei bod hi'n chwerthin hefyd. Anna'n gwenu'n ôl, ac yn rhuthro at y ffenest.

'Beth 'wedaist ti?'

Y dyn yn y ffenest yn y crys patrymog yn gweiddi eto, a'i ffrindiau'n ei gefnogi y tro hwn gyda bloeddiadau ffyrnig.

'Gyda ti? Heno? Wel . . .'

Mae e'n ystumio ei gorff i olygu 'Dere 'mlaen!' ac yn troi i chwerthin gyda'i ffrindiau. Mae Anna'n dal yno, yn dangos digon o'i choesau drwy'r hollt yn ei sgert i gyffroi unrhyw ddyn, ei llygaid yn fflachio'n herfeiddiol.

'Mae'n dibynnu – wyt ti'n talu?'

Mae Chris wedi cael digon erbyn hyn, ac yn gafael yn ei braich. Mae'n ei thynnu gyda phlwc sydyn gan achosi i siaced Anna gwympo ar y pafin o'i blaen a bron â'i baglu hi, ac achosi i'w bag lithro oddi ar ei hysgwydd gan chwydu ei gynnwys i'r craciau mawr rhwng y slabiau concrit. Dyma'r minlliw, y persawr, allweddi ac arian mân yn cwympo o gwmpas ei thraed mewn un chwalfa fawr, a'r dynion yn ffenestr y bwyty wir yn eu dyblau erbyn hyn.

Nid yw Anna'n dweud dim wrth iddo blygu i lawr i godi pethau. Nid yw Anna'n dweud dim i'w wrthod, dim ond serio ei llygaid tywyll arno, a gafael yn ei heiddo gyda symudiadau bach ffyrnig. Nid yw Anna'n dweud dim wrth iddi gymryd ei lle eto yn ddof wrth ei ochr, ac wrth gerdded ymlaen gyda gosgeiddrwydd hyderus cath sy newydd gwympo oddi ar ffens ac sy'n cerdded i ffwrdd fel na phetai dim wedi digwydd.

Ac o'r diwedd maen nhw'n cyrraedd y clwb, yr awyr iach yn dechrau cael effaith ar y merched, ac ambell un o'r dynion. Wrth y drws mae'r dynion yn gofyn am y pris, a holi faint o bobl sydd i mewn yno'n barod. Ond nid yw Harriet mor rhesymol, mor llonydd.

'Pwy sy'n barod am barti?' mae hi'n gweiddi.

Mae llygaid Anna'n dal fel dur. 'Bydd yn dawel am funud, Hari,' er ei bod hi'n sigledig ei hunan. 'Dal 'nôl am funud.' Duw a'n helpo, mae Hari'n mynd dros ben llestri yn gyfan gwbl nawr. Dw i ddim yn poeni o achos Steff. O'r hyn rwy wedi ei glywed, bydd hi'n iawn gyda fe. Dim ond iddi reoli ei hunan tipyn bach a pheidio ag yfed rhagor. Mae hi'n dechrau mynd yn *embarrassing*. Mae hi wastod fel hyn pan mae hi wedi llwyddo i fachu dyn.

Lan y grisiau. Rownd y gornel. Pawb yn talu drostyn nhw eu hunain, hyd yn oed y merched. Ond Steffan yn talu dros Harriet.

Y bechgyn yn prynu diodydd. Ond mae'n rhad cyn hanner nos. Dim ond i chi beidio â dewis dim byd ffansi.

Y miwsig yn ormesol. Bwrlwm y stryd yn dawel i gymharu â hyn.

Chris yn gweiddi rhywbeth yng nghlust Anna, a hithau'n gwyro i glywed. Yn gweiddi rhywbeth 'nôl, ac wedyn yn ystumio gyda'i llaw, yr un nad yw'n dal hanner o lager.

'Draw fan'na. Draw fan'na!'

Beth sy'n bod ar y ffŵl? Dw i eisiau dawnsio, ond ddim gyda fe. Y peth rhyfedd yw ei bod hi wastod yn gas gyda Chris ddawnsio. Beth sy wedi digwydd iddo fe'n ddiweddar? Y dillad od, y steil gwallt newydd, a nawr mae e eisiau dawnsio? Na – *bugger off*. Ond falle bydd Harriet eisiau dawnsio. Gyda fi. Jest ni. Mae'n rhy swnllyd i ofyn iddi, ond mae hi'n deall fy arwyddion llaw. Dyna ryfedd. Ro'n i'n meddwl ei bod hi'n mynd i sticio at Steffan am weddill y noson, ond mae hi'n symud o'i ochr ac yn gafael yn fy mraich i. O'r diwedd, cyfle i gael gwared â Chris. Wel, falle alla i ddim cael gwared â fe, ond alla i wneud yn siŵr na fydd yn rhaid i fi ei dynnu fe ar fy ôl i am weddill y noson. Falle bydd hyn yn gyrru'r neges adref. Ond mae e mor ddwl, fydd e ddim yn sylweddoli.

Mae'r llawr dawnsio yn fach, wedi ei amgylchynu gyda rhyw sgriniau pren, fel y pethau 'na ych chi'n rhoi mewn gardd er mwyn i blanhigion dyfu drostyn nhw. Ac mae rhyw blanhigion plastig erchyll yn hongian oddi ar y rhain. Dw i ddim wedi bod 'ma o'r blaen, a dw i ddim yn meddwl llawer o'r lle. Mae mor *tacky*. Mor ffug. Ti'n mynd yn hen, Anna, ti'n mynd yn hen.

A dw i ddim yn hoffi'r miwsig 'ma chwaith. Mae'r miwsig 'ma'n perthyn i'r ifainc hefyd. A dw i ddim mor hen â 'ny, ydw i? Rwy'n ifanc. Rwy'n dal yn ifanc, felly pam rwy'n teimlo mor hen? Pam ŷn ni 'ma? Maen nhw'n chwarae cerddoriaeth i blant fan hyn. Ond mae hyn yn well na dim, ac *mae* yna ryw rhythm arbennig unwaith ych chi'n dechrau meddwl, ond mae'n rhaid i chi ganolbwyntio i'w ddal.

Dawnsio'n glòs at ei gilydd. Dim ond y merched. Fel na all neb ymyrryd. Fel na all neb dorri i mewn. Mae Anna yn gwneud yn siŵr o hynny.

'Ble mae Lois?'

'Paid â phoeni. Mae hi'n iawn.'

Ond a yw hi'n iawn? Mae Daniel wedi ei hudo hi i ffwrdd rhywle. Rwy'n credu 'mod i'n dal i weld ei siaced goch wrth ochr y bar. Wnaiff hi ddim mynd heb ddweud wrtha i. Yn y pen draw ei dewis hi yw e, a beth alla i wneud? Diawl, mae'n rhaid i fi fynd i'r tŷ bach.

Mae Harriet yn ei dilyn. Mae'n rhywbeth i'w wneud, yr hyn a ddisgwylir. Yr ochr arall i ddrws y toiledau mae'r goleuadau'n rhy lachar. Nid oes dim yn symud yn y stafell fawr, ond mewn fan hyn mae popeth yn troi, pob rhan o'r corff yn teimlo fel petai wedi chwyddo, fel petaech chi'n cerdded drwy ddŵr. Mae'r ciw yn hir, ond does neb arall o flaen y drychau. Mae Anna yn estyn brws i Harriet yn hollol naturiol, o hen arfer.

'Wyt ti eisiau *lipstick*?'

'Na, mae un 'n hunan gyda fi.'

'Mae hwnna'n neis.' Mae Harriet yn codi'r minlliw at ei gwefusau ac yn pwyso ymlaen o dan y goleuadau llachar uwchben y sinciau.

'Lliw newydd eleni . . . '

'Beth sy'n bod?' Mae Anna yn troi i edrych ar Harriet.

'Be ti'n feddwl?'

'Rwy'n gyfarwydd â'r *look* 'na. Ro't ti'n mynd i ofyn rhywbeth.'

'Wel.' Mae Harriet yn gorffen gyda'r brws ac yn ei basio yn ôl at Anna. Mae honno wedyn yn ychwanegu ychydig mwy o wrid ffals ar ei bochau, wrth i Harriet sibrwd 'Steffan . . . '

'Ie?'

'Wel.'

'Ti'n hoffi fe?'

'Wel, ydw, ond dw i ddim yn gwbod dim byd amdano fe.'

'Paid â phoeni,' ateba Anna fel fflach, ond mae Harriet yn dal i edrych yn amheus. 'Mae fe'n iawn. Un o ffrindiau Chris. Mae fe'n newydd yn y tîm, rhyw chwe mis rwy'n credu, ond mae fe'n hyfryd. A'r ateb i'r hyn wyt ti eisiau gwbod yw ydi mae fe'n rhydd. Dim gwraig, dim wejen, dim cymhlethdodau.' Mae hi'n troi i edrych ar Harriet, ei brws colur yn ei llaw, ar hanner cochi un foch. 'A wyt ti'n gwbod pa mor brin yw hynny? Maen nhw bron yn *extinct*.'

Mae Harriet yn gollwng ochenaid fach o ryddhad ond yna'n oedi am eiliad, brws ei mascara wedi ei rewi fodfedd oddi ar ei llygad. Mae Anna'n sylwi, ond heb ddeall, yn dewis ei anwybyddu.

'A fe yw'r un neisa ohonyn nhw i gyd yn y gwaith meddai Chris, calon gynnes iawn gyda fe, onest.'

'Os wyt ti'n dweud.'

'Rwy'n gallu cymryd ei air e am rai pethau. 'Weda i un peth amdano fe, mae fe'n caru ei ffrindiau fe. *All for one* a'r rwtsh 'na i gyd – sticio 'da'i gilydd maen nhw – y bechgyn. Rhaid bod yn un o'r *lads*, on'd oes.'

Mae Harriet yn gadael i hyn fynd heibio heb ateb. Ond eto, mae'n ysu am siarad am Chris, ac nid yw'n deall agwedd Anna. Falle taw jôc yw hyn.

'Wyt ti'n mynd i aros gyda Chris heno?' gofynna yn y diwedd.

Mae wyneb Anna yn newid. Falle ddylwn i ddim fod wedi dweud hynny. Wedi codi'r pwnc yn rhy gyflym. Roedd eisiau mwy o amser falle, neu eu gadael nhw gyda'i gilydd am dipyn. Ond alla i ddim jest gadael iddyn nhw. Fyddan nhw ddim yn siarad â'i gilydd fel hyn. Mae'n rhaid i fi wneud rhywbeth. Ond mae hi'n edrych mor ddifrifol eto. Falle bydd hi'n aros os ŷn ni i gyd yn aros gyda'n gilydd.

'Cawn ni weld, Harriet. Beth wyt ti'n bwriadu ei wneud?'

'Sai'n gwbod 'to – well i ni fynd 'nôl, falle bydden nhw'n meddwl bod ni wedi gadael.'

'Wel, does dim ots am hynny, nac oes.'

'Dim ots?'

Oes, mae ots. Ond o leiaf maen nhw yn yr un ystafell heno. Mae hynny'n rhywbeth sy ddim wedi digwydd ers sbel. Fi sy'n iawn. Rwy'n gwybod taw fi sy'n iawn. Y ffordd roedd hi'n edrych arno fe. Ac mae e'n gofyn amdani hi drwy'r amser. Cariad yw hwn. Mae hynny'n amlwg i bawb. Dim ond eisiau esgus sy arnyn nhw. Mae'r ddau mor falch. Dim ond cael gwared â'r balchder a chael esgus dros ddod at ei gilydd eto, a bydden nhw'n hapus. Gêm yw'r cweryla parhaus a'r galw enwau ar ei gilydd. Maen nhw'n wyllt dros ei gilydd. Roedd hynny'n amlwg y tro cynta iddyn nhw gwrdd. Ac rwy'n gwybod. Ro'n i yno. Dim ond i fi feddwl ychydig am hyn, a pheidio â symud yn rhy gyflym.

'Ti'n hoffi fe, on'd wyt ti?'

Mae Harriet yn nodio ei phen mewn ateb, ei gwefusau mewn gwên dynn, ac yn dechrau ar ei minlliw eto.

'Lot?'

'Lot.'

'Wel pob lwc i ti.'

'Ti'n credu fod e rîlî yn hoffi fi – rîlî?'

'Pam?'

'Wel, dyw e ddim wedi gwneud dim 'to. Wedi prynu diod i fi, ac wedi talu i fi ddod mewn fan hyn.'

'Wedi talu? Wel, rhaid taw cariad yw hyn, 'te.' Dechreua Anna frwsio powdr ar ei hwyneb yn wyllt.

'Ond dyw e ddim wedi cyffwrdd yno 'i o gwbl. Ddim cusan hyd yn oed. Falle taw dim ond bod yn gyfeillgar mae fe.'

'Ti wir yn hoffi fe cymaint?'

'Wel, do'n i ddim yn bwriadu cwrdd â neb heno. Ond mae e'n fater gwahanol. Ond falle fod e ddim yn hoffi fi fel'na.'

'Y ffordd mae fe wedi bod yn edrych arnat ti heno? Paid â bod yn dwp, Harriet!'

'Ti wir yn meddwl 'ny?'

'Hari – tase fe'n gallu, base fe'n dy gael di fan hyn, reit ar y llawr ar bwys y bar!'

Mae Harriet yn chwerthin yn braf, ac mae merch ifanc ddieithr, sy wedi clywed geiriau Anna, yn dechrau chwerthin yn ysgafn hefyd. Ond nid oes ots gan neb.

'Well i ni fynd 'nôl, neu fydd pawb yn rîlî dechrau meddwl ein bod ni wedi gadael, wedi dianc i rywle.'

Y drws yn agor i adael grŵp arall o ferched swnllyd i mewn. Nid ydynt yn sylweddoli pa mor dawel yw hi y tu mewn, ac maent yn gweiddi, eu clustiau yn dal i atsain â churiadau'r miwsig. Sŵn rhywun yn taflu i fyny yn un o'r toiledau, ac mae Harriet yn ceisio tynnu Anna allan o'r drws, ond mae Anna yn ei dal yn ôl, yn aros mewn man lle gall hi glywed ei llais ei hunan.

'Ti mo'yn cyngor? Ond dim ond os wyt ti wir eisiau cyngor.'

Mae Harriet yn edrych arni yn fud, ac Anna yn deall hyn fel ateb cadarnhaol. Mae hi'n pwyso yn erbyn y drws agored.

'Wel, paid â bod yn rhy eiddgar. Mae fe'n ddyn neis. Dyw e ddim fel pawb arall. Mae Chris yn ei nabod e ers blynyddoedd; 'na pam ymunodd e â'r Gwasanaeth Tân, achos Chris. Mae Chris yn siarad amdano fe'n aml. Mae e fel ti, Hari. Yn chwilio am y pethau ti'n dweud dy fod ti'n chwilio amdanyn nhw. Bydd mwy nag un noson fan hyn, Hari. Cred ti fi. Mae Steffan yn sefydlog, yn ddibynadwy. Fydd e ddim yn diflannu dros nos. Bydd e 'na i ti.'

Mae Harriet yn syllu arni. Ei hwyneb yn ddiymateb. Ôl geiriau Anna arni. Ac amneidia Harriet, yn ddwys, yn fud.

'Paid â towlu dy hun ato fe. *Play it cool*, Hari. Aros am dipyn. Maen nhw 'ma am y noson. Mae Daniel 'ma achos roedd e wedi dilyn Lois. A dw i ddim eisiau iddo fe ddod yn rhy agos ati hi. Byddai'n gwneud synnwyr os ŷn ni – ti, Lois a fi – yn cadw gyda'n gilydd am dipyn, ar wahân iddyn nhw. Paid â phoeni am Steffan, mae e'n ddigon eiddgar, fydd e ddim yn diflannu i'r nos mor glou â 'ny. Ti'n deall? Tria aros gyda ni, os elli di ddal dy hunan 'nôl. Y ffordd 'na byddi di'n ffindo mas os oes gwir ddiddordeb gyda Steffan ynot ti, a bydd hynny'n golygu hefyd ein bod ni'n gallu cadw Daniel oddi ar Lois, reit? – Ac rwy'n golygu oddi *ar* hefyd . . .'

Reit, mae hi'n ateb. Harriet yn cytuno. Ond mae hi'n amau. Rwy wedi ei gweld hi yn y mŵd 'ma o'r blaen. Mae hi fel menyw wyllt. Rwy'n ei gweld hi'n berwi dan yr wyneb. O diar. Ond mae hi fel 'sa hi'n cytuno. Cawn ni weld os oes gwir ddiddordeb gyda Steffan. A chadw Daniel draw. Ond bydd hyn hefyd yn cadw Chris oddi wrtha i, wrth gwrs. A sai'n gwybod os galla i ymdopi am fwy nag awr yn yr un stafell â fe. Dw i ddim yn gwybod sut rwy wedi goddef hyd yn hyn, a bod yn gwbl onest. Falle 'mod i'n meddalu. Canol oed yn dechrau falle. O'r arswyd!

Rwy ond yn gwneud hyn er mwyn Lois a Harriet. Mae popeth drosodd rhyngof fi a Chris. Wedi hen orffen. Felly dylwn i fod yn iawn gyda hyn. Rhaid i fi fod yn iawn. Bydda i'n gwrtais. Yn aeddfed. Cadw'r heddwch. 'Dyn nhw ddim eisiau gwybod am fy mhroblemau i. Beth bynnag sy'n mynd ymlaen rhyngof fi a Chris, does dim rheswm dros dynnu pobl eraill i mewn. Nid bod llawer yno beth bynnag – dim byd cyffrous, dim byd allan o'r cyffredin. Dim ond yr hen hen stori. Dyn sy ddim yn gallu cadw'n ffyddlon i un ferch, ac yn credu bod hyn yn iawn gyda hi. Ond falle 'mod i'n gorymateb. Dim ond blwyddyn oedd hi. Gyda fe. Do'n ni ddim yn briod. Dim sôn am unrhyw ymrwymiad. Wnaeth e ddim addo dim, naddo. A wnes i ddim chwaith. Ond ro'n i'n meddwl taw falle'r tro hwn . . . Ac mae amser yn mynd yn brin i fi. Dyw Harriet ddim yn sylweddoli. Dyna hi nawr, wnaeth hi ddim gwrando ar yr un gair, naddo. Dyna hi, a rhywun onest, hyfryd a diddordeb ynddi, a'r unig beth sy ar ei meddwl hi yw sut i dynnu ei ddillad e. Ond all unrhyw un ein beio ni, yr un ohonon ni?

Galla i glywed y miwsig drwy ddrws mawr trwm y tŷ bach. Cân serch. Un o'r grwpiau pop newydd. Ac rwy'n gwybod y geiriau. A'r dyn yn canu am ei gariad – yn disgrifio'r ffordd y bu rhaid iddo aros, aros drwy gydol ei fywyd i'r ennyd hon ddod. Yn dweud sut yr oedd e wedi caru'r ferch ymhell, bell cyn iddo gwrdd â hi, fel petai hi yno, wedi ei geni ar ei gyfer e, yr unig ferch iddo fe, a dim ond aros oedd rhaid gwneud, aros iddyn nhw gwrdd. O'r arswyd, mae Rhian yn chwarae hon yn ddiderfyn. Beth y diawl mae hynny'n gwneud i'w meddwl hi? Rhaid iddi hi, o leiaf, ddeall cyn gynted ag sy'n bosibl sut mae bywyd, sut mae bywyd go iawn. Cyn iddi gael ei brifo. Ond falle fod plant ddim yn gwrando ar eiriau caneuon. Ffyc, os oes un person perffaith wedi ei eni ar fy nghyfer i, a fi'n unig, bydd rhaid i fi ffindo'n ffordd i ddeimensiwn arall i ddod o hyd iddo. Achos dyw'r byd hwn ddim yn gweithio fel'na. Ro'n i'n meddwl fod Clive yn ddigon. A dyw Harriet ddim yn gwybod ei hanner hi am hwnnw. Ro'n i'n meddwl, y tro hwn, am unwaith, byddai'n rhywun oedd yn barod i 'mharchu i o leiaf. Falle mod i'n annheg. Dyw Chris erioed wedi rhoi ei law arna i. Fyddai fe byth yn meddwl gwneud hynny, rwy mor sicr. Gwrdda i â neb arall fel Clive. Mae'n rhaid i fi gredu hwnna. Ond Chris, dyw hwnnw ddim yn gwneud gwahaniaeth i fi. Ro'n i'n meddwl 'mod i wedi cyrraedd diwedd y daith gyda fe, bod yr holl helbul, y chwilio ar ben. Yn meddwl y byddwn i'n gallu ymlacio o hyn ymlaen. Wel, yr unig beth alla i wneud nawr yw chwilio am y drws i'r deimensiwn arall 'na. Ffyc, mae eisiau diod arall arna i. Neu falle taw hwnna yw'r broblem. Falle fod eisiau dŵr arna i. Dŵr. Llawer o ddŵr. Dros fy mhen. Yn oer. I 'nihuno i.

Mae'r gân yn dod i ben. Hoff grŵp Rhian. Maen nhw'n gwerthu miloedd nawr, ond fydd neb yn cofio amdanyn nhw ymhen blwyddyn neu ddwy. 'Na fel mae pethau'n mynd, ondefe, Chris?

'Ti'n dod, Harriet?'

Harriet fel petai'n dihuno. A'r drws yn agor unwaith eto ar y sŵn a'r goleuadau dryslyd. Anna yn ei thynnu hi drwy'r drws, ac ymlaen at ochr y llawr dawnsio. Yn edrych o'i chwmpas drwy'r amser am Lois. Ac yn ei gweld hi ar bwys y bar, *G and T* yn ei llaw, yn edrych yn amheus ar Daniel. Anna yn gafael yn ei llaw a'i thynnu oddi wrtho.

'Mae 'da fi rywbeth rwy eisiau'i drafod gyda ti.'

Mae hi'n edrych yn rhy hapus gyda fe. Dyw hyn ddim yn addawol, ddim yn addawol o gwbl. Mae hi'n codi ei llaw at Daniel, sy'n troi'n ôl at ei ddiod ac at ei ffrindiau wrth y bar. Ystum Lois yn golygu, 'Dim ond munud bydda i. Aros di fan'na.'

'Beth sy?' Lois yn gweiddi i glust ei chwaer. 'Wyt ti'n iawn?'

Nid yw Anna yn ateb, ond yn tynnu Lois at ford mewn cornel. Ond nid yw'n haws clywed eich hunan yn siarad fan hyn nag yw hi wrth y bar. Geiriau wedi eu gweiddi. Unsillafog. Bratiog. Gwreichion yn tasgu drwy'r awyr heb gyrraedd unrhyw nod.

'Dawns?' yw cynnig Anna.

'Sori am dy adael di. Ti'n iawn bod Chris 'ma?'

Anna yn nodio ei hateb. Mae'n haws na cheisio gweiddi.

'Dere i ni gael dawnsio.'

Ie, dim ond ti – Lois – a Harriet, a fi. Anwybyddwn ni'r dynion 'ma, y plant bach 'ma.

Breichiau o gwmpas ein gilydd. Cydio'n glòs.

Dim ond y ni. Neb arall. Neb.

Anna yn y canol rhwng y ddwy arall. Yn dal ynddyn nhw, un wrth y llall, un ar ôl y llall. Yn gweithio'n galed.

'Hapus, bawb?'

Ond rwy'n colli. Rwy'n colli'r gêm hon. Mae Harriet yn edrych yn bryderus at y bar drwy'r amser. Dyw hi ddim eisiau dawnsio gyda ni. Wrth gwrs nad yw hi. Mae pethau gwell gyda hi i'w gwneud. Ac mae Lois yn edrych yn amheus hefyd. Olreit. Mae'n greulon gwneud hyn i Harriet. Rhaid i fi adael iddi fynd 'nôl. Ond Lois, mae Lois yn wahanol. Rhaid i fi ei chadw hi fan hyn, rhywfodd. Dyw hi ddim yn deall yr hyn mae hi'n ei wneud.

Anna yn dal llygaid Lois a Harriet, ac yn eu harwain o'r llawr dawnsio. Bord wedi dod yn wag wrth ymyl y dawnswyr. Anna yn anelu tuag ato. Ac ar ôl eu gosod yn drefnus wrth y ford, fel mam ofalus, mae hi'n mynd at y bar. Lois a Harriet yn taflu eu golygon at ei gilydd. Siarad yn anodd. Ond nid yn amhosibl, nid i glust cyfaill, nid mewn sefyllfa lletchwith, nid pan falle y bydd rhyw glecs blasus ar gael.

'Rwy'n gwbod beth mae Anna'n ei wneud.'

'Beth?'

'Anna – mae'n trio cadw fi ar wahân, oddi wrth Daniel.'

'Ti'n meddwl?'

'Ydw.'

'Ti'n meddwl basai hi'n gwneud hwnna?'

'Yn berffaith siŵr. Dyw hi erioed wedi ei hoffi fe. Ond dyw hi ddim yn gwneud unrhyw wahaniaeth. Dyw e ddim byd i'w wneud â hi yn y pen draw. Cystal iddi feddwl bod ei chynllun yn llwyddo – i'w chadw hi'n hapus heno.'

Mae hi eisiau dweud hefyd nad yw'r sefyllfa yn hawdd iddi hithau chwaith, bod mor agos at Chris yn annisgwyl fel hyn. Ond mae'n penderfynu peidio dweud dim gan ei bod yn ofni ymateb Harriet a'i hamddiffyniad anochel o'i chynllwynion i'w cael nhw at ei gilydd unwaith eto.

'Galla i weld Daniel nes ymlaen. A man a man i ni fod ar wahân am dipyn . . . am y tro, beth bynnag.'

'Mae e'n gadael i ti gael dy ryddid, on'd yw e.'

'Beth?'

'Fydd e yr un peth pan ych chi'n briod?'

'Hari, ti'n gwbod, alla i ddim. Dwedais i. Ro'n i'n meddwl dy fod ti'n deall. Alla i ddim.'

'Beth, priodi?'

'Nid nawr – dwyt ti ddim yn deall?'

'Ond paid â bod yn dwp, ych chi'n berffaith i'ch gilydd.'

'Ond ti 'wedodd dylwn i ddechrau'r busnes nawr, ti 'wedodd baset ti'n helpu. Oedd hwnna jest yn rwtsh?'

'Ond do'n i ddim yn golygu gwneud hynny *yn lle* priodi. Beth sy'n bod arnat ti? Allet ti wneud hynny a bod yn briod hefyd. Sens, Lois, fydd ddim rhaid i ti weithio, ar ôl priodi. Bydd Daniel 'na i dy gadw di. Bydd swydd dda gyda fe ar ôl iddo fe gwpla ei radd ymchwil. Bydd popeth yn haws wedyn. Ti ddim yn gweld? Fyddai dim ots wedyn os wyt ti'n llwyddo ai peidio.'

'Wrth gwrs, Harriet. Rwy'n falch dy fod ti'n deall.'

Mae Anna wedi ei cholli hi yn gyfan gwbl nawr. A'r byd yn mynd o'i go. Mae hi wedi dod â nhw i gyd 'nôl gyda hi. Y dynion. Beth mae hi'n trio'i wneud? Ro'n i'n meddwl 'mod i'n ei deall hi o leia. Ond nawr dw i ddim yn siŵr beth sy'n digwydd iddi hi. Baswn yn hoffi gwybod beth sy'n mynd trwy ei meddwl, a beth mae hi'n bwriadu'i wneud nesa. Mae gwên ar wyneb Steffan. Nid dim ond gwên ar ei wefusau, ond gwên sy'n treiddio, sy'n diferu o bob rhan ohono.

'Ro'n ni jest yn siarad,' Anna sy'n gweiddi. 'Ni'r merched,' mae hi'n pwyntio at Lois, Harriet, ac yna ati hi ei hunan. 'Ac yn dweud pa mor fawr ych chi i gyd, ddynion tân. Ych chi i gyd fel'na'n naturiol? Neu oes rhaid i chi weithio mas ar gyfer y gwaith?' Mae hi'n agor ei llygaid yn fwy nes eu bod yn fawr ac yn sgleinio. 'Jest meddwl, ydy'r rheina i gyd yn gyhyrau, neu jest yn feddal i gyd?'

Mae Daniel yn gwenu'n slei, a Steffan yn mwynhau'r cellwair. Yn deall bod Anna yn fflyrtian gyda fe. Yn deall ystyr fflyrtian.

'Ga i deimlo?' ac mae hi'n gadael i'w bys wasgu'r cyhyrau ar ei frest. Mae'n gadarn, yn hollol gadarn.

'Ŵ,' mae hi'n cymryd cam yn ôl ac yn giglan fel merch ifanc. Mae Chris ar gyrion y grŵp, yn claddu ei wyneb yn ei wydr peint. Eisiau i bawb feddwl nad oes dim diddordeb ganddo yn hyn o gwbl. Ond nid yw ei lygaid yn gadael Anna am eiliad. Ei lygaid yn crwydro i fyny ac i lawr ei chorff, yn araf, araf. Yn ei gwylio wrth i hithau gyffwrdd â chyhyrau Steff eto, wedyn cydio yn llaw Harriet, 'Dere, Hari, teimla di.'

A chyn iddi sylweddoli'r hyn sy'n digwydd iddi mae Harriet yn profi cadernid ei gyhyrau, ac yn sylweddoli pa mor anodd yw hi i dynnu ei llaw i ffwrdd. Mae Anna yn ddigywilydd. Ond mae fflyrtian fel hyn gyda Steffan yn hawdd iddi hi gan nad yw hi'n teimlo unrhyw atyniad ato o gwbl. Fflyrtian ar gyfer rhywun arall y mae hi. Ac mae hynny'n hawdd. Fel gwario arian rhywun arall. Fflyrtian dros Harriet.

'Mae hi eisiau dawnsio 'da ti, on'd wyt ti, Harriet?'

Harriet yn ffugio sioc, sioc a gwyleidd-dra. Ond nid yw'n gwrthwynebu.

'Pryd benderfynaist ti hyn, 'te?' Mae Steffan yn gofyn, ac mae Anna yn cymryd cam yn ôl.

Ond mae Harriet ar ei thraed yn barod, a hanner ffordd i'r llawr dawnsio.

'Dere i ddawnsio, Lois.' Mae Anna yn tynnu ei chwaer allan i ddilyn Harriet, a Steffan yn gwthio ei hunan drwy'r dorf yn ceisio dal i fyny â hi. 'Dere i ni ymuno â nhw.'

Dw i ddim yn bwriadu gadael Harriet. Dim eto. Nes ymlaen. Os yw hi eisiau mynd, wel, ei busnes ei hun yw hynny. Ac os yw hi eisiau dweud wrtha i am fynd. Wel ei dewis hi yw hynny hefyd. Ond rwy'n mynd i aros nes ei bod hi'n dweud. Ond hyd nes ei bod hi'n gofyn, rwy'n mynd i aros, i gadw golwg arni. Ond rwy wedi clywed am Steffan, fydd e ddim yn cymryd mantais ohoni. Ond dyma Daniel yn dod yn agosach at Lois. Dw i ddim yn hoffi'r ffordd mae hi'n edrych arno fe. Y ffordd mae hi'n rhoi ei breichiau o gwmpas ei wddf. Ac mae meddiant yn y ffordd mae e'n cyffwrdd â hi.

Maen nhw'n gadael i fi ddawnsio gyda nhw, Lois a Daniel . . . Chwarae teg iddyn nhw. Na, Chris. Rwy wedi bod yn amyneddgar. Na, paid ti â beiddio . . . Ond beth yw'r ots meddwl fel hyn? Wrtho fe ddylwn i fod yn dweud hyn, nid wrthyf fy hunan. Ond fynnwn i ddim sbwylo pethau i Harriet, na thynnu'n llygaid oddi ar Lois. Dw i ddim eisiau ffrae heno, rwy'n gwneud fy ngorau glas i ddod 'mlaen 'da fe heno. Does neb yn deall faint o aberth yw gwneud hynny? Alla i ddim fforddio ffraeo heno, felly cadw draw, er fy mwyn i ac er dy fwyn dy hunan, cadw draw, Chris.

Mae'r miwsig yn codi'n uwch, rwy'n siŵr ei fod yn uwch na munud yn ôl. Ac mae 'mhen i'n troi. Dw i ddim yn gwybod beth mae Lois yn ei ddweud wrth Daniel, na beth mae e'n ei ddweud 'nôl wrthi hi. O, beth baswn i'n rhoi am gael gwybod?

Mae Chris yn dod yn agosach at Anna. Yn dod ati fel na phetai wedi cwrdd â hi erioed. Yn ei llygadu hi. Yn cyffwrdd â'i chorff gyda'i lygaid. Yn symud yn agosach ati. Hithau'n dawnsio o'i amgylch, rownd a rownd, yn ei groesi, yn edrych ar ei ffrindiau, yn tynnu sylw ati ei hun. Yn llithro'n gelfydd o'i freichiau dro ar ôl tro, yn creu symudiad newydd i'r ddawns er mwyn osgoi ei ddwylo, er mwyn osgoi ei gorff.

'Beth wyt ti'n bwriadu ei wneud heno?' sibryda Daniel yng nghlust Lois. Nid yw hi'n ateb, dim ond siglo ei phen mewn ystum sy i fod i olygu nad ydyw'n siŵr. Hithau'n gafael ynddo yn dynnach.

'Beth wyt ti'n mynd i'w wneud?'

Mae Chris yn agosáu at Anna, ac yn dweud, 'Wnest ti drio ffonio fi, 'te?'

'Pam?'

'O'n i'n meddwl baset ti'n ffonio. Ro'n i'n aros i ti ffonio.'

'Wel ro't ti'n fwy o ffŵl nag o'n i'n meddwl dy fod ti.'

'Beth?'

'Chest ti ddim y neges, cariad?'

'Naddo.'

'Trueni.'

Dere'n agosach, cariad, rwy'n dy herio di. Rho gyfle i fi afael ynot ti. Faset ti'n lico i fi afael ynot ti?

139

'Ffoniais i ti deirgwaith.'

'Beth?'

'Ffoniais i – deirgwaith!'

'O, da ti.'

'Beth 'wedaist ti?'

'Bydde mwy o ddiddordeb gyda fi mewn cwrs bywyd mwydyn.'

Ac mae e'n gwenu, yn codi bys bawd o'i flaen fel arwydd iddi. Nid oes modd iddo glywed, mae'r miwsig yn rhy uchel. Ac Anna'n gwenu'n ôl ac yn taflu ei hunan oddi wrtho, yn cymryd arni ddawnsio'n wyllt a ffasiynol. Ond mae Chris yn dilyn, yn taflu ei freichiau o amgylch yn frwdfrydig.

'Ti'n dweud na chest ti'r neges?'

'Pa neges?'

Ydy e'n gwybod ei fod e'n edrych fel pysgodyn? Oes neb wedi dweud wrtho erioed?

'Anna – Anna, gwranda.' Ei lais yn codi wrth iddo ei thynnu ato, yn agos ato. 'Rwyt ti'n bwysig i fi. Mae rhaid i ti ddeall hynny. Mor bwysig.'

Ac a oes unrhyw un wedi dweud wrtho fe ei fod e'n edrych fel hwyaden pan mae'n dawnsio? Roedd 'na gyfnod pan nad o'n i'n gallu dweud wrtho fod e ddim yn gallu dawnsio achos 'mod i mewn cariad 'da fe. A nawr? Wel, rwy'n mwynhau'r perfformiad. Does dim byd arall alla i ei wneud, nac oes?

'Ti'n gweld y dyn 'na draw fan'na? Ces i ryw 'da fe bedair gwaith neithiwr . . . a'i ffrind.'

Mae Chris yn amneidio'n frwdfrydig.

'A chlymais i fe lan gynta . . . y ddau ohonyn nhw, ac wedyn ymunodd ei chwaer e hefyd.'

Mae'r ffŵl yn gwenu nawr. Dyw e ddim yn deall gair rwy'n dweud dros y sŵn 'ma.

'Ddwedais i wrthot ti erioed 'mod i'n dy gasáu di?'

140

Mae llais Anna yn siriol a chariadus, a chyda gwên swynol ar ei hwyneb mae hi'n ei dynnu'n agosach ati, gerfydd ei dei, yn ceisio ymddwyn fel Madonna, neu fel basai Madonna yn ymddwyn, petai hi mas yn clybio yn Abertawe ar nos Wener.

'O!' mae Chris yn ateb ac yn gwenu yn ôl arni, ac mae hyn fel ysbrydoliaeth i Anna.

'A ddwedais i . . .?'

'Ie? A ddwedaist ti beth?'

'Ddwedais i 'mod i eisiau dy hongian di oddi wrth y darn mwya poenus o dy gorff di,' a'r wên yn dal ar ei wefusau fe, a'i thafod hithau'n anwesu ei dannedd ffrynt, ac yn crwydro at ei gwefusau. 'Neu'r darn sy werth y lleia – a'r ddau yn digwydd bod yr un peth . . .' Daw Chris yn agosach fyth, fel petai wedi ei hudo.

'O, cariad.'

'A . . .' ond nid yw Anna wedi gorffen eto.

'Dwed wrtha i, cariad, dwed.'

'A . . .'

'Ie?' Mae e'n sefyll drosti nawr, yn aros yn eiddgar am bob gair, pob gair nad yw'n gallu eu deall.

'Ac wedyn, ti'n gwbod beth rwy eisiau'i wneud?'

'Beth?'

'Torri fe bant. A gadael iti gwympo. Ac wedyn baswn i'n ei dorri fe mewn pishins bach a'i fwydo i gath Harriet.'

'Harriet?' yw ymateb Chris wrth glywed yr enw. 'Mae Harriet yn iawn, mae hi gyda Steff.'

'Ydi, wrth gwrs ei bod hi, cariad. Ti'n fachgen clyfar heno, on'd wyt ti.'

Jest dere'n agosach cariad, jest un cam yn agosach. Ac fe wna i'n siŵr na chei di ei ddefnyddio fe byth eto . . . A dw i ddim yn golygu dy frên di. Beth? Roedd rheswm gyda ti? Roedd esgus gyda ti? Na, cariad, dyw hynna'n golygu dim i fi. Roedd hi'n helpu ti i ymlacio,

141

oedd hi? Ffrind oedd hi. Wrth gwrs. Ac mae lot o ffrindiau 'da ti, on'd oes, cariad. Fel y *slapper* 'na oedd gyda ti'r noson gynta cwrddais i â ti. A ches i'r stori 'na, cariad. Y stori hir 'na amdani hi, hi'n dy ffansïo di, ond wrth gwrs, doeddet ti erioed wedi edrych arni fel'na, o naddo, ac roedd hi'n fwy o niwsans na dim byd arall. A beth am y llall? Ei ffrind hi oedd gyda ti'r noson honno? Doedd y stori ddim yn ddigon da, Chris.

'Dere'n agosach.'

Beth yw'r stori nawr, 'te? Mae Harriet yn fishi gyda Steff, a Lois gyda Daniel. Jest ti a fi, cariad, jest ti a fi. Ac mae 'da fi gynlluniau ar dy gyfer di, paid ti â phoeni. Dim ond er dy fwyn di. Heno. Neb arall. Neb ond ti, cariad. Ddylet ti ddim fod wedi gwneud hynny i fi cariad. A dy fai di yw mai ti yw'r un olaf. Ond alla i wneud dim am hynny, cariad. Yr olaf os nad oes neb arall eisiau ymuno â'r rhes hir. Y diwethaf i 'mrifo i, a'r olaf.

A Harriet yn symud yn nerfus gyda rhythm y gerddoriaeth.

'Ble wyt ti'n byw, 'te?'

'Treforys,' yw ateb llon Harriet.

Ofynnodd e o le o'n i'n dod? Rwy'n credu taw dyna beth ddywedodd e. Mae mor anodd clywed dim yn y sŵn 'ma, ac mae'n gymaint o straen ateb. Ond dyw e ddim yn chwerthin nac yn edrych yn ddryslyd arna i, felly rhaid bod yr ateb yn gwneud sens. Ro'n i'n iawn 'te. A bues i'n onest hefyd. Mae celwydd yn gwneud mwy o sens weithiau, y tro cyntaf gyda rhai dynion. Mae digon o amser i gywiro, os bydd y peth yn para. Ac maen nhw wastod yn deall, os ydyn nhw'n *genuine*. Ych chi byth yn dweud y gwir. Nid y tro cyntaf. Mae'n rhaid i ferch ddiogelu ei hun yn y byd sydd ohoni, mewn lle fel hyn, ac mae'n rhan o'r gêm, on'd yw hi? Ond rwy'n teimlo'n saff gyda Steff, a dyw hi ddim fel petawn i newydd bigo fe lan, a dim syniad pwy yw e na dim byd fel'na. Mae Dan yn ei nabod e. Mae hynny'n gwneud popeth yn iawn. Ac mae e'n gwenu arna i nawr, felly rhaid bod popeth yn iawn. Cân araf. O'r diwedd. A llais y brif gantores yn llifo, bron yn hylif, ac yn gynnes, fel siocled yn toddi yn y geg.

'Beth yw dy oedran di, 'te?'

'Unrhyw beth wyt ti eisiau iddo fe fod.'

Mae hwnna'n ateb clyfar, rwy wedi ei ddefnyddio o'r blaen. Ddylai fe ddim fod wedi gofyn. Ond maen nhw i gyd yn gofyn. Pob un. Ond does dim ots. Bydd e'n deall. Mae e eisiau i fi chwarae gyda fe. Yn disgwyl i fi chwarae. Mae'n rhan o'r gêm, ac mae'r ddau ohonon ni'n gwybod y rheolau.

'Ugain? Un ar hugain?'

'Sut wyt ti mor glyfar?'

Bullshitter yw e wrth gwrs, fel pob un arall, ond does dim ots gyda fi heno, achos mae corff cyhyrog gyda fe, ac mae e'n fy nal i'n agos, ac mae ei eisiau fe arna i. Mae angen arna i, cymaint o angen teimlo corff arall yn agos at fy nghorff i. Rwy'n teimlo 'mod i'n barod i wneud unrhyw beth ond iddo ddal ei afael yno' i, fel y gallaf ddal i deimlo cnawd yn erbyn fy nghnawd innau. Mor gynnes. Mor saff. Ddylwn i ddim. Rwy'n gwybod ddylwn i ddim. Ond mae'r peth fel panig weithiau. Weithiau rwy'n teimlo mor unig. Weithiau mae ofn arna i. Rwy'n ofni'r hyn y gallwn ei wneud er mwyn teimlo breichiau dyn o'm hamgylch.

Canol nos

'Ond rhaid dy fod ti'n gwbod,' meddai Steffan, yn eistedd gyferbyn â Harriet. Mae e wedi prynu diod iddi, ac mae hi'n ei sipian yn ddiniwed. Wrth eu hochr mae Anna a Chris, cyn belled oddi wrth ei gilydd ag sy'n bosibl bod tra'n dal i eistedd wrth yr un ford ar yr un pryd.

'Wel, mae'n dibynnu beth wyt ti'n ei olygu.'

Mae e eisiau gwybod am Lois. Am Lois a Dan. Pam dyw e ddim yn gofyn amdana i? Ro'n i'n meddwl fod diddordeb gyda fe yno' i. Pam mae e eisiau gwybod am Lois? Mae Dan yn un o'i ffrindiau fe, ond do'n i ddim yn meddwl bod dynion yn trafod pethau fel'na. Ddim fel merched. A pham mae e mor fusneslyd? Does dim hawl gyda fe wybod pethau fel'na. Os yw e eisiau gwybod cymaint, pam dyw e ddim yn gofyn i Dan? Ond falle mai Dan sy'n gofyn, falle ei fod e wedi gofyn i Steff ofyn i fi. Mae hynny'n gwneud sens. Byddai hynny'n wahanol, yn dangos faint mae Dan yn poeni amdani. Galla i wneud rhywbeth gyda hynny. O leiaf mae hi dipyn yn dawelach fan hyn. Rwy'n gallu clywed beth mae e'n ei weiddi fan hyn.

'Rwyt ti siŵr o fod yn gwbod beth sy'n mynd 'mlaen rhwng Daniel a Lois,' mae Steffan yn porthi eto.

'Wel, mae hi'n siarad 'da fi, wrth gwrs, ond,' ac mae hi'n symud ei phen o un ochr i'r llall yn araf, yn ceisio ei bryfocio i ofyn eto, i ofyn mwy, ac mae e'n gafael yn ei morddwyd, ac yn gwasgu, yn gwasgu. Ac nid yw hi'n gwneud dim i geisio ei atal. Mae hi'n gwybod beth mae e ei eisiau. Yn gwybod ble fydd hyn yn gorffen. Os y bydd hi'n lwcus. Ac wrth iddo ei byseddu mae'r syniad yn codi, teimladau sy'n ei herio hi, yn gofyn iddi pam ei bod yn poeni am Lois, pam ei bod hi'n gwastraffu'r amser hwn, yr amser gwerthfawr, disglair hwn yn meddwl am rywun arall? Mae ei llais yn crynu â phendantrwydd: 'Na, sai'n gwbod dim.'

Ffyc i Lois, i Lois a'i phroblemau hi. Rwy yma nawr, gyda hwn, a dw i ddim eisiau meddwl am ddim byd arall. Dim ond fe sy'n bwysig.

'Ond mae hi siŵr o fod yn siarad gyda ti.'

'Ddim am Daniel.'

'Mae hi'n chwarae gêmau 'da fe, on'd yw hi. Jest fel merch.'

'Sai'n deall . . .'

Rwyt ti'n siarad am Lois, ond yn fy anwesu i. Eisiau trafod rhywbeth difrifol, ond yn gwenu ar yr un pryd. Yn fy nhynnu yn agosach atat ti. Ac o, y teimlad. Y fath deimlad. Rwy'n rhoi fy mhen ar dy frest di, a chodi, codi fy mhen yn ara, ara bach . . . petruso wrth gyrraedd dy ên di a gadael i 'mhen godi a gostwng . . . anadlu'n ddwfn wrth i ti edrych i lawr arna i . . . a fi'n sylweddoli dy fod ti mor fawr a 'mysedd i'n dechrau gwthio . . . gwthio i mewn i dy gefn di, heb yn wybod i fi . . . a fi'n gwneud dim ond fy nghorff yn gwybod . . . gwybod, fy nghorff yn gwybod beth i'w wneud . . . fy nghorff yn ymateb i dy gorff di . . . Nid y fi sy'n rheoli hyn . . . teimlo dy ddwylo ar fy nghoesau . . . teimlo dy freichiau . . . yn fy nhynnu'n agosach atat ti . . . a chodi fy mhen, dim ond am eiliad . . . a disgwyl i ti gymryd dy gyfle . . . dy wefusau ar fy ngwefusau i . . . Dy geg ar agor . . . yn barod ar fy nghyfer . . . gwybod beth i'w wneud . . . dy dafod . . . ymhleth nawr yn fy nhafod innau . . . sugno . . . sugno . . . dy ddwylo . . . dy fysedd . . . gwthio . . . i mewn i 'nghefn.

Rwy'n codi fy mhen. Yn sydyn. Anodd goddef mwy. Dim ond am eiliad. Does unman arall y gallwn ni fynd o fan hyn nawr, yng nghanol y dorf, er na fydd y rhan fwyaf ohonyn nhw'n sylwi. Felly rhaid codi fy mhen. Ond dim ond am eiliad. Anadlu'n ddwfn. Tynnu i ffwrdd am eiliad, ond dim ond am eiliad. A nawr mae ei dafod yn rhuthro o gwmpas fy nhafod innau unwaith eto. Fy ngheg ar agor. Popeth ar agor iddo fe. Ac rwy eisiau fe nawr. O Dduw, beth sy'n digwydd? Tase fe eisiau fi nawr, ffycio fi nawr, fan hyn, yng nghanol y clwb nos, o flaen yr holl bobl 'ma, fyddai dim gwahaniaeth gyda fi. Ond rwy'n gwybod all hynny ddim digwydd. Dim ond un cyffyrddiad fyddai eisiau nawr. Yn y lle iawn. Dim ond un cyffyrddiad bach i ffrwydro 'nghorff. Mae'r teimlad mor gryf.

Ond pam fod fy llygaid ar agor? Pam dw i'n gallu gweld y dawnswyr? Pam dw i'n gallu gweld y dynion wrth ochr y llawr dawnsio yn llygadu'r merched ifainc? Pam fod hwn yn fy nghofleidio? Mae'r lle 'ma'n edrych yn rhyfeddol o olau yn sydyn. Gallaf weld pob manylyn. Gallaf weld bob crac yn y wal. Mae popeth mor ddichwaeth. Ac rwy'n teimlo fel petawn i'n mygu. Mae ei ddwylo ar draws fy nghefn unwaith eto, ei ddwylo ar fy nghoesau, yn symud yn uwch ac yn uwch. A 'nghorff yn ymateb iddo. Ond mae fy meddwl yn rhywle arall yn sydyn. Ac rwy'n mygu – rwy'n mygu! Rwy'n gallu gweld Anna. Rwy'n gwybod ei bod hi'n edrych arna i. Rwy'n troi i ffwrdd. A merched eraill. Merched dw i ddim yn eu nabod. Merched heb ddyn. Ydyn nhw'n eiddigeddus? Ydych chi'n eiddigeddus, ferched? Does dim dyn gyda chi, ond mae un pert ofnadwy gyda fi. On'd ydw i'n lwcus? Ond mae fy nhafod yn dechrau brifo nawr, a 'ngwefusau'n chwyddo. A'i ben ar fy mronnau. Ac mae fy llygaid i ar agor eto. Yn gwybod na fyddaf yn fodlon. Yn gwybod na fydd hyn yn bosibl. Dw i ddim yn gwybod sut mae e'n teimlo. Dim ond y ffordd rwy i'n teimlo. Dim ond fi. A fy llygaid ar agor eto. Yn ceisio ysgaru'n hunan oddi wrth fy nghorff. Fy nghorff sy'n teimlo. A'm llygaid yn ceisio peidio ag edrych at y drws. Ond mae'r demtasiwn yn ormod. Gwelais i fe'n dod mewn, on'd do. Sylwais i arno fe gynnau, ond penderfynais i ei anwybyddu. Pan oedd Steffan yn dechrau 'nghusanu am y tro cyntaf. A doedd e ddim yn gallu 'ngweld i, nac oedd. A dyw hyn yn ddim byd i'w wneud ag e. Does arna i ddim dyled iddo, nac oes? Does arna i ddim byd iddo fe. Yma, a breichiau cryfion fel y rhain o'm hamgylch.

Ond mae e'n dod yn agosach aton ni nawr. Yn dod i'n cornel ni. Cant o bobl yn y lle hwn, ond rwy'n gallu dilyn ei symudiadau drwyddyn nhw i gyd, ar draws yr ystafell i gyd. Ond dyw e ddim wedi fy ngweld i. Gallaf gladdu fy mhen ym mrest Steffan am dipyn ac esgus 'mod i ddim wedi ei weld. A cheg Steffan ar agor unwaith eto. Yn barod amdanaf. Yn barod am fy ngheg innau. Ac nid fi sy'n symud fy nhafod. Mae'n symud ar ei ben ei hunan. Rhywfodd. Mewn ffordd nad wyf yn ei ddeall, mewn ffordd na fyddaf yn ei ddeall byth. Rwy'n agor fy llygaid eto. Fy llygaid yn agor ar eu pennau eu hunain. Yn edrych. Yn chwilio.

Ydy e wedi fy ngweld?

A Steffan yn fy nghusanu eto, wedi llwyr ymgolli yn fy wyneb, fy ngwallt. Rwy'n claddu fy mhen yn ei frest eto. Mae e'n griddfan, yn ysgafn; rwy'n ei deimlo'n gwneud, yn ei frest, fel cath yn canu grwndi mewn bodlonrwydd eithaf.

Dyw e ddim wedi fy ngweld.

Na, mae e wedi mynd. Wedi mynd yn rhan o'r dorf. Ac rwy'n saff. Yn saff unwaith eto ym mreichiau Steffan. Yn saff. Yn saff.

Mae merch gyda fe. Mae hi mor denau, a gwregys llydan yn hongian yn llac o gwmpas top ei choesau, ei bogail yn y golwg. Mae hi'n ei gusanu fe. Mae ei dwylo yn ei wallt. Mae hi'n ei dynnu'n agosach ati. Mae hi'n gwybod beth i'w wneud, o ydy, yn gwybod y symudiadau i gyd. Fel fi. Mae hi'n feistres ar bob ystum a phob awgrym. Ac mae bysedd Steffan yn gwthio i mewn i 'nghefn i, ac rwy'n llithro fy mysedd innau dros ei groen, a lan o dan ei grys, fel petai'n reddfol. Ond nid symudiad naturiol mo hwn. Rwy wedi dysgu hyn. Roedd 'na amser pan nad o'n i'n gwybod sut i wneud hyn, pan nad o'n i'n gwybod lle i gyffwrdd, pryd i fod yn ormesol, pryd i dynnu'n ôl, a bod yn ddiniwed. Roedd 'na amser pan nad o'n i'n gwybod sut i ddarllen dyn, sut i ddeall beth sy'n gweithio ar bob un yn unigol, achos maen nhw i gyd yn wahanol, roedd 'na amser . . . Tynna i ffwrdd, Harriet. Rhaid tynnu i ffwrdd. Alla i ddim aros yma. O Steffan, mae'n flin 'da fi, alla i ddim aros fan hyn.

'Bydda i'n ôl. Mewn munud.'

A cheisio cerdded mewn llinell syth at y tŷ bach. Yn gafael yn y cadeiriau wrth fynd. Yn edrych o gwmpas wrth fynd. Y merched yn edrych arna i. Y rhai nad oedden nhw'n ddigon lwcus i gael dyn. A'r dynion. Y dynion nad oedden nhw'n ddigon lwcus i gael merch. Fy minlliw ar draws fy wyneb i gyd. Rhaid 'mod i'n edrych yn hunllef, yn boeth ac yn chwyddedig.

O'r diwedd. Y golau llachar. Yr awyr oer. Nid oes minlliw dros fy wyneb wedi'r cyfan. Nid fel yr o'n i'n ofni. Ond nid oes llawer o liw ar ôl. Nid ar fy ngwefusau nac ar fy mochau. A 'ngwallt, fy ngwallt mewn dryswch nawr. A does dim brws gyda fi. Rwy'n defnyddio brws Anna. A dyw hi ddim yma. Rwy wedi colli Anna. Ble mae Anna?

Mae Anna yn symud i ffwrdd oddi wrth Chris am y deuddegfed tro ers iddyn nhw eistedd i lawr.

'Paid . . .'

Gwna di hwnna unwaith eto, dim ond unwaith eto, a byddi di ar dy gefn ar y llawr. Ac nid fel rwyt ti'n gobeithio, cariad.

'Beth sy'n bod?'

'Jest meddwl,' mae hi'n gweiddi yn ei glust. 'Ro'n i jest yn meddwl sut o'n i'n mynd i gadw 'nwylo oddi arnat ti heno.'

Beth yw ystyr yr olwg mae e'n ei daflu at y lleill? At y dynion? At ei ffrindiau fe? Gwelais i'r edrychiad, yn yr hanner gwyll yma, gwelais i. Rhyw awgrym o rywbeth dirgel rhyngddyn nhw. Gwên mor slei. Sglein buddugoliaethus yn ei lygaid. Rhwng y dynion. Ŷn ni ddim i fod i ddeall, chi'n gweld. Y merched. Rhyw gôd rhyfedd yw hyn. Ond mae côd dynion yn ddigon hawdd ei gracio. Hawdd. Rwy'n gwybod beth sy'n mynd ymlaen yn y pennau bach 'na, ŷn ni i gyd yn gwybod, mae merched yn eich deall chi, lliprynnod bach dibwys fel ych chi i gyd. Ond fyddwch chi byth yn ein deall ni. Dim gobaith. Fasech chi ddim yn gwybod lle i ddechrau. Ydy e wir yn credu 'mod i'n mynd i adael y lle 'ma gyda fe heno? Mae e'n ciledrych ar Daniel. Mae rhywbeth yn bod, rhywbeth yn digwydd. Ddylwn i ddim fod wedi gadael Lois ar ei phen ei hunan. A Harriet . . . O diar, ble aeth Harriet? Aeth hi'n rhyfeddol o sydyn hefyd. Munud yn ôl roedd hi ar y ford nesa ata i, a dyma fi'n troi 'mhen am eiliad a nawr mae hi wedi mynd. Ac mae Steffan wedi mynd hefyd. Does bosib ei bod hi wedi gadael gyda fe? Fyddai hynny ddim yn fy synnu i, ond byddai Harriet yn dweud cyn mynd, byddai Harriet yn dweud wrtha i a Lois, fyddai hi ddim jest yn diflannu heb ddweud dim. Ond roedd hi wedi ymgolli ynddo fe

149

cymaint, pwy a ŵyr? Dynion. Ydyn nhw'n sylweddoli y drafferth maen nhw'n ei achosi? Ydy'r ffyliaid yn sylweddoli?

Anna yn gwthio Chris i ffwrdd, a'r ergyd yn ei orfodi i afael yn ochr ei stôl yn reddfol er mwyn peidio â chwympo oddi arni. Yn colli hanner ei ddiod ar y llawr.

'Hei, beth . . .'

Ond mae Anna wedi mynd. Drwy'r dorf. Nid yw pobl yn edrych ble maen nhw'n mynd. 'Dyn nhw ddim yn gallu gweld yn y tywyllwch 'ma, neu falle o achos yr alcohol, cyffuriau, neu hyd yn oed achos dydyn nhw ddim *eisiau* gweld. Ond pwy a ŵyr beth mae'r rhan fwyaf o'r bobl 'ma'n ei weld heno? Nid Anna, wrth iddi geisio gwthio llwybr drwyddynt i'r tŷ bach, yn chwilio am Harriet. Yn gweld Lois a Daniel yn sefyll ar bwys y bar, ond nid oes amser ganddi i fynd draw atyn nhw. Cymaint o bobl, cymaint, cymaint o bobl. Beth sy'n dod â nhw mas bob nos Wener? Dro ar ôl tro, yn ôl i'r un hen le 'ma, a llefydd tebyg? Yr un peth, wythnos ar ôl wythnos.

Ac mae Daniel wedi llwyddo i dynnu Lois i'r naill ochr, oddi wrth y lleill, oddi wrth y merched.

'Rwy'n gwbod fod ti eisiau siarad am hyn rywbryd eto, ond . . .'

'Does dim *ond*, Dan. Mae'n dwp trio trafod unrhyw beth fan hyn,' a Lois yn gwacáu ei gwydr unwaith eto, yn rhy gyflym.

'Olreit. Ond 'wedest ti baset ti'n meddwl. 'Wedest ti ddim *na*, naddo? Rwy jest eisiau cael hyn yn iawn nawr. 'Wedest ti ddim na.'

'Naddo, Daniel, 'wedes i ddim na. Dw i ddim wedi penderfynu. Siaradwn ni fory, olreit? Rwy'n addo i ti. Fory.'

'Ond gelli di siarad 'da fi nawr, sbo?' a'i lais yn druenus.

'Wrth gwrs,' ac mae hi'n gwenu, yn gosod un llaw ar ganol ei gefn a tharo'n ysgafn, ac yna yn ei symud i'w ysgwydd nes ei bod wedi lapio ei hun o gwmpas ei gorff. Ac yntau'n cymryd ei gyfle ac yn ei chusanu hi, yn angerddol, ond nid am hir.

'Dere'n ôl 'da fi heno.'

'Wel . . .'

'Wel? Pa wel?' ond ei holi'n chwareus, yn gynnes.

'Ŷn ni wedi hanner trefnu mynd i gael cyrri ar ôl gadael fan hyn.'

Mae e'n ymddwyn fel petai dim wedi digwydd. Ond alla i ddim mynd 'nôl 'da fe heno. Ond dyw e ddim yn gwybod beth rwy wedi penderfynu. Druan ohono fe. Petawn i'n mynd yn ôl 'da fe heno byddwn i'n gwanhau, yn ildio. Rwy'n gwybod. Ond byddai'n braf. Siarad. Siarad am fy nghynlluniau i. Ond fyddai hynny ddim yn gweithio. Does dim diddordeb gyda fe. Byddai e'n rowlio ei lygaid fel mae e'n arfer ei wneud, a dweud rhywbeth fel 'pam wyt ti'n chwarae o gwmpas gyda phethau twp fel'na'. Does dim ffydd gyda fe yno' i. A dyw e ddim yn esgus bod, ac mewn ffordd od rwy'n ei barchu fe am hynny. Allai fe ddweud pob math o nonsens i'n wyneb i, heb olygu un gair. Mae onestrwydd yn bwysig mewn perthynas, on'd yw hi, yn bwysig mewn priodas.

Ffyc.

Mae'n rhaid i ni drafod hyn. Trafod ein dyfodol. Ac os yw e'n fodlon heno, wel, heno amdani. Ond na, fydd heno ddim yn gweithio, achos ymhen pum munud ar ôl agor y drws byddwn ni yn y gwely. A bydd popeth ar ben arna i wedyn. Os galla i jest llwyddo i bara heno, bydda i'n iawn. Rwy'n gwybod bydda i'n iawn. Maen nhw'n anghywir, y bobl sy'n dweud bod dim gobaith gyda fi lwyddo. Daniel, Anna, a phawb arall. Ond mae rhai'n deall. Mae rhai'n gallu gweld ymhellach. Fel Harriet. O na, Harriet, rwyt ti'n annwyl iawn, ond ddylwn i drystio dy farn di? Pam fod 'da ti gymaint o ffydd yno' i, Harriet? Ond o leia mae rhywun yn credu yno' i. A fi. Fi'n hunan. Rwy'n mynd i wneud hyn. Rwy wedi bod yn breuddwydio am hyn er pan o'n i'n ddeuddeg oed, a dw i ddim yn mynd i adael i freuddwyd fel'na chwalu a diflannu mewn cwmwl o ffolineb. Ac mae'n rhaid i fi ganolbwyntio. Os rwy'n priodi Dan, bydda i'n ei anwybyddu fe. Ond fydd e ddim yn fodlon i hynny ddigwydd. Bydd e'n mynnu 'mod i'n dewis. Dyna'r hyn mae e'n ei wneud nawr, ondefe. Fy ngorfodi i ddewis. Ac mae'n rhaid i fi roi'r sylw i fi nawr, i'm huchelgeisiau i. Fy nod i. Fy mreuddwyd i. Unwaith mae hyn yn dechrau fydd dim sylw 'da fi ar ôl i'w roi i unrhyw beth nac i unrhyw un arall. Ac mae dawn gyda fi. Rwy'n gwybod bod dawn gyda fi. Mae'n rhaid aberthu rhai pethau weithiau. Mae rhai pethau'n werth aberthu er eu mwyn. Ond pan fo llwyddiant yn sicr, does dim eisiau gwamalu, nac oes. Rwy'n gwybod lle rwy'n mynd.

'Lois?'

'Ie?'

'Mae dy bersawr di'n hyfryd.'

'Dy anrheg di Nadolig diwetha.'

Mae e'n sefyll y tu ôl i fi, yn gafael yno' i, ei ddwylo o gwmpas fy ngwasg, ei geg ar fy ngwddwg i, a'i dafod yn gynnes ar fy nghroen.

'Alla i ddod gyda chi?'

'Ble?'

'I gael y cyrri?'

'Na!'

Mae mor hawdd chwerthin gyda fe, mor naturiol, mor gyfforddus bod gyda fe fel hyn.

'Pam?'

'Dyn wyt ti. Noson i'r merched yw hon.'

Mae e'n tynnu anadl cyn cloi ei wefusau o gwmpas ei gwddwg unwaith eto.

'Ie, rwy'n gallu gweld hynny.'

Mae Anna wedi dod o hyd i Harriet o flaen y drych. Ennyd o ryddhad wrth sylweddoli ei bod hi'n sefyll yno, ac nad yw hi wedi ei chau ei hunan i mewn yn un o'r tai bach, ei bod hi yma o gwbl. Yn sefyll o flaen un o'r drychau, yn tynnu ar ei gwallt, yn rhwygo ei bysedd drwyddo, ei bysedd ar led. Yn tynnu, tynnu'n fyrbwyll.

'Ti'n iawn, Harriet?'

Mae hi'n sylwi bod Anna yno, ond nid yw'n troi ei phen i edrych arni. Ac nid yw'n ateb ei chwestiwn. Yn hytrach mae hi'n dal i edrych yn y drych, yn dal i dynnu ar ei gwallt, yn fwy a mwy gwyllt.

'Mae'n rhaid i fi gael dy frws di, Anna,' mae hi'n dweud, yn ddwys, fel petai hyn yw'r peth pwysicaf yn y byd. Mae Anna yn chwilio ar unwaith drwy ei bag.

'Wrth gwrs – 'ma ni,' ac yn ei gynnig ar unwaith. Mae Harriet yn cydio ynddo, eto heb edrych, a'i rwygo drwy ei gwallt yn ffyrnig, nes bod y gwallt yn hongian i lawr dros ei hwyneb i gyd, dros ei llygaid, ac yn cwympo, yn siglo yn ôl ac ymlaen. Nid yw Anna yn dweud dim. Nid am rai eiliadau. Yn aros i Harriet orffen. Ond nid yw hi'n gorffen. Mae'n ceisio meddwl am y peth callaf i'w ddweud, yn gwybod i sicrwydd bod rhywbeth yn bod, ond nid yw hi'n gwybod beth. Ond rhaid dweud rhywbeth.

'Mae dy wallt di'n edrych yn hyfryd nawr.' Mae'n ceisio swnio'n ffwrdd-â-hi, heb ddim pryder yn ei llais, ond mae popeth yn swnio mor ystrydebol yn sydyn.

'Rwy wedi bod yn eiddigeddus o dy wallt di ers blynyddoedd, y ffordd mae'n gwneud yn gwmws beth wyt ti eisiau iddo fe ei wneud.' Ond nid yw Harriet yn ymateb, felly gwell mynd ymlaen â'r siarad, unrhyw siarad. 'Mae'r steil newydd 'na yn dy siwtio di, a dyw e byth yn edrych yn . . .'

'Beth wy i'n ei wneud, Anna?'

'Cwpla dy wallt, 'na beth wyt ti'n ei wneud, a gad i fi wneud yr un peth, rwy'n edrych fel petai rhywun wedi fy nhynnu i drwy ddrain.'

'Na, rwy'n meddwl, beth wy'n ei *wneud*, gwneud â 'mywyd i!'

'Ti'n cwpla dy wallt. Dere 'mlaen.'

O, Iesu, 'na i gyd sy eisiau arna i heno. Ddim heno, Harriet. Dim hysterics, plîs. Sai'n gwybod beth sy'n bod, ond allet ti ddim ei adael e am heno? Anadla'n ddwfn nawr, Harriet. A phaid â thorri 'mrws i. Y ffordd rwyt ti wrthi bydd naill ai 'mrws i'n ddau ddarn neu dy wallt di mewn pentwr ar y llawr. Un neu'r llall os na stopi di.

Anna yn cydio ym mreichiau Harriet, yn dyner, ond yn sicr. Yn bendant. Yn gynnes. Yn arafu'r symudiadau, yn gweithio'r brws yn rhydd o'i bysedd hi, bob yn un ag yn un, ac yn cymryd y brws oddi arni, yn gwthio ei gwallt yn ôl i'w le fel y byddai hi'n gwneud bob bore gyda gwallt Rhian. Ond mae dagrau yn llygaid Harriet, a'r rheiny mor amlwg gan fod ei mascara rhad yn dechrau meddalu a rhedeg. Rhyw borffor tywyll yn glytiau dan ei llygaid. Lliw sy'n rhy galed, yn rhy dywyll i'w llygaid llwyd tywyll, ei chroen golau. Mae Anna yn anwesu ei gwallt, yn reddfol, i gysuro, i dawelu'r beichio crio, a Harriet yn gadael iddi dynnu ei phen yn agosach nes ei bod hi'n pwyso yn ei herbyn, ei phen yn glòs yn erbyn ei bron, ac Anna yn dal yn dynn, yn famol ynddi.

154

'O ffyc, Anna. Ffyc, ffyc, ffyc!'

Nid yw Anna'n dweud dim am eiliad. Mae merched eraill yn dechrau sylwi. Y ciw i gyd yn dechrau syllu.

'Ti wedi cael gormod i yfed, 'na'r trwbwl. Dere 'da fi.'

Ac mae hi'n ei thywys hi, yn dal i grymu'n glòs, ei llygaid wedi eu diogelu rhag llygaid eraill, ei phen ar ysgwydd Anna. Y ciw i gyd yn ddistaw, rhes o wynebau gwelw paentiedig yn syllu. Yn enwedig yr un ar y blaen, mewn ffrog goch a llygaid dwfn sgerbydol. Bwganod tryloyw yn gwylio heb feddwl, heb allu atal eu hunain. Dyma Anna yn troi at y merched yn y ciw:

'Beth ych chi'n edrych arno fe, 'te? Chi'n meddwl bod sioe fan hyn, ych chi? *Fucking slags*!'

Anna yn arwain Harriet allan o'r drws, yn anelu am y grisiau, y grisiau sy'n arwain i lawr i'r llawr nesa, lle maen nhw'n chwarae recordiau gwahanol, ond yr un miwsig. A rhwng y ddau lawr mae 'na res gul o risiau â charped coch. Ond mae digon o le i eistedd ac i adael i bobl fynd heibio. Mae Anna yn dodi Harriet i eistedd ar un ris, yn agos at y wal, ac yn eistedd ei hunan ar y ris uwch ei phen, ei breichiau ar ysgwyddau Harriet. Mae'n dawel mas fan hyn. Ac yn olau. Y golau hwn yn greulon, yn mynd yn ddwfn i bob crych a phob cysgod ar wynebau rhai sy'n ddigon hen i fod yn fam i Harriet. Y gwallt wedi ei liwio yn goch, yn olau, yn greulon. Y sgertiau yn rhy fyr. Yn rhy goch. Y sodlau'n rhy uchel. Y dyddiau wedi mynd yn rhy gyflym.

'Mae 'da ti ddigon o amser nawr,' sibryda Anna gan geisio diogelu Harriet rhag llygaid y rhai sy'n dechrau syllu eto. Mae'r ferch yn y ffrog goch yn mynd heibio ac yn syllu'n fud. Anna yn dal ei thafod yn dynn yn ei cheg. Y ddwy yn edrych ar ei gilydd, yn asesu ei gilydd wrth i'r llall fynd heibio, yn siglo ei chorff yn herfeiddiol wrth fynd. Mae gwallt Harriet yn hongian i lawr dros ei hwyneb, ond oddi tano mae ei mascara wedi treulio'n ddwy ffynnon o borffor i lawr ei bochau, ac erbyn hyn yn staenio ei llaw. Yn raddol mae ei chorff yn arafu, yn llonyddu. Y beichio yn dod yn anamlach, yn llai gormesol. Nes bod Anna yn gweld ei bod yn gallu gofyn iddi:

'Nawr, wyt ti eisiau siarad? Ti eisiau dweud wrtha i? Ond does dim rhaid i ti, cofia.'

Ond erbyn hyn mae Harriet wedi troi rownd, ei llygaid yn clirio, er bod y mascara yn dywyll ar ei bochau.

'Does dim rhaid i ti siarad fel'na, rwy'n iawn, rîlî. Diolch am ddod â fi mas. Do'n i ddim yn meddwl 'mod i'n gallu goddef rhagor tu fewn fan'na.'

'Beth ddigwyddodd mor sydyn? Roedd Steffan a ti . . .'

Mae Anna yn aros i Harriet dorri ar ei thraws, ond dyw hi ddim. Mae Anna'n ofni'n sydyn ei bod hi wedi dweud y peth anghywir yn rhy fyrbwyll, a bydd Harriet yn dechrau llefain eto. Ond dyw hi ddim. Ond dyw hi ddim yn gwenu chwaith. Ddim yn gwenu fel y dylai hi, yn hapus ynglŷn â Steffan, yn barod i rannu llu o gyfrinachau a sylwadau am ei dechneg, neu ei ffantasïau amdano. Dim byd fel'na. Dim. Ac mae Anna yn dechrau ofni.

'Wnaeth e rywbeth i ti? Os wnaeth e unrhyw beth o gwbl, mae'n rhaid i ti ddweud. Wnaeth e rywbeth o't ti ddim eisiau iddo fe wneud? Mae dynion i gyd yr un peth. Ych chi'n gadael iddyn nhw brynu diod i chi, ac maen nhw'n meddwl eu bod nhw wedi'ch prynu chi, yn meddwl bod hawl gyda nhw i wneud unrhyw beth maen nhw eisiau.'

Harriet yn sylweddoli pa drywydd y mae Anna yn ei ddilyn.

'Na. Na, dim byd fel'na. Dyw e ddim wedi gwneud dim. Mae Steffan wedi bod yn hyfryd. Paid â phoeni am hynny. Ro't ti'n iawn amdano fe. Paid â chael y syniad anghywir. Mae e'n hyfryd. Mae e wedi bod yn ŵr bonheddig. Mae e wedi bod yn wych. Mor wych, dyw hyn ddim yn deg. Ddim yn deg arno fe. Mae e wedi bod yn rhy neis . . . Ond does gyda hyn ddim byd i wneud â fe, ddim yn bersonol beth bynnag, fydd e byth yn deall, ond do'n i ddim yn gallu aros 'na am funud yn rhagor . . .'

Mae Anna eisiau gwybod beth ddigwyddodd, ar dân eisiau gwybod, ond nid yw hi eisiau gofyn. Gwell gadael iddi am sbel. Gadael i'r ochneidio dewi. Gadael iddi sobri ychydig. Gadael iddi feddwl. Ond mae Harriet yn tynnu anadl ddofn, ac yn bwrw ymaith unwaith eto.

'Welaist ti pwy ddaeth mewn jest wedyn?'

'Pwy wyt ti'n feddwl? Mae'r lle 'ma'n llawn.'

'*Fe*, Anna.'

'O, yn enw'r . . .' Mae Anna yn taflu ei phen yn ôl. Yn dechrau colli amynedd. Harriet yn gweld hyn, ac yn dechrau llefain eto. Mae rhai'n dechrau sylwi, ac yn gogwyddo rhwng ceisio peidio ag edrych, a chael cip bach sydyn. Ac maen nhw'n gweld y ferch pryd golau gyda'r mascara ar hyd ei hwyneb i gyd, yn cael ei chysuro gan y ferch hardd â'r gwallt du trwchus.

'Olreit – dwed ti. Mae'n flin 'da fi,' ac Anna yn difaru am golli ei thymer, yn dechrau smwddio gwallt ei ffrind.

Ara bach, Harriet. Am beth wyt ti'n siarad? Sut alla i wybod? Ond dw i wedi gweld hyn o'r blaen. Mae 'da fi syniad eitha da o'r hyn sy'n bod. Gormod o ddiod. Gormod o emosiwn. Ac roedd hi a Steff wrthi'n crasu ei gilydd bron mas fan'na. Mae hi'n mynd yn rhy ddifrifol, dyna'i phroblem hi. Ond ro'n i'n meddwl bod popeth yn iawn heno. Meddwl ei bod hi'n poeni mwy amdana i heno nag amdani hi ei hunan. Ond dyw hwn ddim yn lle da i siarad. Licwn i fod yn unrhyw le arall ond fan hyn. Gallwn ni adael. Mae hyn yn esgus i adael, on'd yw hi? Mae heno wedi troi'n hunllef.

Ond Lois. Mae'n rhaid i fi edrych ar ôl Lois. Rwy'n gwybod beth fydd yn digwydd. Bydd hi ar ei phen ei hun. Bydd Daniel yn gweithio arni gyda'r perswâd rhyfedd 'na. Ac yn raddol bydd hi'n cael ei hudo eto. Mae'n digwydd bob tro. Bob tro maen nhw'n cweryla ac yna'n maddau i'w gilydd, neu yn hytrach hi'n maddau iddo fe. A phob tro mae hi'n mynd yn ôl ato. Bob tro mae hi'n cytuno gyda fi nad yw e'n werth dim. Bob tro mae hi'n diolch i fi am ei chefnogi hi. A phob tro mae hi'n mynd 'nôl ato fe. Y tro hwn mae ei phen yn llawn o'r rwtsh am ddechrau busnes. Ddylai hi fyth fod wedi gadael ei swydd. Roedd hi'n ennill arian da. O Lois, rwyt ti wedi gwneud rhai pethau gwallgof yn dy fywyd di, ond roedd hwnna wir yn un o'r rhai mwyaf twp. Ro't ti yn y lle iawn i gael pennaeth adran hefyd! Olreit, does dim o dy addysg di gyda fi, ond dw i ddim yn dwp chwaith. Sut cei di swydd arall fel'na? Ro'n i'n meddwl taw dyna'r rheswm treuliaist ti'r holl flynyddoedd 'na mewn coleg celf. Er mwyn cael cymwysterau da a gallu mynd yn athrawes. Swydd dda. Swydd sefydlog. Dim sôn am ddim byd fel hyn. A nawr yn sydyn, rwyt ti eisiau dechrau dy fusnes dy hun? Gwerthu'r stwff *arty* 'na does neb yn ei ddeall? Sut wyt ti'n disgwyl i neb wario arian prin ar bethau 'dyn nhw ddim yn eu deall? Oni bai am Harriet wrth gwrs. Mae Harriet yn eu deall. Maen nhw'n bâr da. Ond aeth hi i goleg hefyd, wrth gwrs. Dyna ni, Lois. Dim ond myfyrwyr celf fyddai'n deall. Ydy hynny'n gwneud sens?

'Cymer dy amser, Harriet fach.'

Ond mae hyn yn troi o gwmpas yn fy mhen, heb bwrpas. Wrthi hi, Lois, y dylwn i fod yn dweud hyn, nid

158

yn ei droi a'i throi yn fy mhen fel hyn, yn cynhyrfu fy hun. Ond rwy wedi dweud hyn, wedi'i ddweud wrthi hi, dyna'r pwynt. Wedi ei ddweud drosodd a throsodd. A dw i ddim yn gwybod beth i'w wneud nesa. Ond mae un peth da yn hyn i gyd. Mae wedi ei throi hi yn erbyn Daniel. Mae e fel Chris. Mae pob un ohonyn nhw yr un fath. Mae ei bywyd hi'n well hebddo fe, heb unrhyw un ohonyn nhw. Na, ddylwn i ddim dweud hynny – mae'n rhyfeddol o chwerw. Ond falle ei bod hi'n hwyr i fi, ac wrth edrych ar Harriet, rwy'n dechrau meddwl nad fi yw'r unig un. Ac wrth edrych o gwmpas. Ar yr holl bobl 'ma. O, maen nhw'n trio rhoi'r argraff eu bod nhw ddim yn edrych. Ond maen nhw wedi gweld hyn i gyd o'r blaen hefyd on'd ydyn nhw? A phum mlynedd yn ôl ro'n i yn lle Harriet. A'r merched 'ma. Nid merched – menywod, gwragedd. Ro'n nhw yn ei lle hi, ugain mlynedd yn ôl falle, i rai ohonyn nhw. Ac maen nhw i gyd â gobaith. Dyna pam maen nhw 'ma, wedi eu gwasgu i mewn i'r ffrogiau bach tyn a'r sgertiau byr. Ydw i'n edrych fel'na? Fel y nhw? O Dduw, dwed 'mod i ddim yn edrych fel'na. Duw? Dw i ddim yn credu ynddo fe. Ar adegau fel hyn licwn i fod yn gallu credu mewn Duw, fel y gallwn ei felltithio. Ond alla i ddim hyd yn oed gwneud hynny.

'Cymona dy hunan, Harriet. Dere, i ni gael mynd.'

Bydd hi'n iawn. Dim ond angen sobri. A chysgu. Diwrnod neu ddau a bydd hi wedi anghofio am hyn i gyd. Bydd hi'n cellwair â fi am y peth, yn synnu 'mod i'n dal i ofyn amdani, yn dal i boeni amdani. Rwy wedi gadael Lois yn rhy hir. Dyw hi ddim yn ddigon cryf i wrthsefyll Daniel ar ei phen ei hun. Dyw hi ddim yn sylweddoli. Mae hi wedi ei wrthod, ac mae hynny'n beth da, peth do'n i ddim yn ei ddisgwyl. Ond rwy'n ei nabod hi. Bydd hi'n colli'r cryfder, y pendantrwydd 'na, bydd hi'n ildio. Bydd hi'n ei briodi fe achos bydd e'n ei pherswadio bod amser yn brin. Yn ei darbwyllo taw dyna'r unig beth all hi ei wneud. Y bydd hi ar y silff ymhen pum mlynedd, a bydd neb arall ei heisiau hi, felly bydd priodi nawr yn gwneud sens. Yr unig beth i'w wneud. Ac ymhen blwyddyn bydd plentyn gyda hi, achos dyna'r hyn mae e eisiau, er mwyn profi ei fod e'n ddyn. Ac ymhen blwyddyn arall bydd e'n cysgu gyda merched eraill, er mwyn profi ei fod e'n ddyn. Ac ymhen blwyddyn arall bydd hi ar ei phen ei hunan, gyda'r plentyn. A pha fath o fywyd yw hynny? A heb arian. Achos fydd e ddim wedi llwyddo ennill dim eto. Yn dilyn ei gyrsiau twp, yn fyfyriwr hunanol am byth. Ond o leiaf bydd hi wedi ei briodi fe. Dyna'r unig gysur. Caiff hi arian mas ohono fe wedyn. Fydd hi ddim ar ei phen ei hunan, yn derbyn gwaith rhan-amser achos mae'n rhaid iddi fod gyda'i phlentyn. Yn dibynnu ar Mam a Dad am arian, i warchod, am bopeth. Ond o leiaf bydd ei phlentyn gyda hi. Beth petai Rhian heb gael ei geni? Alla i ddim goddef meddwl fel'na. Mae hi yma. A phetai pethau wedi bod yn wahanol . . . Ond fydd neb yn gwybod yn wahanol, fyddan nhw. A byddwn i'n dewis yn wahanol. Byddwn i yn bendant yn dewis yn wahanol.

'Paid â chrio, Harriet. Dwyt ti ddim wedi sylweddoli eto? Heb ddeall ffeithiau bywyd eto? Un rheol sy, ac mae'n ddigon syml. Os oes *dick* 'da nhw allwch chi ddim eu trystio nhw. Byth.'

'Ond na, dyw hyn ddim byd i'w wneud â Steffan,' medd Harriet wrth rwbio ei hwyneb gyda hances bapur o fag Anna. A'i mascara yn rhy rhad i aros ar flew ei hamrannau wrth iddi lefain, ond yn rhy ddrud i ddod o'i bochau wrth iddi eu rhwbio nawr. Ac yn dechrau gwneud iddi edrych fel petai hi am sefydlu rhyw ffasiwn newydd mewn colur.

'Wel beth yn y byd sy'n bod arnat ti, ferch?'

Harriet yn ymgryfhau. Yn amlwg yn sythu, ac yn troi i wynebu Anna sy'n eistedd ris yn uwch na hi. Dechreua Harriet ei hesboniad yn ddifrifol:

'Welaist ti'r dyn ddaeth mewn tra 'mod i'n . . . ti'n gwbod . . . gyda Steffan.'

''Wedais i, mae'r lle'n llawn. Pa ddyn?'

'Yr un yn y crys glas.'

'Mae degau o grysau glas yn y . . .'

'Yr un tywyll. Croen tywyll, rwy'n ei olygu. Mae e'n dod o'r Eidal.'

'Beth?'

'Dwyt ti ddim yn ei nabod e. Dim ond unwaith cwrddais i â fe.'

'Beth, Harriet? Cwrddaist ti â fe *unwaith*?'

O, pwy yw hwn yn sydyn? A dyma fi'n meddwl bod hyn yn mynd i fod yn rhywbeth pwysig. Hen gariad. Rhywun sy wedi ei cham-drin hi. Rhywun roedd hi'n bwriadu ei briodi. Rhywun roedd hi wedi treulio blynyddoedd gyda fe. Rhywun sy mor bwysig iddi bydd dim ond meddwl amdano fe yn ei hala hi i lefain. Gallwn i ddeall hynny. Ond nawr dyma hi'n ypsét i gyd dros rywun mae hi wedi cwrdd â fe unwaith? Beth sy'n digwydd i ti, Harriet?

'Olreit, beth ddigwyddodd?'

'Wel, pythefnos yn ôl, pan oedd rhaid i ti aros gartre pan oedd Rhian yn dost . . .'

'Ie?'

'Wel, yr un gyda'r cyhyrau mawr.'

'Ie, Harriet, rwy'n deall.'

O diar, rwy'n gwybod beth mae hyn yn ei olygu. Cyhyrau mawr. Rwy'n gwybod beth yw dy deip di. Ond dwyt ti ddim fel y rhan fwyaf o'r merched fan hyn, Harriet. Wnest ti ddim, Harriet. Wnest ti ddim, naddo?

'Wel, ro'n ni'n dawnsio gyda fe, Lois a fi, a . . .'

'O, Harriet . . .'

'Wel, roedd e'n neis. Yn olygus. Dawnsiwr gwych. Dylet ti fod wedi gweld y *moves* roedd e'n gallu'u gwneud. Dw i ddim yn gallu dawnsio'n wych, ond gyda fe roedd pethau'n wahanol. Roedd e'n fy nhroi i o gwmpas, yn gwbod pryd i dynnu i mewn, a thynnu mas.'

'Oedd, rwy'n siŵr ei fod e.'

'Does dim rhaid i ti fod fel'na.'

'Fel beth?'

'Ti'n gwbod, mor aflednais.'

'O Hari, 'na air. Falle gallet ti ei esbonio i fi rywbryd.'

'Dwed e. Jest dwed. Rwy'n *slapper*, on'd ydw i. Rwy'n hen *slapper*.'

'Harriet, ddwedais i ddim o'r fath beth.'

'Ond dyna beth rwyt ti'n ei feddwl. Rwy'n *slapper* am gysgu gyda rhywun fel'na y noson rwy'n cwrdd â nhw. 'Na beth wyt ti'n ei feddwl, ondefe?'

'Rwyt ti'n rhy galed ar dy hunan, Harriet.'

'Ond mae'n wir.'

'Wel, falle fod e ddim yn syniad da, y tro cynta i ti gwrdd â fe, a dim syniad pwy yw e na dim byd fel'na . . .'

'Ie, o'n i'n gwbod,' meddai Harriet a gafael yn ei phen â'i dwy law a'i dynnu i lawr i'w chôl. 'Ro'n i'n gwbod sut baset ti'n ymateb.'

'Dw i ddim yn dweud aros am noson y briodas na dim byd fel'na, ond . . . wel, Steff er enghraifft. Byddai'n wahanol taset ti eisiau gadael gyda Steff heno.'

'Pam?' Harriet yn troi arni. 'Pam? Achos 'mod i'n nabod rhywun sy'n ei nabod e? Achos 'mod i'n gwbod ble mae fe wedi bod?'

'Cadw dy lais lawr, mae pobl yn dechrau sylwi.'

'Gad iddyn nhw. Rwy'n un ohonyn nhw, on'd ydw i? Dylen nhw adnabod eu hunain. Falle caf i gydymdeimlad yn y lle 'ma. Does dim gwahaniaeth, nac oes? Paolo, Steff, yr un yr wythnos cyn 'ny, yr un yr wythnos nesa. Dw i'n ddim byd ond putain, fel y mwyafrif o ferched yn y lle 'ma. A fydda i ddim yn newid nawr, na fydda i? Bydda i 'ma mewn deng mlynedd, yn dal i wisgo'r un sgertiau byr, yn dal i bigo dynion lan, ond yn ddigon hen i fod yn fam iddyn nhw erbyn hynny. Bydda i'n un o'r merched truenus, hyll 'na.'

'Na, Harriet, fyddet ti ddim fel y nhw.'

Na, fyddet ti ddim. Achos tu ôl i'r holl ddwli 'ma mae meddwl da gyda ti. Mae sens gyda ti. Mae addysg gyda ti, swydd dda, dyfodol. Jest dihuna, dihuna Harriet, 'na i gyd mae'n rhaid i ti 'i wneud. Ond beth amdana i, Harriet, wyt ti wedi meddwl amdana i? Mae teimladau gyda fi hefyd. Wyt ti'n meddwl 'mod i ddim yn teimlo'r un fath â ti weithiau? Achos 'mod i wedi bod yn briod unwaith? Achos 'mod i'n fam? Rwy'n dal i fod yn unig, Harriet. A gwaeth. Wedi cael fy nghuro, Harriet. Ydy hwnna wedi digwydd i ti? O na, byth. Beth sy gyda ti i'w boeni amdano? Dim. Dim! Dwyt ti ddim wedi aros ar ddihun tan oriau mân y bore yn aros, yn aros amdano fe. Heb wybod faint mae e wedi yfed, pa mŵd mae e ynddo, beth mae e'n mynd i'w wneud nesa, a beth sy'n dod i ti. Pa gosb sy'n dod i ti, dim ond achos dy fod ti 'na, dy fod ti'n gyfleus. Wyt ti wedi aros ennyd i feddwl amdana i? Na, dim ond ti sy'n bwysig, ondefe.

'A dim ond cariad sy ei eisiau arna i, Anna, dim ond cariad,' a'r gair olaf wedi ei fygu gan ddagrau, ond dagrau gwahanol nawr, dagrau newydd, rhai mawr gwlybion yn syrthio rhwng ei bysedd a thros ei throwsus yn dalpiau cynnes, rhydd.

'Bydd yn dawel nawr, Harriet. Jest dere gyda fi. Ffindwn ni Lois, ac awn ni tua thre.'

'Na, dw i ddim gwell na'r un ohonyn nhw.'

'Paid nawr, jest dere.'

Gad i hwn fod nawr, Harriet, wnei di? Ro'n i'n meddwl bod rhywbeth yn bod, ond rwyt ti wedi blino. Wedi cael digon. Digon o bopeth. Awn ni nawr. Awn ni. Nawr.

'Ond dwyt ti ddim yn deall, Anna!'

Dwyt ti ddim yn deall na alla i ei weld e nawr. Alla i ddim dod llygaid yn llygaid gyda fe heno. Byddai'n rhy *embarrassing*. Nid heno. Dywedodd e ei fod e'n mynd 'nôl i'r Eidal, ei fod yn gweithio ar y fferis a bod ei long e'n gadael mewn wythnos. Ond dyma fe yma. Mae pethau yn edrych mor wahanol heno. Ddylwn i ddim fod wedi gwneud beth wnes i. Mae Anna'n iawn. Ddylwn i ddim fod wedi cysgu 'da fe. Ond ro'n i mor unig. Roedd cael corff yn erbyn fy nghorff innau, cael teimlo dwylo rhywun o 'nghwmpas, yn ormod i fi. Ac roedd e mor olygus. Ac roedd e yno. Ac roedd popeth yn teimlo'n iawn. Oes rhywbeth yn bod ar hynny? Ond wrth gwrs bod rhywbeth yn bod ar hynny. Dyw Anna ddim yn deall. Mae'n iawn difaru am beth wnes i, ond faint o weithiau rwy wedi gwneud yr un peth? Ac rwy'n mynd i wneud yr un peth eto heno, on'd ydw i. Na, falle nid heno. Ond fory falle. Falle'r wythnos nesa. Byddai'n cwrdd â Steffan eto os yw e eisiau, neu Steffan arall, does dim ots pwy yw e, a bydda i'n cysgu gyda fe, yn rhy glou, a bydd e'n blino gyda fi, a fi gyda fe, a bydda i'n ôl 'ma yr wythnos wedyn, a bydd rhywun arall.

'Does dim byd yn bod ar Steffan. Fi yw'r broblem.'

'Paid â phoeni, Harriet.' Harriet, cau dy geg.

'Beth wyt ti'n feddwl?'

'Dyw pethau ddim mor wael ag wyt ti'n ei feddwl. Beth yw dy broblem di? Fuoch chi'n ofalus, on'd o?'

'Beth ti'n feddwl?'

'O, Harriet, paid, paid â dweud wrtha i . . .'

'Rhyw saff, ti'n golygu? Wrth gwrs 'mod i 'di bod yn ofalus. Falle 'mod i'n *slapper*, ond dwi ddim yn un dwp.'

Am ryw reswm mae Harriet eisiau chwerthin, ond yn gwrthod y temtasiwn gan ei fod yn teimlo mor wrthun. Ond mae'n caniatáu i wên ysgafn ddianc.

'Wel, mae popeth yn iawn, 'te, on'd yw hi.'

'Wel . . .'

'Paid â dweud "wel". Pwy sy ddim wedi bod yn y sefyllfa 'na? Ond ofalaist ti amdanat ti dy hun, dyna'r peth pwysig. A dwed wrtha i . . .'

'Beth?'

Anna yn gwyro i lawr yn agos at glust Harriet, er bod gormod o sŵn i unrhyw un ei chlywed hi'n sibrwd, hyd yn oed allan yn y coridor, fel petai rhywbeth o bwys mawr ganddi i'w ddweud.

'Oedd e'n dda?'

Gwên fawr, braf yn taenu dros wyneb Harriet am y tro cyntaf ers awr. Hithau'n edrych o gwmpas, fel petai pawb yn edrych arnyn nhw, fel petai pawb yn gallu clywed ac yn gwrando ar bob gair.

'Wel, a dweud y gwir . . .'

Un o'r gloch y bore

Ac wrth i'r ciw am y tŷ bach dyfu mae grŵp o ferched wrth y drws yn dechrau pendroni pam fod y ddwy fenyw ryfedd 'na'n chwerthin mor braf. Pam eu bod nhw'n beichio chwerthin. Pam eu bod nhw'n dechrau colli rheolaeth. A pham nad oes ots gyda nhw bod eu colur yn rhedeg ar eu hwynebau, a'u gwallt yn anniben. Rhaid eu bod nhw'n cael amser da. Yn cael amser gwell na nhw. Beth yw'r gyfrinach, tybed?

''Ma beth wnawn ni.' Anna sy'n cymryd yr awenau eto, yn sicr, yn bendant nawr, a Harriet yn dechrau codi, ac yn smwddio ei dillad ac yn edrych yn ddisgwylgar. '*Plan of action*. Bydd popeth yn iawn, paid â phoeni. Ond allwn ni ddim gadael Lois, reit?' Ac mae pwyslais terfynol yn llais Anna.

'Na, wrth gwrs.'

'Wel, awn ni'n ôl mewn. Wedyn ffindwn ni Lois, ac wedyn awn ni i gael cyrri. Wyt ti eisiau bwyd?'

'Mae hwnna'n dechrau teimlo fel syniad gwych.' Harriet yn gwenu ac yn dechrau cymryd diddordeb mewn rhywbeth heblaw hi ei hunan.

'Ac oes wyt ti'n digwydd taro mewn i Alfonso, neu pwy bynnag . . .'

'Paolo.'

Mae Anna yn gwgu. 'Olreit, Alfredo . . .'

'Na!' Harriet yn gweiddi arni, ac yn gafael ym mhen Anna â'i dwy law ac esgus ei siglo. 'Paolo – 'wedais i . . .' ac mae'n chwerthin gyda hi. Ond mae'r chwerthin yn peidio, a Harriet yn torri ar draws ei mudandod hir ei hun, ac yn dweud yn fyfyriol. ' . . . Os taw dyna oedd ei enw yn y lle cyntaf,' a'i llygaid yn troi'n lleddf unwaith eto.

'Paid â meddwl amdano fe.' Rwy'n gwybod beth mae hi'n feddwl. Mae hi'n teimlo'n ddigon gwael am y peth cyn dechrau. Ac mae hi'n meddwl ei bod hi wedi cael ei thwyllo hefyd. Dyw hi ddim yn gwybod pwy oedd e, pwy yw e. Ond eto i gyd, doedd e ddim yn gwybod pwy oedd hi chwaith. Os oedd ots gyda fe. A dyna'r peth sy'n ei phoeni fwyaf. Doedd dim ots gyda fe. Wel, does dim byd all unrhyw un ei wneud nawr. Dim ond ymdopi â'r sefyllfa, dysgu ymdopi â phethau fel y maen nhw. 'Os wyt ti'n ei weld e, Harriet, jest edrych i gyfeiriad arall, neu os yw e'n mynnu dod draw i siarad 'da ti, jest siarad am y tywydd neu rywbeth.'

'Ond beth os bydd e'n disgwyl rhywbeth?'

'Beth allai fe ddisgwyl?'

'Ond bydd hi'n anodd.'

'Na fydd.' Mae Anna yn gwrthod derbyn hyn, ac yn dangos hynny gyda symudiad swrth o'i llaw. 'Paid â phoeni. Does dim rhaid i ti siarad gyda fe eto dim ond achos cysgaist ti gyda fe unwaith. Does dim rhaid i ti wneud dim iddo fe na dweud dim wrtho fe. A phaid ag anghofio y bydda i gyda ti. Does dim rhaid i ti ei gydnabod e o gwbl. Pwy yw e i ti, beth bynnag?'

A dyna'r hyn sy'n dy boeni di, ondefe Harriet, yr hyn sy'n dy boeni di fwyaf.

'Anna – dere'n ôl am funud.'

'Beth?'

'Am Chris . . .'

'Beth am y diawl?'

'Dwyt ti ddim yn meddwl hwnna – ddim rîlî?'

'Ydw, rîlî.'

O, na, mae Harriet yn edrych fel petai hi'n mynd i ddechrau llefain eto.

'Ddim rîlî?'

'Beth 'te, Harriet?'

'Ro'n i'n meddwl eich bod chi'n dod 'mlaen yn iawn heno. Rho gyfle iddo fe. Ro'ch chi gyda'ch gilydd am fwy na blwyddyn, on'd o'ch chi?'

'Blwyddyn a diwrnod i fod yn gwmws, Harriet.'

Fel yn y storïau tylwyth teg, Harriet. Blwyddyn a diwrnod. Priodol, ondefe?

'Fel yn y storïau tylwyth teg!' Mae wyneb Harriet yn goleuo ac yn meddalu wrth ochrau ei llygaid a'i cheg. 'Dyna hyfryd.'

'Ie, Harriet. Hyfryd.'

Ond yr hyn sy i fod i ddigwydd yw bod y broga yn troi'n dywysog ar ôl cael ei gusanu, nid y ffordd arall.

'Wel, dwyt ti ddim yn meddwl bod cyfle gyda chi?'

'Cyfle am beth?'

'Wel, cyfle arall i chi.'

Ond mae ei hwyneb hi mor ddisgwylgar, mor, Duw a'm helpo, mor hapus. Mae hi'n edrych yn sypyn bach mor druenus hefyd, ac rwy'n clywed fy hunan yn dweud: 'Sai'n gwbod.'

Ac mae ei hwyneb mor llon wrth glywed hyn. Tybed . . .

'Harriet?'

'Ie?'

''Dyn ni ddim wedi gweld Chris o gwmpas y dre am fisoedd. Dyw e ddim yn dod fel arfer. Pam fod e yma heno? Dwyt ti ddim yn meddwl bod rhywun wedi dweud rhywbeth wrtho fe, wedi . . .' O na, mae hi'n edrych fel petai hi'n mynd i grio eto. 'Does dim ots gyda fi, os taw ti . . .'

'Ro'n i'n meddwl . . .' Mae Harriet yn siarad drwy ei dwylo. 'Ro'n i'n meddwl, petaech chi'n cael cyfle i fod gyda'ch gilydd, dim ond am gwpwl o oriau, y byddai

168

pethau'n gwella rhyngoch chi. Ych chi i *fod* i fod gyda'ch gilydd. Ych chi mor debyg, ac mae fe'n hoffi Rhian, dwedaist ti hynny dy hunan . . .'

'Wel, do, ond . . .'

Harriet. Dylwn i fod wedi sylweddoli. Harriet oedd wedi cynllunio hyn i gyd. Gwneud yn siŵr ei fod e'n gwybod y byddwn ni 'ma heno. Hi. Ond eto i gyd, roedd ei chymhelliad hi'n un da, alla i ddim gweld bai arni am hynny. Ond chwarae teg iddi hi. Mae pethau'n siŵr o fod yn edrych yn wahanol o'i safbwynt hi. Mae merch yn gallu bod yn hapus heb ddyn, Harriet. Onest. Ond paid â phoeni am hynny nawr. Alla i ymdopi gyda fe. Rwy'n oedolyn wedi'r cyfan. Wel, rwy'n credu falle y galla i ei oddef e. Am ryw hanner awr arall, os yw e'n lwcus. Er mwyn Harriet. Ond dim ond er mwyn Harriet.

'Un peth, Harriet,' mae Anna yn siarad nawr a'i llaw ar ysgwydd ei ffrind. 'Cyn i ti fynd 'nôl mewn fan'na, golcha dy wyneb, wnei di? Ti'n edrych fel Morticia Addams.'

'Nôl â ni. Rwy'n gweld Chris a Daniel, ond ble yn y byd mae Lois wedi mynd?

Harriet ac Anna yn ailymuno â'r grŵp. Chris yn sibrwd rhywbeth yng nghlust Harriet. Mae hi'n gwenu ac yn chwerthin yn afreolus. Edrycha Anna ar y ddau yn amwys. A'r dynion yn edrych ar ei gilydd. Esbonia Daniel wrth Anna bod Lois yn chwilio amdanyn nhw. Ei bod hi yn y tŷ bach neu rywle. Anna yn siarad â Daniel. Yn ceisio siarad â Daniel drwy'r holl sŵn. Yn sefyll ar ei bwys e, ei chlust yn agos at ei wyneb, yn dal y gwallt trwchus sy'n hongian dros ei chlust chwith yn ei llaw. Chris yn gwylio, Steffan yn closio at Harriet eto, ond eto i gyd yn cadw cryn droedfedd oddi wrthi, yn dal ei beint yn agos at ei frest, fel petai'n arf i'w amddiffyn. Y ddau yn siarad. Wedyn yn rhoi eu diodydd i lawr ar y bar yn

fud ac yn mynd law yn llaw i'r llawr dawnsio. Yn swil.
Yn ofalus gyda'i gilydd. Fel cariadon newydd.

Anna yn sylwi ar Lois ym mhen draw'r stafell, ac yn
chwifio, yn amneidio'n rhy frwdfrydig. Chris yn
gwylio. Yn gwylio pob symudiad o eiddo Anna, yn
amyneddgar, yn dawel. Ac mae Anna wedi dod o hyd i
Lois.

'Ble est ti?' gofynna Anna.

'I chwilio amdanat ti.'

'Ro'n i'n meddwl dy fod ti wedi mynd i rywle.'

''Swn i ddim yn mynd heb 'weud wrthot ti.'

'Rwy'n falch o glywed. Ro'n i'n meddwl 'mod i 'di
dy hyfforddi di'n well na 'ny. Roedd Harriet yn ypsét.
Es i â hi mas am funud.'

'Am beth?'

'O, dim byd mawr. Ti'n nabod hi, mae hi'n chwythu
pethau lan weithiau. Ac mae hi 'di yfed gormod, siŵr o
fod. Mae hi'n iawn. Shgwl – mae hi'n dawnsio gyda
Steffan.'

A'r ddwy yn troi i edrych arnyn nhw'n symud gyda'i
gilydd, llygaid Harriet ar gau, a breichiau Steffan
amdani, ond braidd yn cyffwrdd â hi, yn symud yn
agosach ac yn cydio yn ei dwylo yn dyner, a Harriet yn
gadael iddo ei thywys yn ei thywyllwch mwll.

'Mae hi'n edrych yn iawn i fi.'

'Ŷn ni'n meddwl mynd am gyrri wedyn – y Balti
newydd 'na ar bwys y Guildhall?'

'Sai'n gwbod, ces i bryd o fwyd cyn dod mas.'

'Celwydd yw hwnna. Cest ti dun o ffa pob oer. Ro'n i
'na. Gwelais i. Mae'n rhaid i ti fwyta. Dim byd o'r
nonsens deiet 'ma. Ti'n rhy denau'n barod.'

'Olreit. Falle. Mae'n dibynnu sut aiff pethau heno.'

'Dibynnu ar beth?'

'Wel . . .'

'Ar beth, Lois?'

Maen nhw i gyd 'ma nawr. Y dynion i gyd, ein
dynion ni, i gyd yn eu crysau lliwgar. Yn barod am
rywbeth. Rhywbeth. Ac ŷn ni i gyd i gwmpo wrth eu
traed wrth gwrs, yn wyneb y gwrywdod 'ma i gyd.
Mae'n ormod i ni, on'd yw e?

Mae'r olwg 'na yn ei llygaid . . . Mae hi'n mynd i
ddawnsio gyda fe, on'd yw hi. Yr olwg 'na yn ei llygaid,
fel petai'n bymtheg oed gyda'i sboner cynta. Mae hi'n
disgleirio. O, Lois, paid . . .

A phaid â 'ngadael i ar fy mhen fy hunan gyda Chris.

Maen nhw'n dawnsio, Harriet a Steffan. Ond yn
weddus. Maen nhw wedi tynnu'n ôl oddi wrth ei gilydd,
yn dawnsio'n gyflym. I'r caneuon dawns, y rhai
undonog sy'n bygwth mynd ymlaen am byth. Yn
weddus, lled braich oddi wrth ei gilydd. Yn hapus. Yn
chwerthin. Yn gwenu ar ei gilydd. Yn agored. Yn
ddiniwed. Fydd hi byth yn dysgu? Ond pwy ydw i i
ddweud wrthi? Ei bywyd hi yw e. Mae ganddi ei ffordd
ei hunan o fyw, o ymddwyn. Beth alla i ei ddweud wrthi
beth bynnag? Fydd hi ddim yn gwrando, a pham ddylai
hi? Mae'n rhaid iddi hi benderfynu drosti hi ei hunan, os
penderfynu mae rhywun wedi'r cyfan. Ond bydd rhaid
iddi ymdopi â'i sefyllfa yn ei ffordd ei hun, mewn
unrhyw ffordd sy'n gweithio iddi hi. Ond bydd yn
ofalus, Harriet. Gwna beth fynni di, ond bydd yn saff,
bydd yn ofalus. Mae'r gân yn gorffen. Maen nhw'n dod
yn ôl at y bar. Mae Harriet yn edrych arna i, yn gwenu
arna i. Yn aros am rywbeth. Yn disgwyl.

Anna yn troi o gwmpas yn sydyn, oddi wrth Chris, a
rhyw arswyd tawel yn ei llygaid. Chris yn gwthio diod
i'w llaw a hithau'n tynnu anadl, yn agor ei cheg, fel
petai ar fin dweud rhywbeth, rhywbeth swrth a chwerw,
ond yna yn edrych draw at ben arall y bar lle mae

Harriet yn edrych arni hi drwy amrannau ei llygaid, llygaid sy'n hanner caeedig gyda rhybudd.

'Diolch, Chris.'

'Croeso.'

Ac mae hi'n gwenu. Gwên siriol. Ond ei haeliau'n codi'n uchel, a'i gwefusau'n dynn gyda'i gilydd. A Harriet yn dal i edrych. Ac Anna yn dal ei diod i fyny o flaen wyneb Chris mewn un ystum mawreddog.

'Diolch, Chris.'

Roedd hynna'n ddigon amlwg, does bosib? Yn ddigon amlwg i Harriet allu ei weld, i gael y neges. Nawr, cer bant gyda Steffan, a phaid â 'mhoeni i. Sai'n gwybod am ba mor hir y galla i gadw'r wên dwp 'ma ar 'yn wyneb i.

'Mae hwnna'n iawn, on'd yw e, Anna?'

'Beth, Chris?'

'*G and T*, ti'n dal i yfed *G and T*?'

'Perffaith.'

Chris yn cyffwrdd yn ysgafn bach ym mhenelin Anna, ac yn ei throi yn dyner ac yn bwyllog i ffwrdd oddi wrth y bar. Mae hi'n dilyn, o hen arfer, heb lawn sylweddoli'r hyn mae hi'n ei wneud. All e ddim gwneud unrhyw niwed. Mae'n dal yn ymwybodol o lygaid Harriet ar ei chefn. Yn dal i gynnal y wên stiff, lydan.

Heb yn wybod iddi ei hunan, mae hi'n ffeindio ei hun ym mhen pella'r ystafell, yn agos at y drws.

'Dere mas gyda fi am funud.'

'O, na.' Mae Anna yn troi i'w heglu hi yn ôl i mewn mor gyflym ag sy'n bosib, ond mae Chris wedi llithro ei fraich o gwmpas ei phenelin hi yn barod, yn disgwyl iddi ymateb fel hyn.

'Do'n i ddim yn golygu *mas*, mas, dim ond rhywle mas o'r sŵn 'ma.'

'Pam?'

Mae hyn yn ddigon i Harriet. Rwy'n fodlon mynd cyn belled â hyn, rwy'n fodlon bod yn gwrtais wrtho, rwy'n fodlon siarad â fe, yfed ei ddiodydd e, hyd yn oed dawnsio gyda fe, ond mae 'na rai pethau sy'n ormod i ti eu ddisgwyl oddi wrtha i.

'Rwy eisiau siarad 'da ti am rywbeth.'

'Does dim byd gyda fi i ddweud wrthot ti, Chris, ti'n gwbod 'ny. A phaid â chamddeall hwnna mewn fan'na, y ffordd o'n i'n siarad gyda ti. Mae Harriet yn ypsét heno. Mae hi eisiau ein gweld ni'n dod 'mlaen gyda'n gilydd. 'Na'r unig reswm rwy'n siarad gyda ti heno, reit? Roedd hi, yn ei ffordd blentynnaidd fach hi, wedi trio rhyw gynllwyn dwl i'n cael ni'n ôl 'da'n gilydd . . . Ond wrth gwrs ro't ti'n gwybod am hynny, on'd o't ti.' Mae hi'n oedi, er mwyn astudio'i ymateb, ond nid oes un, dim un o gwbl. 'Ond rwy'n gallu gweld trwy hynny, a dylet ti hefyd . . .'

'Falle bod mwy o sens gyda dy ffrind na sy 'da ti, wyt ti wedi ystyried hynny?'

'Harriet â sens? Dyw hwnna ddim hyd yn oed yn ddoniol.'

'Mae hi eisiau i ni fod yn hapus . . .'

'Dw i ddim yn mynd i chwarae dy gêmau di 'to,' meddai Anna a throi i fynd, ac yntau'n dal ei braich er mwyn ei chadw hi yno gydag ef, ac yna'n ei gollwng yn sydyn, ag arswyd yn ei lygaid wrth sylweddoli ei fod wedi ei gwasgu'n galed. Ac mae'n rhaid iddo sefyll 'nôl, gadael iddi weld mai dim ond geiriau y mae'n bwriadu eu defnyddio i'w pherswadio hi. Ac mae Anna'n deall hynny. Nid yw erioed wedi defnyddio dim ond geiriau. Ac mae hi'n gwybod hynny. Ond nid yw'r neges yn ei llygaid yn newid.

'Olreit, Anna. Rwy wedi cael y neges. Does dim diddordeb gyda ti. Olreit. Jest siarad â fi 'te. Jest i gadw

Harriet yn hapus. Aros gyda fi. Jest aros gyda fi am dipyn, jest i siarad.'

Anna yn edrych ar Chris, yna yn ôl at Harriet sy'n gwenu'r wên fach hurt 'na arni eto.

'Olreit.' Mae ei llais yn bwyllog ac yn ystyriol. 'Ond dim ond i'r cyntedd. Dw i ddim yn bwriadu mynd ymhellach gyda ti.'

Cytuna Chris gydag amnaid cynnil o'i ben, a hithau'n mynd yn ufudd gydag ef. Anna sy'n arwain, yn mynd â fe i'r cyntedd ar ben y grisiau, lle y bu hi'n eistedd yn siarad gyda Harriet gynnau, heibio'r ciw i dŷ bach y merched a hwnnw'n gwthio allan i'r cyntedd erbyn hyn, a heibio'r stafell gotiau â menyw sur ganol oed yn syllu mas arnyn nhw â hen flinder yn y cysgodion o dan ei llygaid.

'Beth 'wedodd Harriet wrthot ti?' Mae Chris yn pwyso'n ôl yn erbyn y wal.

'Dim byd. Beth wyt ti'n meddwl ei bod hi wedi dweud?'

'Amdana i, am fod 'ma heno. Os taw Harriet gynlluniodd hyn, wel, 'wedodd hi ddim byd wrtha i, ofynnodd hi ddim.'

'Na, dw i ddim yn dy gredu di,' ac mae Anna yn siglo ei phen yn sicr. 'Dyw hwnna ddim yn rhan o steil Harriet. Mae hi'n creu'r pethau 'ma, ti'n gweld, yn ei dychymyg bach ei hunan; mae hi fel merch fach gyda thŷ dol, ac mae hi'n creu'r *scenarios* 'ma, fel mae hi eisiau i bethau fod, fel mae hi'n gweld pethau'n digwydd, ac wedyn mae hi'n disgwyl iddyn nhw ddigwydd, a phan 'dyn nhw ddim mae hi'n drysu. 'Wedodd hi wrthot ti i fod 'ma heno, on'd do? Rwy'n ei nabod hi. Ac rwy'n dy nabod di. Rwy'n gwbod pryd wyt ti'n dweud celwydd. Mae dy glustiau di'n cochi.'

Nid yw Chris yn gwybod lle i edrych, ac mae Anna'n

teimlo'n fodlon ei bod wedi achosi iddo deimlo'n lletchwith. Mae hyd yn oed buddugoliaeth fach yn well na dim un o gwbl.

'Olreit.' Mae'n cyfaddef yn ffwndrus. 'Trefnodd hi i fi fod 'ma heno. Ffoniodd hi fi, olreit? Ond beth sy'n bod ar hynny i gyd yn sydyn? Trio helpu pobl mae hi. Yr unig beth dw i ddim yn deall yw pam rwyt ti 'ma.'

Sylla Anna arno fel gwyddonydd sy wedi esbonio ei dyfais newydd deirgwaith yn barod, a does neb o'r gwrandawyr penwan wedi ei deall eto a'r peth mor glir iddi hi.

'Pam dw *i* yma? Wel, dim ond un rheswm, cariad,' ac mae hi'n taro ei foch yn ysgafn ysgafn gyda chledr ei llaw. 'Achos wnaeth hi ddim dweud wrtha i y byddet ti 'ma. 'Na fel mae cynllwynion fel hyn i fod i ddigwydd cariad. 'Dyn nhw ddim yn gweithio os yw'r ddwy ochr yn gwbod amdanyn nhw, ydyn nhw, cariad. Ac wyt ti'n credu, taswn i'n gwbod, 'swn i wedi dod 'ma heno? O na, taswn i'n gwbod byddet ti yn y dre heno 'swn i wedi trefnu trip, can milltir o Abertawe, mewn unrhyw gyfeiriad. Cariad.'

Mae golwg mor fyfyrgar yn ei lygaid. Ei aeliau fel petaen nhw yn is dros ei lygaid nag arfer, neu a oedden nhw fel hyn drwy'r amser, a dim ond nawr rwy'n sylwi arnynt? Ro'n i'n disgwyl rhyw ateb chwerw, rhyw sarhad sydyn. Mae e'n hollol sobr. Ro'n i'n anghywir. Ro'n i'n meddwl ei fod e'n feddw. Wedi camddeall ei ansicrwydd. Mae e'n gwybod beth mae'n ei ddweud. Falle bues i'n rhy chwerw, yn rhy hallt. Tybed.

'Beth wyt ti wedi bod yn ei wneud yn ddiweddar, 'te?' Mae Anna yn gofyn, heb ddim chwerwedd na chellwair tywyll y tro hwn. Ond eto heb emosiwn na diddordeb chwaith. Mae e'n ateb yr un fath.

'Gwaith. Lot o waith. Mae'r cwmni'n ehangu dros

Orllewin Cymru nawr. Rwy wedi bod yn gweithio yn y swyddfa yng Nghaerfyrddin am gwpl o fisoedd.'

'Dyna pam dw i ddim wedi dy weld di o gwmpas.'

'Ie, siŵr o fod. Ac roedd yn gyfle i fi dreulio amser 'da'n chwaer i. Ti'n cofio Lisa?'

Nodia Anna ei phen.

'Yr un sy'n briod â'r milfeddyg, rwy'n cofio.'

'Cwrddoch chi'r tro 'na . . . ym mhriodas Jane.'

'Ym mhriodas Jane.'

Y ddau yn rhewi ac yn syllu ar ei gilydd wrth sylweddoli eu bod nhw wedi dweud yr union un geiriau yr union yr un pryd.

'Ie, rwy'n cofio.' Mae wyneb Anna yn newid yn sydyn. Yn gwrido. 'Sut mae hi?'

'Rwy wedi ei pherswadio hi i adael ei gŵr. Roedd e'n ei cham-drin hi, o't ti'n gwbod hynny, on'd o't ti. Cyfrinach fwyaf cyhoeddus Sir Gâr. Ond rwy wedi bod yn treulio lot o amser gyda hi. Roedd eisiau rhywun arni, i ddod trwy bopeth.'

'Rwy'n siŵr,' mae Anna yn dweud.

Chris yn troi ei wyneb oddi wrthi ac yn edrych i fyny.

'Mae'n flin 'da fi.' Mae hi'n cyffwrdd â'i fraich, yn gwasgu yn sicr, yn gadarn. 'Na, rîlî, mae'n flin 'da fi. Os oes unrhyw beth alla i wneud i helpu . . .'

'Na,' mae e'n dweud yn swrth, ac yn mynd yn fud. 'Fi ddyle fod yn cynnig 'ny i ti.'

'Na, mae'n . . .'

'Wyt ti wedi gweld Clive yn ddiweddar . . .?'

'Mae popeth yn iawn gyda Clive.'

'Jest gofyn o'n i. Jest gofyn.'

'Wel does dim rhaid i ti. Mae popeth yn iawn. Does dim rhaid i ti boeni. Mae hwnna i gyd dan reolaeth.'

'Jest meddwl, does dim rheswm 'da fe dros ddod ar dy gyfyl di nawr . . .'

'Mae Rhian . . .'

'Ie.'

Mae Chris yn tewi. Ag ofn mynd ymhellach. Yn penderfynu tynnu'n ôl.

'Rhian – sut mae Rhian?' Mae hyn yn saffach.

'Mae hi'n dda iawn. Diolch am ofyn . . . mae . . . mae hi'n gofyn amdanat ti weithiau. Mae hi wastod yn siarad am y diwrnod 'na est ti â ni i Borthcawl, a phrynaist ti boster o'r *Spice Girls* iddi, ac ennill arth fach iddi.' Mae Anna yn gwenu eto, ond y tro hwn mae'r wên yn ddidwyll. Mae Chris yn ymuno â hi.

'Ie, rwy'n cofio. Roedd hi'n ddiwrnod perffaith. Y tywydd . . .'

'Mae hi'n mynd â'r arth 'na gyda hi i bobman. Mae hi'n ei garu fe.'

'Rwy'n falch ei bod hi'n iawn. Os wy i'n cael plant unrhyw bryd licwn i iddyn nhw droi mas fel Rhian.'

'Diolch, doedd dim rhaid i ti weud hynna.'

Tawelwch, ond mudandod cyfforddus ydyw. Ac yna llais Chris yn dawel ac yn feddal ac yn gynnes wrth iddo ddweud: 'Do'n i ddim yn gwbod 'na.'

'Gwbod beth?'

'Am 'y nghlustiau i. Yn cochi pan wy'n dweud celwydd. 'Sneb wedi dweud 'na wrtha i o'r blaen.'

'Achos fi wnaeth e lan – jest nawr.' Mae ei llais yn dyner. 'Ond o't ti yn dweud celwydd, on'd o't ti?'

Edrycha Anna i fyny ato, a'i llaw yn dod yn agos iawn at ei law yntau.

Mae Harriet wedi gadael ochr Steffan, ond dim ond am hoe fach.

'Dere – dwed wrtha i beth sy'n digwydd,' ac mae'n gwthio ei hunan wrth ochr Lois ar y cadeiriau esmwyth, ac eistedd fel aderyn bach ar rimyn ei chadair hi, ei diod yn grud bach yn ei dwylo, ei phengliniau gyda'i gilydd, ei thraed ar led, ac yn edrych o'i chwmpas, ei phen i lawr, llygaid i fyny.

'Does dim byd i'w ddweud.'

'Oes, siŵr o fod. Mae Daniel yn edrych yn hapus. Ti wedi cael cyfle i siarad gyda fe, on'd wyt ti. Ti wedi ei dderbyn e, on'd wyt ti.'

''Dyn ni ddim wedi bod yn siarad am ddim byd fel'na.'

'Ond o'ch chi'n edrych yn hyfryd gyda'ch gilydd gynnau, mor rhamantus.'

'Harriet – pam na elli di gau dy ffycin ceg am unwaith!'

A Lois yn slamio ei dwylo i lawr ar y gadair, a'r rhan fwyaf o'i diod yn dianc dros ochrau'r gwydryn ac ar ei sgert a thros ei choesau tenau, brown. Harriet yn rhuthro i geisio cymoni'r llanast, ond yn llwyddo i rwbio'r ddiod yn ddyfnach i mewn i ddefnydd y sgert.

'Harriet – gad lonydd i fi. Elli di ddim cadw dy drwyn mas o fywydau pobl eraill am fwy na phum munud? Mae'n hen bryd i rywun ddweud wrthot ti, mae pawb yn rhy boléit rownd y lle 'ma. Rwyt ti wastod yn trio trefnu bywydau pawb arall, ac ŷn ni ond yn dy oddef di achos ŷn ni'n teimlo'n flin drosot ti, a fasai neb arall yn boddran gyda ti.'

Rhuthra Lois oddi wrthi, a gadael Harriet yn eistedd yn fud. Ond mae'n gwylio Lois. Yn edrych ble mae hi'n mynd, ac yn ei dilyn. Mae hi'n mynd i gyfeiriad Daniel. Harriet yn gwthio drwy'r llen o ddynion sy'n gwylio ar gyrion y llawr dawnsio, ac yn llwyddo i'w dal hi cyn iddi allu cyrraedd ei nod. A'i bachu wrth ei phenelin.

Lois yn troi. Mae Daniel yn eu gwylio, ill dwy, ond dim ond Harriet sy'n sylwi arno. Dechreua Daniel symud ei law, fel petai'n bwriadu cyffwrdd â Lois, ond mae'n newid ei feddwl ar y funud olaf, ac yn sefyll y tu ôl iddyn nhw. Dagrau dig yn llygaid Lois. Ei llygaid yn goch. Ond llygaid sy'n beiddio edrych ar rai Harriet gydag ing.

'Do'n i ddim yn meddwl 'ny. O't ti'n meddwl 'mod i'n ei feddwl?'

Dyw hi ddim yn llefain. Dyw Harriet ddim yn llefain. Ro'n i'n disgwyl iddi lefain. Mae hi wastod yn llefain. Does dim eisiau llawer i wneud i Harriet lefain. Ond mae hi mor llonydd. Mae bron yn annaturiol. Mae'n rhyfedd. Falle es i'n rhy bell. Ro'n i *yn* ei feddwl, ond do'n i ddim yn golygu ei *ddweud*. Dyna oedd y drwg, ei *ddweud*. Mae'n iawn *meddwl* pethau fel'na, on'd yw hi. Ond ellwch chi fyth eu dweud nhw, dych chi byth yn golygu eu dweud nhw. Goddef pobl ŷn ni'n gwneud yn y pen draw. Yn gwybod am eu ffaeleddau, ond yn dewis eu hanwybyddu. Achos ych chi'n gwybod nad ydych chi'n berffaith eich hunan, ac mae'n rhaid i eraill eich goddef chi. Mae hi'n deall on'd yw hi. Mae'n mynd rhywbeth fel hyn, on'd yw hi: Dewisa i anwybyddu hyn amdanat ti, dy fod ti'n slebog fach fusneslyd – os wyt ti'n addo anwybyddu'r ffaith 'mod i'n ast hunanbwysig. Ac rydych chi'n derbyn y telerau heb siarad amdanyn nhw fyth, heb erioed sôn amdanyn nhw'n agored. Achos mae arnoch chi ofn bod yn unig hefyd. Ofn na fydd neb arall yno i chi. Eisiau i rywun arall feddwl a phoeni amdanoch chi, pwy bynnag ydyn nhw. Ac mae mor bwysig gwybod hynny. Gwybod eich bod chi'n bwysig i rywun mewn rhyw ffordd, mewn unrhyw ffordd.

'Rwyt ti'n iawn,' mae Harriet yn dweud. 'Rwy'n gwbod. Rwy'n mynd yn rhy bell weithiau.'

'Na, Harriet.'

'Rwyt ti'n hollol iawn.'

'Na, dw i ddim. Dyw hwnna ddim yn deg. Rwyt ti'n ffrind da, do'n i ddim eisiau dy ypsetio di.'

'Rwy'n iawn.' Wna i ddim llefain nawr. Rwy wedi cael gwared â dagrau heno i gyd eisoes. Does dim ychwaneg ar ôl am heno. 'Rwy jest eisiau i bawb fod yn hapus, eisiau i bethau weithio mas i bawb.'

Mae Lois yn gwasgu braich ei ffrind. Ei llaw yn gynnes, ond tipyn yn sticlyd gyda gweddillion y dŵr soda o'i diod.

'Ond dyw hwnna ddim wastod yn golygu bod rhaid i chi gael dyn gyda chi.'

Harriet yn ceisio torri ar ei thraws a dweud rhywbeth, ond mae Lois yn rhy gyflym: 'Does dim rhaid i ferch gael dyn i fod yn hapus.'

Edrycha Harriet dros ei hysgwydd yn bryderus ac mae'n gweld Daniel, ond yn dewis peidio â dweud dim. Dim ond edrych yn llonydd arno. Ac yntau'n gwgu arni hi.

''Na beth ddwedodd Anna wrtha i.'

Harriet yn troi eto, ac yn dal llygaid Daniel am hanner eiliad.

'Ond meddwl am beth wyt ti'n ei ddweud, Lois. Mae *popeth* gyda ti. Mae Daniel yn dy addoli di. Dwyt ti ddim yn sylweddoli pa mor lwcus wyt ti.'

O, pe bai rhywun fel'na yn fy addoli i yn yr un ffordd. Ydy hi'n gwybod sawl noson rwy wedi gweddïo, wedi ysu am hynny? Dim ond rhywun i boeni amdana i, rhywun i 'ngharu, fy ngharu i, nid fy nghorff yn unig. Beth sy'n bod arna i? Ydw i'n rhoi'r negeseuon anghywir i'r dynion neu rywbeth? Ai'r ffordd rwy'n gwisgo yw'r bai? Y pethau rwy'n eu dweud? A beth mae *hi* wedi ei wneud i haeddu hyn i gyd? Dyw hi'n ddim gwell na fi yn y pen draw. A dyw hi ddim wedi gwneud dim byd gwahanol i fi. Does dim ots beth mae hi'n ei ddweud. Ac mae hi'n cael hyn i gyd. Hyn i gyd wedi dod yn naturiol iddi, fel ffynnon i afon, afon i'r môr. Yn anochel. Yn dda. Rhywbeth sydd i fod i ddigwydd. Mae *hi* wedi cael ei thywysog, pam na alla i?

Ond mae Lois yn edrych fel petai hi ar goll heno. Merch fach ofnus yn sydyn, a'i llais yn gryg a herciog, ac yn dawel, yn rhy dawel i Harriet ei chlywed yn iawn yng nghanol sŵn lleddf rhyw Americanwyr sy'n cwyno, dros rythmau oer y peiriant drymiau, bod y byd ar ben a bywyd yn galed a dim hapusrwydd i'w gael yn unman. A hwythau â rhif un yn siartiau pob gwlad orllewinol ac ambell i wlad arall nad oedden nhw'n gwybod am eu bodolaeth cyn eleni a gwledydd na allen nhw ynganu eu henwau hyd yn oed. Ac mae Lois yn chwilio am eiriau.

'Rwy *yn* lwcus, ond nid yn y ffordd rwyt ti'n meddwl. Mae dewis 'da fi. 'Na'r peth mawr sy gyda fi, ond dwyt ti ddim yn gweld hwnna. Dyw Daniel ddim yn sylweddoli chwaith. A fydd e fyth. Sut alla i ddweud wrtho fe? Mae pob ffordd yn swnio fel sarhad. Ond nid ei fai e yw hyn. Baswn yn meddwl yr un fath am y dyn mwyaf perffaith y byd, ac mewn ffordd mae e'n berffaith, achos *does* neb arall. Mae fe'n *meddwl* bod dyn arall, yn meddwl 'mod i'n ffansïo pobl eraill, ond dyw hynny ddim yn wir. *Does* neb arall. Ond mae fe eisiau fy mhiau i, eisiau bod yn berchen arna i. Mae e moyn i fi ddweud taw fe yw'r unig beth sy ei eisiau arna i, yr unig beth fydd ei eisiau arna i fyth. Ond pam nad yw e'n deall? Rwyt *ti'n* deall, on'd wyt ti, Harriet. Fydd e byth yn ddigon i fi. Pam nad yw e'n gallu deall hynny? Rwy eisiau fe, ond rwy eisiau mwy hefyd. Mae eisiau mwy na fe arna i i 'modloni i. Mae *bywyd* gyda fi, Harriet. Ac mae fe'n gofyn gormod, mae fe eisiau fy meddiannu i. Mae'n rhaid i fi gael mwy na fe yn fy mywyd i, ond mae fe eisiau fy meddiannu i i gyd. Mae pethau eraill. Mae'r ysfa 'ma yno' i am rywbeth arall, rhywbeth mwy, a dw i ddim yn gallu ei ddeall fy hunan weithiau. Rwy eisiau mwy na dyn a phlentyn, a chladdu'n hunan yn fyw gyda babi yn sgrechian, ar fy mhen fy hunan yn rhywle diflas. Fel Anna. Dw i ddim fel Anna. Alla i ddim bod fel Anna. A gweld fy mywyd yn mynd heibio, a phob addewid oedd yno' i fyth yn mynd yn hesb arnyn nhw. Mae popeth yn cau i mewn arna i. Rwy eisiau rhywbeth mwy na hynny. Dwyt ti ddim yn gweld? Does dim hawl gyda fi i drio cael rywbeth mwy?'

Harriet yn nodio ei phen ac yn codi ei haeliau'n ufudd drwy'r holl araith, er nad yw hi wedi clywed hanner yr hyn mae Lois newydd ei ddweud a phetai hi'n gallu clywed ni fyddai dim diddordeb gyda hi. Ond does dim ots nad yw hi wedi clywed. Mae hi wedi clywed hyn i gyd o'r blaen. Droeon. Wedi clywed pob dadl, pob ochr i bob dadl.

'Wel, rwy'n deall, ond sai'n gweld pam allet ti ddim priodi Daniel ar yr un pryd, a gwneud y pethau 'na hefyd.'

Lois yn taflu ei phen yn ôl yn ddiamynedd. Mae'r miwsig wedi newid nawr. Mae'n hapus. Yn sionc. Y rhythm wedi newid i un pendant, cryf, a Harriet, yn sicr bod popeth yn iawn unwaith eto, a'i bod hi wedi datrys problem Lois, yn gwylio'r llawr dawnsio. Mae hi'n gwylio am weddill y gân, ac wrth i'r miwsig newid unwaith eto, mae'n syllu ar y dawnswyr. Mae hi wedi gweld rhywbeth. Nid yw hi'n troi i edrych ar Lois er mwyn dal ei sylw, ond yn hytrach yn ymbalfalu yn yr awyr gan chwilio am ei braich hi.

'Ai fi sy'n *gweld* pethau, neu beth?'

'Pam?'

'Ydw i wedi yfed gormod, neu ai Anna sy fan'na yn dawnsio gyda Chris?'

Sylla Lois hithau am ennyd drwy lygaid hanner cau,

yna neidia i fyny, a gwên fawr yn taenu dros ei hwyneb i gyd, cyn iddi daflu ei braich o gwmpas ysgwyddau Harriet.

'Wel, wel. Feddyliais i ddim y baswn i'n gweld hwnna byth eto.' Mae'n dal Harriet yn agos ati, ac yn chwerthin. Ac mae Harriet hithau yn fuddugoliaethus.

'Ro'n i'n *gwbod* dy fod ti eisiau gweld hwnna cymaint â fi!'

'Ti oedd yn iawn wedi'r cyfan. Wel, wel, 'swn i byth wedi credu'r peth.'

Harriet yn gwenu'n hunanfodlon.

'Ro'n i'n gwbod taw dim ond tamaid bach o brocio oedd ei eisiau arnyn nhw.'

Maen nhw'n edrych mor berffaith gyda'i gilydd. 'Dyn nhw ddim yn dawnsio'n agos at ei gilydd, ond mae digon o amser ar gyfer hynny. Mae'r miwsig hwn yn gyflym, yn gofyn am ddawnsio ar wahân, dawnsio ffyrnig, trawiadol. Ond maen nhw gyda'i gilydd. Maen nhw'n dawnsio gyda'i gilydd! Maen nhw'n *sefyll* gyda'i gilydd!

Anna yn symud ei chorff yn hawdd ac yn rhythmig, yn symud yn rhwydd, yn taflu ei breichiau o amgylch, yn gadael i Chris ei gwthio i mewn a mas yn sionc. Yn ymateb iddo. Yn chwerthin. Yn siglo ei phen ar ôl iddo awgrymu rhywbeth, ond yn ei wneud â gwên. Yn siglo ei gwallt o gwmpas. Yn cyflawni'r ystumiau rhyfeddaf, ac e'n chwerthin mewn ymateb. Yn mwynhau bod yno gyda hi. Y ddau yn edrych yn naturiol. Cyrff yn llifo fel dŵr.

Harriet yn sefyll yn ei hunfan wrth y bar, ond yn symud ei chorff yn rhythmig i'r miwsig. Yn gwylio, yn mwynhau cymaint â phetai hi yno yn dawnsio â rhywun mor olygus a rhamantus â Daniel. Bron. Yn mwynhau yn ail-law. A'i dychymyg yn paentio un ffantasi ar ôl y llall. Lois yn torri ar draws ei myfyrdodau, yn gweiddi yn ei chlust, ond y waedd fel sibrwd yn sŵn y gerddoriaeth.

'Rwy'n mynd, olreit?'

Mae Harriet yn sylweddoli yn sydyn yr hyn mae hi wedi ei glywed.

'Ar dy ben dy hunan?'

'Na, mae Daniel wedi gofyn i fi fynd gyda fe.'

'Wyt ti'n siŵr dy fod ti eisiau . . .'

'Ydw, paid â phoeni. Mae fe eisiau siarad â fi, ac mae'n rhaid i fi siarad â fe. Man a man i ni ei wneud e nawr, ti ddim yn meddwl?'

'Wel, os wyt ti'n siŵr . . .'

'Os wyt ti eisiau i fi aros . . .'

'Na. Dw i ddim ar fy mhen fy hunan. Mae Anna 'ma. A galla i gael tacsi gartre. Bydda i'n iawn. Cer di.'

'Olreit,' a chyffro bach yn rhywle yn ei llais. 'Dwed wrth Anna 'mod i'n iawn, wnei di?'

'Gwnaf – ac os wyt ti am ryw reswm twp, rhyfedd yn newid dy feddwl, ŷn ni'n mynd i'r Balti nesa. Nawr cer, cyn iddo fe newid ei feddwl!'

Mae Harriet yn gwenu gwên fach fodlon, ac yn troi i wylio Chris ac Anna yn dawnsio. A phopeth yn dechrau gweithio'n berffaith. Lois a Daniel gyda'i gilydd. Yn siarad gyda'i gilydd eto. Yn hapus. A Chris ac Anna yn dal i ddawnsio. Yn dechrau dal dwylo, yn dechrau closio at ei gilydd ar y llawr dawnsio. A Harriet yn sibrwd ei gorchymyn anghlywadwy ei hun, fel petai'r geiriau yn rhai hud:

'Cer amdani, Anna.'

O leiaf, os galla i ddim datrys fy mhroblemau caru fy hunan, rwy'n gallu gwneud yn siŵr bod pawb arall yn iawn. Mae Lois a Daniel 'nôl gyda'i gilydd, a beth am Chris ac Anna? Doedd neb yn meddwl basen nhw'n eu gweld gyda'i gilydd eto. Ddim ar ôl yr holl bethau 'wedodd hi amdano fe. Ond doedd hi ddim yn golygu'r un ohonyn nhw. Ddim mewn gwirionedd. Mae dweud a gwneud yn bethau hollol wahanol, wedi'r cyfan.

Y miwsig yn arafu. Y recordiau'n cael eu cymysgu i mewn i'w gilydd, a cherddoriaeth gyflym un ddawns yn toddi i mewn i gân serch, araf. Harriet yn dal i wylio wrth i Chris ac Anna glosio at ei gilydd mor naturiol, fel rhai cynefin â chyrff ei gilydd. Ac wrth ei chefn, mae'n teimlo dwylo cryf Steffan yn sydyn y tu ôl iddi, yn dechrau anwesu ei hysgwyddau, yn symud gyda hi i rythm cnawdol y gerddoriaeth, ac yn gafael ynddi fel petai i'w chadw'n saff. Yn gwasgu'n dynn. Ychydig yn rhy dynn. Yn rhy gynnes. Yn rhy ddiogel. A sibrwd. 'Ro'n i'n meddwl dy fod ti wedi diflannu am byth,' meddai gan gymryd ei gyfle i gnoi ei chlust. Mae Harriet yn tynnu i ffwrdd y mymryn lleiaf, ond nid yn rhy bell.

'Ble aeth Daniel a Lois?' Steffan sy'n gofyn.

'Mas rhywle.'

'O ie?' Mae awgrym o rywbeth cyffrous yn ei lais, ond nid yw Harriet yn cymryd unrhyw sylw ohono, ei llygaid wedi'u hoelio ar y llawr dawnsio unwaith eto. Ac mae rhywbeth yn digwydd. Y dorf, fel un, yn synhwyro rhywbeth.

O'u blaenau mae'r dawnswyr yn cilio, yn tynnu i ffwrdd fel ton yn magu momentwm, ac yn tynnu pawb gyda nhw, a'r rhai sy'n eistedd ar gyrion y dawnswyr yn codi mewn brys, ac yn sydyn mae pawb wrth ochr y llawr dawnsio, yn gwylio.

'Ffycin hel, Steffan!'

Steffan a Harriet yn sefyll yn hollol lonydd ac yn anghrediniol wrth y bar, wrth i bawb arall symud o'u cwmpas a'u gadael.

'Ffycin hel!' yw ymateb sydyn Steffan yntau, unwaith i'w lygaid gael y cyfle i brosesu'r hyn sydd o'i flaen. Wedi gweld yr un peth â phawb arall, wedi gweld, fel y gwelodd pawb arall, Anna yn tynnu ei braich y tu ôl iddi, yn syth ac yn ofalus, ac yn anelu ei dwrn at wyneb Chris a'i hyrddio ar ei gefn i mewn i'r dorf yn ddiseremoni. A'r cyfan yn digwydd mor araf, fel fideo roc ffasiynol i gyfeiliant y goleuadau llachar a'r diod. Ac mae rhai yn clapio, rhai yn chwibanu, rhai o'r merched yn gweiddi eu cymeradwyaeth.

'Steff, mae'n rhaid i fi fynd, mae'n rhaid i fi wneud rhywbeth.'

'Ffycin hel,' a llais Steffan yn gadarnach y tro hwn, y sioc yn dechrau cilio. 'Ydy hi wedi meddwl am focsio'n broffesiynol? Mae dyfodol iddi hi.'

'O, cau dy geg!' Harriet yn gweiddi, ond dyw hi ddim yn symud. Yn glwm wrth y fan a'r lle a'i syndod yn glud dan ei thraed.

A mudandod a thawelwch yn llithro drwy'r dorf, er i'r brif gantores ar y record ddal i sgrechian yn llon am ei chariad ac am dorri ei chalon.

Dyma rhai yn ceisio helpu Chris i'w draed, ac yntau'n dal ei ên mewn sioc, ddim yn gwybod beth i'w wneud. A'i betruso ef yn rhoi digon o amser i Anna redeg at y drws, ond nid cyn cipio Harriet o dan lygaid Steffan, gafael yn ei braich, a'i rhwygo mas o'r clwb ac ar y stryd, heb amser iddi feddwl nac i unrhyw beth eu hatal.

'Dere Harriet, ŷn ni'n mynd.'

Dau o'r gloch y bore

Mae Harriet wedi cael ei thynnu mas ar y pafin cyn iddi sylweddoli lle mae hi. Mae'n rhyfeddol o olau y tu allan, yn llawer goleuach nag y mae'r un ohonyn nhw'n ei ddisgwyl, rhwng y goleuadau ar y stryd a goleuadau blaen y tacsis sy'n aros yn ddisgwylgar. A'r lleuad. Mae Anna yn edrych uwch ei phen a gweld y lleuad yn isel, isel yn yr awyr, yn wyn, wedi ei hamgylchynu gan dalaith o darth disglair. Yn ei hudo hi i'r fan a'r lle. Rhyw barlys wedi cydio ynddi, ac nawr Harriet sy'n symud, Harriet sy'n dwrdio, Harriet sy'n ceisio ei thynnu hithau ymlaen. Am rai munudau ni all Harriet gael unrhyw beth allan ohoni, nid hyd yn oed ei sylw. Y lleuad fawr, dew, chwyddedig sy'n carcharu ei sylw i gyd.

'Mae mor bert,' meddai Anna yn ysgafn, ei hwyneb wedi ei hoelio gan ryw gyfaredd anesboniadwy.

'Dere,' mae Harriet yn gafael yn ei hysgwyddau yn gadarn ac yn pwysleisio pob gair gyda phendantrwydd ffrwst. 'Mae'n rhaid i ni fynd.'

Ond mae Anna yn dal i syllu, ei hwyneb wedi ei godi, yn dal yn fud. Ac ni all yr Harriet bryderus wneud dim byd ond ei gwylio.

'Lleuad tri chwarter . . .'

'Dere, Anna.'

Beth sy'n bod arni? Mae hi wedi colli arni ei hun yn gyfan gwbl. Bydden nhw ar ein hôl ni nawr, unrhyw funud. Gwelodd pawb beth ddigwyddodd mewn fan'na, a phan fydd Chris yn dod dros y sioc a sylweddoli beth wnaeth hi, bydd e mas 'ma hefyd. Mae'n rhaid i ni fynd.

Nawr. Ond erbyn meddwl, wrth edrych arni nawr, falle dylen ni aros i'r heddlu ein dal ni, wedyn bydden nhw'n gwneud yn siŵr ei bod hi'n gweld doctor.

'Anna, mae'n rhaid i ni fynd . . .'

'Na.' Dim ond munud a bydda i'n iawn. Aros am eiliad, Harriet. Paid â 'nhynnu i fel'na. Jest eisiau anadlu. Ro'n i'n mygu mewn fan'na. Jest eisiau anadlu. Sefyll fan hyn. Aros. Anadlu. Aros. Sefyll. Harriet. Na. Harriet. Aros . . . Jest eiliad. A 'mhen drwy fy mhengliniau. A 'mhen i'n troi. Chwyldroi.

'Anna!'

Byddwn i'n deall hyn petai'n lleuad lawn heno – mae honno'n hala pobl mas o'u clocs, on'd yw hi? Falle bod gwirionedd yn hynny wedi'r cyfan. Mae'n rhaid cael rhyw esboniad am y ffordd mae Anna'n ymddwyn.

'Anna – dim ond lleuad yw hi.'

'Beth 'wedest ti?'

Dim ond lleuad. Pam mae hi'n clebran am y lleuad? Beth sy'n bod ar y lleuad? Dw i ddim eisiau edrych ar y lleuad! Dyw'r lleuad ddim yn bwysig. Pam mae hi eisiau edrych ar y blydi lleuad! Mae hi'n lleuad lawn, olreit?

'Anna, dere . . .' llais Harriet yn addfwyn y tro hwn, yn dawelach. Llaw Anna ar ei braich.

'Jest eiliad . . .' Dyna'r tro olaf. Y tro olaf. Does neb yn mynd i 'nhrin i fel'na eto. Byth. Triais i. Triais i, ond doedd dim modd i fi . . . Triais i. Rwy ar fy mhen fy hunan o hyn 'mlaen. Dim ond fi. A Rhian. Dim ond ni. Ond Chris, nid dy fai di mo hyn, ddim i gyd, a wnest ti ddim byd i haeddu hwnna. Fi. Fi yw beth sy'n bod. Dy fai di yw taw ti oedd yno heno, taw ti oedd y diwethaf, y diwethaf mewn cyfres hir o fethiannau. Fy mai i. Fi, yn rhoi popeth a phawb arall o 'mlaen i fy hunan, ac alla i ddim byw fel'na. Ac rwy wedi cael digon. Ro'n i jest wedi cael digon. Cael digon. A dw i ddim eisiau bod 'ma. Rwy eisiau bod yn rhywle arall. Rhywle arall yr ochr arall i'r lleuad, mewn byd arall, lle does neb yn fy nabod i, lle alla i ddechrau eto, rhywle pur, rhywle glân, rhywle prydferth, rhywle hyfryd.

'Ond Anna . . .'

O, alla i wneud dim gyda hi. Beth alla i wneud gyda hi os yw hi'n gwrthod symud?

'Jest eiliad . . . i ddal 'n anadl.' Jest eiliad . . . Harriet, cer wnei di? Jest cer. Diflanna. O flaen fy llygaid i. A phawb arall yn yr hen dre bydredig 'ma. A ble mae'r swynwr hud all dynnu'r lleuad a'i golau i lawr arna i, a thynnu llen dros y lle truenus hwn, a chreu byd newydd i fi, byd o brydferthwch, o hud a lledrith, o freuddwydion.

'Anna!'

Alla i ddim ei llusgo hi lawr y stryd. Petawn i jest yn gallu ei gwthio hi mewn i dacsi.

'Dim ond lleuad sy 'na! Gelli di weld un o'r rheina unrhyw noson o'r wythnos. Dyw hi ddim hyd yn oed yn lleuad lawn.'

'Na . . .' Mae llais Anna yn gostwng ac yn diflannu i'r goleuni gwyn fel diwedd cân serch.

Na, dyw hi ddim, ydy hi. Wrth gwrs nad yw hi! Dyna'r peth olaf allai hi fod! Lleuad lawn, berffaith. O na. Ddim i Anna. Dyw hi ddim yn deg! Am unwaith, alla i gael lleuad lawn?

'Anna – dim ond lleuad yw hi.'

'Lleuad tri chwarter – oes enw am hwnna?'

'Paid â gofyn i fi.'

'Ond mae'n dal yn brydferth.' Ac mae'n troi at Harriet, a phwyntio uwch ei phen at y nefoedd, gan fynnu ei bod hithau'n edrych hefyd. 'Ti ddim yn gweld? Pam fod rhaid i'r lleuad lawn gael y sylw i gyd? Mewn lluniau, llyfrau, ffilmiau . . . lleuad newydd weithiau hefyd, ond byth lleuad tri chwarter. Ond mae'n dal yn brydferth, Hari. All neb arall weld hynny? Mae'n dal yn brydferth . . .'

Mae'n rhaid i fi gredu hynny. Rhaid. Neu beth fyddai'r pwynt mewn dal i fyw?

'Amser i fynd, Anna.' Dw i ddim wedi ei gweld hi fel hyn o'r blaen. A sut allai hi fod wedi gwneud y fath beth? Mae hi mewn sioc. Rhaid ei bod hi mewn sioc. Bydd rhaid i fi fod yn ofalus. Ei thywys hi i rywle. Mynd â hi adre. Yn saff.

Ac wrth i Harriet wylio, ac astudio, yn ceisio gweld, yn sydyn mae Anna yn neidio, fel petai rhywun newydd glicio bysedd yn chwyrn yn ei chlustiau a'i dihuno. Mae'n gafael yn Harriet eto.

'Allwn ni ddim aros 'ma.' Mae pryder brysiog yn ei llais, yn sydyn ymwybodol o'r clwb nos eto.

'Beth sy'n bod arnat ti?' Protestia Harriet yn ceisio deall. 'Pam wnest ti hynna mewn fan'na? Sai'n deall pam . . .'

Ond mae Anna yn ei thynnu hanner ffordd lawr y stryd, a Harriet bron â baglu ar ei sodlau uchel, ei breichiau'n chwifio'n ddireolaeth drwy'r awyr tu ôl iddi. Ar bob ochr i'r ffordd mae'r tacsis yn rhesi hir, eu drysau ar agor, y radios yn seinio i'r awyr oer, gyrwyr rhai yn sefyll tu allan i'w ceir yn siarad. Ac eraill yn gwibio i ffwrdd i dywyllwch y maestrefi tywyll.

'Mae digon o dacsis fan hyn.' Ac mae Harriet, mewn ymdrech fawr i sefyll mewn un lle am fwy nag eiliad, yn llwyddo i'w thynnu ei hun yn rhydd o freichiau Anna, ond mae Anna yn dal i gerdded, rownd y gornel, heibio i'r ceir i gyd.

'Nid fan hyn.'

'Ond beth sy'n bod arnat ti?'

Rownd y gornel mae'r rhes o geir yn dod i ben yn

sydyn, a grwpiau o ferched ifainc â cholur rhy drwchus a blinder rhy llesg ar eu hwynebau yn crio ac yn cysuro ei gilydd mewn drysau siopau wedi cau, a dynion unig yn eu cwrcwd o flaen ffenestri helaeth y siopau mawr, yn syllu ar y lleuad, yn ysgwyd gweddillion *roll ups* i'r stryd ac yn syllu ar y ddwy ferch ddeniadol sy'n mynd heibio, wedi eu clymu yn agos at ei gilydd gyda breichiau plethedig. Mae Harriet yn dechrau poeni eto.

'Allwn ni ddim aros fan hyn – wyt ti eisiau mynd adre?'

'Na,' ac mae wyneb Anna yn goleuo i gyd unwaith eto. 'Na – ro'n ni'n mynd i gael cyrri, on'd o'n ni. 'Na beth ŷn ni'n mynd i'w wneud,' ac mae'n dechrau symud yn ei blaen eto. Mae Harriet yn rhuthro er mwyn cadw'n agos ati, 'Dere i ni gael tacsi. Mae'n rhy bell i gerdded.'

Dyw Anna ddim yn iawn. Ro'n i'n meddwl ei bod hi'n iawn 'to. Roedd hi mor dawel, ac ro'n i eisiau iddi ddweud rhywbeth, eisiau iddi ddweud rhywbeth twp, a chwerthin, a melltithio Chris, unrhyw beth. Ond nawr mae hi'n gwenu, a dw i ddim yn hoffi hynny chwaith. Mae rhywbeth annaturiol yn ei brwdfrydedd hi.

'Ie, ti'n iawn Harriet. Tacsi,' ac mae hi ymhell unwaith eto, yn syllu ar y lleuad eto. Y lleuad yn wyn, yn wyn eirias a'r niwl yn melynu o'i chwmpas. A rhywbeth yn cyffwrdd â meddwl Anna.

'Ble mae Lois? Ble aeth Lois?' Y geiriau'n dod yn sydyn, ac Anna yn troi yn ddisymwyth i fynd yn ôl i mewn i'r clwb, ond mae Harriet yn ei dal.

'Dyw hi ddim mewn fan'na,' a Harriet yn gorfodi ei geiriau yn syth i wyneb Anna. 'Aeth hi, rhyw hanner awr yn ôl.'

'Beth wyt ti'n meddwl, "aeth hi"?' Mae dicter bron ym mloesgni ei llais.

'Gyda Dan. Dwedodd hi bod hi eisiau siarad â fe.'

191

Anna yn sibrwd rhywbeth sy'n rhy isel i Harriet allu clywed, ei murmur fel swyn gwarchodol. 'Pam wnest ti adael iddi?'

'Wyt ti'n meddwl bod unrhyw ddylanwad 'da fi drosti hi? Beth allwn i ei wneud?'

Mae Anna yn taflu ei phen yn ôl, ac yn troi ei golygon yn ôl at y lleuad. Y lleuad sy'n suddo'n is ac yn is yn y gofod oer. A thacsi melyn yn mynd heibio iddynt. Harriet yn cydio yn llaw Anna.

''Na dacsi Steve – rwy'n siŵr taw tacsi Steve yw hwnna. Dim ond un tacsi fel'na sy yn Abertawe.'

Anna yn dihuno'n sydyn.

'Dy yrrwr tacsi di, ti'n feddwl? Yr un neis 'na?' Mae Anna yn sigledig ar ei thraed.

Nodia Harriet ei phen i gadarnhau, gan geisio tywys Anna ymhellach i lawr y ffordd, a'i chadw hi'n symud, yn symud, yn symud ar unrhyw gyfrif rhag ofn iddi lithro'n ôl unwaith eto.

'Ro'n i'n lico fe. Ble ffindaist ti fe? Ro'n i'n siarad 'da fe am ei fand roc e. Mae fe'n mynd i fod yn enwog rhyw ddydd. Rwy'n gwbod, yn gallu ei deimlo reit lawr fan hyn,' a phwyntia Anna at ganol ei stumog, ac wrth wneud hynny mae'n tynnu'n rhydd oddi wrth Harriet ac yn sefyll yn stond ac yn ystyfnig wrth ochr y pafin. 'Reit lawr ymhell tu fewn i fi, Harriet.'

Harriet yn anwybyddu hyn, ac yn ceisio ei harwain ymlaen unwaith eto.

'Beth am ei alw fe?' cynigia Harriet, fel petai'n gofyn am ganiatâd, ei llais yn uchel, ac anobaith gwyllt yn dechrau gafael ynddi.

'Mae fe 'di mynd heibio, on'd yw e?'

'Ond mae fe'n mynd o gwmpas y rowndabowt. Does dim ffordd arall alle fe fynd. Bydd rhaid iddo fe ddod 'nôl y ffordd 'ma i gyrraedd yr heol fawr.'

'Syniad da, Hari. Dere . . .'

'Ond beth . . .' O na, beth mae hi'n ei wneud nawr? Dyw hi ddim yn feddw, rwy'n gwybod nad yw hi'n feddw, nid cymaint â hynny beth bynnag. Felly pam mae hi'n ymddwyn fel petai hi? Mae hi'n mynnu tynnu sylw ati ei hunan. Mae'n rhaid i fi ei chael hi tu fewn yn rhywle, unrhyw le. Gorau po gynta.

'Mae fe'n dod nawr – nawr Harriet! – Chwifia arno i'w stopo. Chwifia!'

'Olreit, paid â gwylltio, dim ond codi llaw sy eisiau gwneud.' Mae'r olwg wyllt 'na yn ei llygaid eto. Mae hi'n cynllunio rhywbeth. Rwy'n gwybod ei bod hi. Jest eisiau tacsi sy arnon ni nawr, does dim ots pa liw, neu pa yrrwr, dim ond tacsi. Unrhyw dacsi.

Harriet yn mynd i ochr y ffordd ac yn taflu ei braich allan i ystumio ar Steve yn y tacsi mawr melyn i stopio, ac Anna wrth ei hochr yn ymuno â hi, yn chwifio hefyd. Yn barchus i ddechrau, yn gonfensiynol. Wedyn yn chwifio ei dwylo uwch ei phen, ei breichiau yn croesi ei gilydd, fel petai hi'n rhoi arwyddion i awyren yn glanio ar y Kingsway mewn niwl, gan ddefnyddio ei holl gorff yn egnïol.

'Dyw e ddim yn stopo – gwna rywbeth, Hari – gweidda arno fe!'

'Mae pawb yn edrych – ni'n mynd i gael ein harestio unrhyw funud.'

'Paid â bod yn ddwl – so ni'n gwneud dim byd yn rong – gwaedda arno fe. O, ti'n anobeithiol! Wna i, 'te,' ac mae Anna, heb rybudd, yn gwthio ei bysedd i mewn i'w cheg ac yn chwibanu'n swnllyd. 'Dyw e ddim wedi clywed hwnna? Bydd rhaid i ni sgrechen yn uwch.'

Ac wrth siarad, mae'n camu ymlaen i'r ffordd a gweiddi wrth y byd, gan atalnodi pob gair gyda naid fach i'r awyr, ac yn chwifio ei breichiau gyda symudiadau mawr, llac.

'Steve! Ste-eve! Steve-o! Steve-o!'

'Anna!' Mae Harriet yn gafael ynddi ac yn ei thynnu'n ôl ond mae hithau'n dianc oddi wrthi ac yn rhedeg i ochr y ffordd.

A sylla Harriet mewn braw wrth i Anna leoli ei hun ar fin y pafin a throi i wynebu llif y traffig. A gwylio wrth iddi, yn araf a gofalus, godi ei dwylo, gafael yn nefnydd ei sgert hir, gul, a thynnu'r sgert yn uwch ac yn uwch dros ei phengliniau gan ddangos un goes hir, noeth i'r tacsi, a gwthio un droed a'i hesgid ddu, sawdl uchel, cul i'r awyr o'i blaen.

Ond mae'r tacsi llachar wedi mynd heibio.

'O, *spoilsport*.' Mae Anna yn sgrechen fel plentyn, a Harriet yn trio rhoi'r argraff ei bod hi gyda rhywun arall wedi'r cyfan.

'Wyt ti'n ei feio fe, ar ôl beth wnest ti? 'Swn i ddim yn synnu petai e ddim eisiau dod o fewn can milltir i ni.'

'Harriet – mae'n amlwg taw athrawes wyt ti.'

Harriet yn gadael ei hochr, ac yn camu'n ôl oddi wrthi, ei gwefus isaf yn dechrau crynu.

'Nawr dyw hynna ddim yn deg.'

Ond mae Anna mor benderfynol ag erioed ar ei thrywydd, yn gwybod ble i daro'i geiriau.

'Ond mae yn dy lais di. Meddwl am y *dystiolaeth*, Hari. Ti'n gallu sorto pobl mas, on'd wyt ti. Mae hynny'n hollol amlwg, a does dim byd alli di wneud am y peth, ac mae wastod rhywbeth 'da ti i'w ddweud am . . .'

'Mae fe'n ôl,' ac mae llais Harriet yn dawel ac yn ddiemosiwn. Mynegi ffaith yn unig y mae hi, ac mae Anna yn troi wrth i'r tacsi melyn deithio o gwmpas y cylchdro am yr eildro, ac arafu wrth eu hochr. Mae'r drws yn agor, a llais cyfeillgar yn galw o'r tu mewn.

'Wel, ych chi'n dod neu beidio? O'ch chi eisiau tacsi, on'd o'ch chi?'

Anna a Harriet yn syllu ar ei gilydd, ac yna'n neidio i mewn heb ddweud gair.

'Glou, cyn i'r heddlu 'ngweld i. Dw i ddim i fod i bigo pobl wrth ochr y ffordd fel hyn, glou! Dw i ddim yn *hackney* – glou!'

Mae Harriet yn neidio am y sedd ffrynt, dim ond i wneud yn siŵr. Ond nid oes unrhyw wrthwynebiad gan Anna, wrth iddi drefnu ei hunan yn y cefn, gan hanner orwedd yn y canol, ei breichiau a'i choesau dros y lle i gyd. Harriet yn gwyro ei phen i edrych arni. Dyw hi ddim eisiau siarad â hi – gyda Steve mae hi eisiau siarad a dyw hi ddim eisiau gwastraffu un eiliad fan hyn yn y sedd ffrynt – ond falle y dylai wneud yn siŵr nad yw Anna wedi syrthio i rhyw goma neu'n sâl ar y sedd ôl.

'Ti'n iawn, Anna? Ti'n dawel iawn.'

'Mmm . . .' a'r ateb mewn llais â naws bell, bell ynddo. 'Rwy'n cael amser gorau fy mywyd.'

Gofynna Steve rywbeth, gan gyfeirio at Anna, ac mae Harriet yn murmur rhywbeth yn ôl, yn esbonio ei bod hi wedi cael amser anodd heno, ac i beidio â phoeni amdani. Mae Anna yn dechrau canu wrth ei hunan yn y sedd gefn, rhyw fwmial ganu, rhyw gân heb dôn.

'Pam ych chi'n poeni amdana i? Does dim byd yn bod arna i!'

Rwy jest eisiau i bawb adael llonydd i fi am dipyn. Dim ond i mi gael cyfle i gael fy anadl 'nôl. Hanner munud a bydda i'n iawn. A gadael i Harriet weithio ar y truan 'na sy'n gyrru'r tacsi 'ma. Wna i ddim torri ar ei thraws hi. Nid Anna. Gelli di ddibynnu ar Anna, *babe*. Ble bynnag wyt ti'n gallu ei gael e, Harriet, *go for it*. Dyna'r polisi.

Yn y sedd ffrynt mae Harriet yn gwrando'n brysur, ei phen yn symud yn frwdfrydig fel petai'n rhaid iddi wneud hyn er mwyn ei gadw i siarad, yn pwmpio pob

gair allan ohono. Dim ond darnau mae Anna yn eu
clywed. Ei lais *e'n* bennaf, ei lais uchel, clir. Ei lais
brwdfrydig, a chyffro yn corddi ac yn chwyddo ynddo.

'Ro'n i'n dechrau dweud wrthot ti am y band,'
meddai, wrth gymryd un o'r corneli yn rhy gyflym, ac
yn dod yn rhy agos at dacsi yn mynd i gyfeiriad arall.
Ond yn gyrru ymlaen fel na phetai wedi sylwi. Sytha
Harriet yn ei sedd. 'Mae'n broblem ar y foment. Ti'n
gweld, maen nhw wedi cael cynnig *recording contract*.'
Mae ei lygaid ar y ffordd, ond ei sylw i gyd ar Harriet,
rhyw leithder ysgafn yn ymddangos ar ei wyneb. 'A'r
peth yw, mae'n gambl, on'd yw e. Ydw i i fod i adael 'y
ngwaith a mynd gyda nhw, a chymryd y risg o golli
popeth, ond wedyn falle bydden nhw'n enwog, yn
filiynwyr mewn blwyddyn neu ddwy, a dyma fi wedi
colli cyfle.'

'Beth wyt ti eisiau gwneud?' Mae Harriet yn gofyn,
yn trio swnio'n ddeallus, yn trio peidio â swnio'n feddw.
'Beth yw dy freuddwyd di?'

'Mae'n rhaid i bawb gael breuddwyd,' mae Anna yn
gwichian o'r sedd gefn, ond Steve a Harriet yn ei
hanwybyddu.

'Wyt ti'n jocan? Wrth gwrs 'mod i eisiau mynd gyda
nhw. Mae'r cwmni 'ma, dyw e ddim o'r rheng flaena,
ond maen nhw yn *Llundain*, maen nhw'n *bwysig* . . .'

Dyma Anna yn llusgo ei hunan i fyny'n syth yng
nghanol y ddwy sedd ôl.

'Wel, dylet ti ddilyn dy freuddwyd – 'na beth rwy
wastod yn ei ddweud. Dwyt ti ddim yn meddwl,
Harriet?'

'Ydw. Dilyn dy freuddwyd. Cer amdani!'

Mae e'n chwerthin. Ac maen nhw wedi cyrraedd ochr
arall y dre erbyn hyn. Wedi cyrraedd y tŷ bwyta. A dim
byd i'w wneud ond talu a gadael.

'Cofia,' mae e'n dweud wrth Harriet wridog. '323 . . .'

'232 – rwy'n cofio!'

A'r ddau'n gwenu ar ei gilydd wrth i'r tacsi melyn ailymuno â llif y tacsis eraill.

'Harriet – ti moyn i fi dowlu bwced o ddŵr oer drosot ti?'

'Rwy'n iawn, diolch yn fawr,' ac mae Harriet yn gwrthod y jôc yn llwyr wrth i Anna ei rhwygo hi i ffwrdd, yn canu wrth fynd, ond yn uchel y tro hwn. Hen gân roc y mae hi wedi hen anghofio hanner ei geiriau.

'Wel does dim cywilydd mewn cael dy gyffroi, nac oes? Beth sy'n bod arnat ti? Mae fe'n neis. Jest dy deip di.'

'Beth mae hynna'n olygu?'

'Wel – awyddus – *available*.'

'Reit!' ac mae Anna yn sylweddoli mewn pryd bod Harriet ar ei hôl hi, a'r ddwy yn rhedeg, rhedeg cymaint ag sy'n bosibl dan faich y sodlau uchel, yn hercian, yn baglu i lawr y stryd.

'Rwy'n cofio'r rhif – 323232!' dynwareda Anna Harriet, ac yn gwichian, a rhedeg oddi wrthi ac yn neidio o un ochr o'r postyn lamp i'r llall, yr awel oer mor rhydd ar ei hwyneb, ei gwallt yn llusgo yn ôl ac ymlaen ar draws ei llygaid. Ond o'r diwedd mae hi'n blino, neu yn dewis ildio, ac mae Harriet yn gafael ynddi, a'r ddwy ym mreichiau ei gilydd yng ngolau'r lamp. Anna yn gafael dros ysgwyddau Harriet, yn famol.

'Byddi di'n iawn, Hari. Gwranda ar Anna. Gwranda,' ac erbyn hyn mae ei geiriau yn feichus wrth i'r alcohol gymysgu gydag awel oer yr oriau mân. 'Dilyn dy reddfau di, dyna'r peth pwysica.'

''Na 'mhroblem i!' Pwff ffrwydrol o chwerthin yn dianc o wyneb Harriet, ac Anna yn gafael ym mhen ei ffrind a'i ddal yn agos at ei mynwes hi ei hun am eiliad cynnes.

'Dere, rwy'n barod am y cyrri 'na nawr.'

'Sut mae Lois, ti'n credu?'

Ffluwchyn o bryder yn ysgubo dros wyneb Anna, yna'n diflannu'n ysgafn.

'Bydd hi'n saff o leiaf.'

Mae Anna'n gwasgu'r botwm gwyn i ganu cloch y tŷ bwyta, a'r ddwy yn cael mynediad ar unwaith a chael bord ym mhen pella'r ystafell hir. Maent yn edrych ar y fwydlen ac yn archebu bwyd. Ac yn cael cyfle i sobri yn y golau caled, a'r tawelwch.

'Triais i, Hari, wir i ti, triais i 'ngorau,' ac Anna o'r diwedd yn ceisio ateb cwestiwn nad ydyw Harriet wedi llwyddo i'w fynegi eto, wedi methu â dod o hyd i'r geiriau iawn er ei bod hi eisiau gwybod, yn ysu am wybod, am wybod un peth yn unig – pam. A'r ddwy yn bwyta mewn distawrwydd. 'Wir i ti,' medd Anna wrth dorri darn hir o'r bara Naan meddal a'i droi yn y saws. 'Triais i. Am funud 'nôl fan'na ro'n i'n dechrau teimlo'n flin drosto fe, ond dim ond am funud.'

Mae Harriet yn gorffen y reis saffron sy'n llaith â diferion y saws korma, ac o'r diwedd yn beiddio gofyn.

'Wyt ti eisiau dweud beth ddigwyddodd?'

'Dw i ddim yn gwbod yn iawn 'n hunan.'

Eisiau dweud? Ydw i eisiau dweud? Mae hi eisiau clywed, dyna'r hyn mae hi'n ei olygu, mae hi eisiau clywed. Mae hi ar dân eisiau gwybod beth ddigwyddodd. Ond eto i gyd, mae'n siŵr fod yr holl beth wedi bod yn sioc iddi hithau hefyd. Ac i finnau. Ond mae rhywbeth yn digwydd weithiau. 'Ych chi'n dod at ryw benderfyniad. Ar ôl poeni am rywbeth am wythnosau, am fisoedd, am flynyddoedd weithiau. Yn troi a throsi popeth yn y meddwl, yn ystyried pob agwedd, a phob ongl. A cheisio penderfynu, a'i adael yn eich meddwl am y presennol. Ond wedyn mae rhywbeth yn digwydd. Rhywbeth sy'n eich gwthio chi, yn eich ymestyn chi, ac wedyn ych chi'n gweithredu. Heb yn wybod i chi weithiau. Ac mae rhywbeth yn gwneud y penderfyniad drosoch chi. Fel petai popeth wedi gorwedd yn eich meddwl, popeth wedi'i setlo ac wedi ei benderfynu drosoch chi, rhywbeth yn penderfynu mai honna yw'r unig ffordd allwch chi fyth ei dilyn.

Ac wedyn ych chi'n rhydd.

Ac mae hi eisiau gwybod. O, Harriet fach, rwyt ti eisiau gwybod. Eisiau gwybod y clecs i gyd. A does dim clecs, Harriet, dim ond fi. Fi. Ar fy mhen fy hunan eto. Yn gryfach, ond yn fwy ofnus.

'Wnaeth e rywbeth i ti? 'Wedodd e rywbeth?'

'Wel.' Mae Anna yn tynnu anadl dwfn i mewn iddi, ac yn rhoi ei llwy i lawr am eiliad, yn syllu i wyneb disglair Harriet â'i cholur yn sgleinio'n anhyfryd. 'Digwyddodd popeth mor glou.'

'Allet ti 'weud hwnna eto.' Mae Harriet yn chwerthin ei nerfusrwydd 'Ond oedd rhaid i ti wneud hynna? Wnest ti bron ei gnocio fe mas. Do'n i ddim yn sylweddoli dy fod ti mor gryf.'

'Na finne.' Anna yn gwenu, ei llygaid yn disgleirio.

Na finne, Harriet. Y sioc, siŵr o fod. Dyna'r hyn hyrddiodd e ar draws y llawr dawnsio. Y sioc. Y funud honno doedd dim byd arall o'n i'n gallu ei wneud, wir i ti, Harriet. Ond anghofia i fyth y sioc ar ei wyneb e. Roedd hwnna'n werth y byd i gyd. Ond fy lle i oedd edrych ar ôl Lois. Ac yntau'n mynnu fy sylw i gyd. Tra ei fod e'n chwarae ei gêmau dwl gyda fi roedd Lois ar ei phen ei hunan ac mewn trwbwl. Ac fy mai i oedd hynny.

'Wnaeth e rywbeth? Ddwedodd e rywbeth?'

Mae Anna yn edrych o'i chwmpas, ac ni all ddod o hyd i le i orffwys ei llygaid.

'Pam adewaist ti iddi fynd, Harriet?' gofynna mewn llais athrawes, a rhywbeth yn corddi yn stumog Harriet, fel petai'n bum mlwydd oed eto ac yn cael stŵr yn yr ysgol.

'Dwedais i, doedd dim byd o'n i'n gallu'i wneud. Dyw hi ddim yn iawn i ymyrryd ym mywydau pobl eraill.'

Anna yn edrych arni yn syn, ei llwy yn ei llaw hanner ffordd rhwng ei cheg a'r bowlen Balti fawr ddu.

'*Ti* wedi newid dy diwn.'

Ac mae Harriet yn petruso.

'Wel, falle 'mod i wedi dysgu rhywbeth heno, o'r diwedd.'

'A beth wyt ti'n meddwl fod ti wedi'i ddysgu, Harriet?'

Harriet yn syllu arni. Yn clywed rhyw gerydd. Yn penderfynu ateb serch hynny. Yn datgan yn hy: 'Mae'n anfoesol trio trefnu bywydau pobl.'

Ac Anna yn siglo ei phen mewn rhwystredigaeth.

'Na, nid dyna sy'n wir, Hari. Rwyt ti'n rhydd i ymyrryd cymaint lici di. Ti'n gwbod beth yw'r gwir? Dwyt ti ddim wedi sylweddoli eto? Cer 'mlaen ac ymyrryd cymaint lici di. Y gwir yw wnaiff ddim byd y gwnei di unrhyw wahaniaeth o gwbl. Ti'n sylweddoli 'ny? Gwastraffu dy amser wyt ti. Fi a Chris heno, er enghraifft. Ro'n i'n gwbod beth o't ti'n trio'i wneud . . .' a cheg Harriet yn agor, ei geiriau'n barod, ond nid yw Anna yn bwriadu rhoi'r cyfle iddi. 'Rwy'n gwbod faint o drefnu aeth mewn i 'nghael i a Chris yn yr un lle heno. Ac mewn ffordd rwy'n gwerthfawrogi hynny. Mae'n annwyl iawn. Ond . . . ond dwyt ti ddim yn gweld, alle dim byd fod wedi gwneud pethau'n iawn i ni. Dyw hi ddim i fod. Roedd popeth drosodd fisoedd yn ôl. Does dim ffordd 'nôl . . .'

Mae drws y tŷ bwyta yn agor, a rhyw ffwdan y tu mewn. A'r ddwy yn edrych i fyny yn sydyn. Ac yn y drws mae Lois yn archwilio pob bord, un ar ôl y llall, ac yn rhuthro draw at ford Anna a Harriet, ei gwallt yn wlyb, yn diferu ar ei hysgwyddau hanner noeth.

'O ble'r arswyd ddest ti?' Mae Anna yn gofyn gan hanner godi o'i sedd. 'Wyt ti ar dy ben dy hunan? Beth sy'n bod arnat ti? Dyw hi ddim yn saff bod ar dy ben dy hunan.'

'Mae'n olreit,' mae hi'n eu sicrhau. 'Ces i dacsi yr holl ffordd o fflat Dan.'

'Beth wnaeth e i ti? Dwed, beth wnaeth e?'

'Dim byd. *Fi* wnaeth benderfynu gadael . . .'

Falle 'mod i'n edrych yn rhy ypsét. Y glaw siŵr o fod, y glaw, a'r mascara wedi rhedeg yn y glaw. A does dim llawer o finlliw ar ôl ar fy ngwefusau. Ac rwy wedi blino, o, rwy wedi blino cymaint. Y peth ola rwy eisiau 'i wneud nawr yw ateb cwestiynau Anna. Mae hi'n fwy fel mam na chwaer weithiau. Mae'n gwybod popeth amdana i. Yn gwybod gormod. Dw i ddim eisiau dweud dim. Rwy yma. Dyna'r peth pwysig, yma gyda nhw. A'r tair ohonon ni 'da'n gilydd eto. Yn gryf. A dw i ddim eisiau dweud dim.

'Wel, dere i eistedd.' Mae Anna yn penderfynu ei fod yn well ildio am y tro. 'Wyt ti eisiau bwyd?'

'Na, rwy'n iawn.'

'Mae'n rhaid i ti fwyta,' ac mae hi'n ceisio dal sylw'r gwas, a Lois yn ceisio'i hatal.

'Wel.' Mae Anna yn ildio eto, yn adnabod yr arwyddion distaw yn llygaid ei chwaer. 'Os ŷn ni wedi gorffen, dylwn ni adael, sbo.'

Ond nid oes neb yn symud. Mae hi'n dweud yr un

geiriau eto. Ond nid oes neb yn ymateb. Rhywle y tu ôl iddyn nhw mae dau ddyn hollol chwil yn creu trwbwl, yn cwyno am y ford maen nhw wedi ei chael, a'r gweinyddion, tri ohonyn nhw, yn pentyrru o'u cwmpas, yn dangos lle arall iddyn nhw, yn dangos y ffordd yn gefngrwm, yn wylaidd.

'*Fi* sy'n talu, so *fi* ddyle benderfynu ble wy'n mynd i ffycin eistedd . . .'

Y merched yn siarad amdanyn nhw drwy wneud dim ond edrych yn ddirgel a dealladwy ar ei gilydd. A'r sŵn yn creu tawelwch lletchwith. Pen Lois i lawr, ond mae hi'n dechrau siarad, yn isel i ddechrau, yna'n ennill hyder.

'Rwy'n mynd i'w wneud e y tro hwn.'

'Be ti'n feddwl?' Llais Anna yn feddal, yn gysurlon. 'Be ti'n feddwl, *babe*?' a Lois yn codi ei phen fel bod pawb yn gweld olion ei dagrau. Dagrau dig.

'Ych chi'n credu bod amser i bawb?' Nid yw'n aros i gael ateb. 'Wel, rwy'n credu bod fy amser i wedi dod. Peidiwch â dweud 'mod i'n dwp. Rwy'n gwbod bod neb arall yn fy neall i. Ond rwy'n gwbod bod dawn gyda fi. Galla i ennill bywoliaeth, dim ond i fi gael yr hyder yno' i'n hunan. Dim ond i fi gymryd y risg, y cam mawr. Ar fy mhen fy hunan. Rwy'n gwbod bod ti'n meddwl bod fy stwff i'n sbwriel, Anna.' Mae'n edrych arni yn herfeiddiol, ond heb gael ymateb. 'Ond does dim ots am hynny. Dyw pawb ddim fel ti. A ti'n gwbod beth? Does dim ots 'da fi beth wyt ti na neb arall yn ei feddwl. Fy amser i yw hi nawr. Fi sy'n penderfynu. Ac rwy'n gwbod bod yr amser yn iawn, a 'mod i'n gallu llwyddo.'

Beth sy'n bod arnyn nhw? Does neb yn dweud dim. Ro'n i'n disgwyl iddyn nhw wrthwynebu, neu o leiaf wgu neu ddweud rhywbeth cas, rhyw ddirmyg oer. Ond does dim coegni yn llygaid Anna. Am unwaith. Beth sy'n bod arni? Dyw hi'n dweud dim.

Ond o'r diwedd mae Anna yn dechrau siarad. Yn sicr. Yn dawel. 'Wel, os wyt ti mor benderfynol â 'ny, sai'n gallu gweld sut allet ti fethu.'

'Ar fy mhen fy hunan,' mae Lois yn pwysleisio. 'Dim ond fi. Ac os yw e'n dod ar f'ôl i, fydda i ddim yn mynd gyda fe. Os nad yw e'n deall, ei broblem e yw hwnna. Rwy'n gwneud hyn er fy mwyn fy hun. Ar fy mhen fy hunan. Does dim rhaid i fi gael help dyn, reit?'

'Wrth gwrs, ar dy ben dy hunan,' ac mae derbyn yn llais Anna, derbyn llonydd, tawel.

'Ŷn ni wedi dod i rai penderfyniadau ein hunain heno hefyd, on'd ŷn ni, Harriet?' Mae Harriet yn cadw ei phen i lawr, ond ei llygaid ar i fyny. Ac Anna yn codi ei haeliau tuag ati. 'On'd ŷn ni, Harriet.' Dyna fe Harriet. Paid â dweud dim. Dim heno. Mae digon o broblemau gyda Lois i ddelio â nhw heno. A does dim problem o gwbl gyda fi. Ddim mwyach. Mae hwnna'n ddibwys. Wedi mynd. Wedi gorffen.

'Wel?' Mae Lois yn oedi. 'Oes rhywbeth wedi digwydd?'

Mae Harriet yn siglo ei phen. 'Dim byd mawr.'

'Gadawon ni'r clwb yn eithaf sydyn,' medd Anna, yn codi ei haeliau tywyll a'i gwydraid ar un ystum.

'Chris?' medd Lois, fel petai hi wedi disgwyl clywed hyn.

'Anghytundeb,' yw unig air Anna, wrth iddi ystyried y gwydraid o'i blaen. Dyna'r unig beth rwy eisiau ei ddweud heno. Ac mae Lois yn gwybod hynny. Mae hi'n rhy gall i ofyn ymhellach. Ac mae'n rhy ypsét, yn rhy gaeth i'w phroblemau ei hun. Ond rwy'n siŵr y bydd Harriet yn esbonio popeth wrthi, rywbryd, nes ymlaen. Ond nid heno. 'Weda i ddim byd heno. Mae hyd yn oed

Harriet yn gwybod yn well. Ond petai un ohonyn nhw'n gofyn i fi, fyddwn i ddim yn ateb. Beth sydd i'w ateb? Does dim byd i'w ddweud. Dim ond un peth. Un peth mae Lois wedi dechrau ei ddysgu, a rhywbeth dylwn i fod wedi ei ddysgu o'i blaen hi.

'Mae amser y merched wedi dod, on'd yw hi, Harriet. Ein hamser *ni* yw hi heddiw, a rhaid i ti afael mewn bywyd gyda dy holl egni.' Byw bywyd droson ni ein hunain a neb arall.

'Rwy wedi penderfynu,' llais Harriet, nid Lois. Harriet yn datgan yn uchel i bawb o gwmpas y ford, ac o'i hamgylch, a phrysurdeb yn ei llais, byrbwylldra hefyd.

'Beth wyt ti'n olygu, Harriet?'

'Rwy o ddifri!' Mae'n edrych yn herfeiddiol ar Anna ac yn cario ymlaen, fel petai wedi ei hysbrydoli. 'Y ffordd rwy'n byw. Dyw'n gwneud dim daioni i fi. Rwy'n sydyn wedi sylweddoli beth rwy'n ei wneud o'i le. Rwy wedi cael y *one night stand* ola. O hyn ymlaen rwy'n mynd i barchu'n hunan. Os yw hynny'n golygu bod heb ddyn tra 'mod i'n aros am yr un iawn, wel, dyna ni. Ond rwy'n mynd i aros y tro hwn. Aros nes 'mod i'n ffindo'r un rwy'n mynd i'w briodi.'

'Harriet – *born again virgin*,' yw geiriau Anna. Mae hi'n codi ei gwydraid dŵr o flaen wyneb Harriet ac yn aros am eiliad lletchwith i weld sut y bydd hi'n ymateb, yn dal ei hanadl. Ond mae Harriet yn gwenu, a'r wên yn troi'n chwerthin braf.

'Rwy'n mynd i safio'n hunan o hyn ymlaen!'

'O, *ie* . . .' ond mae Anna yn tewi yn sydyn wrth i Lois ei phwno yn ei hystlys ond nid yw Harriet fel petai'n sylwi. Mae hi'n cymryd cegaid fawr o'i lager, ac mae'n siarad â'r ford, fel petai'r lleill ddim yno o gwbl.

'Rwy wedi newid. Rwy'n mynd i barchu'n hunan o

hyn ymlaen,' ac mae'n cymryd llond ceg arall, a'r tro hwn mae diferion o lager yn dianc o ochrau ei cheg, a hithau'n eu bwrw i ffwrdd gyda chefn ei llaw. Yna mae'n troi i'w de a'i chwith i gydnabod y ddwy arall. Anna yw'r cyntaf i siarad, yn amneidio, yn gwenu gwên ceg-ar-gau, ac yn codi ei haeliau. Ac ar ôl hanner munud o hyn, yn dweud:

'Wel.' Harriet yn ciledrych arni, yn disgwyl cellwair o leiaf, coegni cas ar y gwaethaf, ac Anna yn gwybod hynny. 'Wel, *good for you*, 'na beth wy'n ei ddweud, Harriet.'

Y tair yn ddistaw am funud. Anna yn aros am ymateb. Lois yn pendroni ynghylch cymhelliad ei chwaer, a Harriet mewn sioc. A phawb yn edrych ar Anna i'w harwain.

'Mae dynion yn mynd a dod, on'd 'yn nhw. Ond mae ffrindiau wastod gyda chi, wastod yno i chi. Rwy'n credu gallwn ni wneud yn arbennig o dda heb ddynion.'

'Ond nid am byth.' Mae Lois yn swnio'n bryderus.

'Wel, maen nhw'n ddefnyddiol weithiau,' mae Anna yn cyfaddef. 'Ond ar y cyfan beth ych chi'n cael mas ohonyn nhw? Dim ond trwbwl, 'na beth. A *ni* sy ar fai. *Ni* yw'r rhai sy'n meddwl ein bod ni ddim yn gallu byw hebddyn nhw. Ond ŷn ni'n gryf. Mae'n bryd i ni sylweddoli 'ny. Ŷn ni'n gryfach nag ŷn ni'n meddwl. Ŷn ni'n gallu gwneud ein ffordd ein hunain yn y byd.'

'I ni,' medd Lois a chodi un o'r gwydrau dŵr, a Harriet yn llenwi ei hun hi yn frysiog o'r jŵg, ac yn ei godi i gyfarfod ag un Lois ac un Anna. 'I ni.'

'A dim ond ni,' mae Anna yn ychwanegu.

'I ferched,' mae Harriet yn gweiddi, a'r gwydrau yn cwrdd unwaith eto. Yn hapus. Yn orfoleddus. Yn derfynol.

Mae'r gweinydd yn dod yn ôl gyda'r bil ac yn gofyn

a ydyn nhw eisiau tacsi. Anna yn gwenu mewn boddhad ar bawb arall, a'r wên yn cael ei hateb. Mae pawb yn hapus. Pawb yn hyderus. Pawb yn teimlo mor bositif am y dyfodol. Mae Anna yn edrych o un i'r llall.

'Sawl tacsi, ferched? Ŷn ni'n mynd i gyfeiriadau gwahanol on'd ŷn ni. Tri? Un i bob un?' Does neb yn ei chywiro, ac felly mae hi'n troi at y gweinydd ac yn gofyn am dri. Y dyn bach yn gwibio i ffwrdd, ei ben i lawr. Ac yn ymadael â'r ford gan adael yr olygfa o'r ford i'r drws yn glir, a'r tair yn gallu gweld bod rhywun yn sefyll yn y bwlch hwnnw, ei bresenoldeb yn drwm yn y goleuadau llachar. Mae Anna yn edrych ar Lois wrth i honno ochneidio'n wan. Ei llaw dros ei cheg.

'Dan?'

Do'n i ddim yn ei ddisgwyl. Nid fan hyn. Nid nawr. 'Wedais i ddim 'mod i'n dod yma. Rhaid ei fod e wedi fy nilyn i, wedi chwilio. Mae e'n edrych mor ddiniwed, yn sefyll yn y drws, ei ddwylo ym mhocedi ei siaced. Mae e wastod yn edrych yn dda mewn lledr. Mae e jest yn aros 'na. Pam dyw e ddim yn dod lan fan hyn aton ni? Dyw e ddim yn gofyn dim, yn dweud dim, dim ond yn aros 'na. Mae e mor llonydd, mae'n hala ofn arna i.

'Rwy'n mynd i siarad gyda fe,' mae Lois yn sibrwd yng nghlust ei chwaer.

'Bydd yn ofalus,' daw'r ateb. 'A ffonia fi fory rhywbryd.'

'Ond dim ond mynd i siarad am eiliad dw i.'

'Bydd yn ofalus.'

Siarad am eiliad? Dwli yw hwnna. Mae hi'n mynd gyda fe. Mae hynny'n amlwg i bawb. All hi fyth ei wrthsefyll e pan mae e'n edrych arni fel'na. Mae e'n gwybod ei mannau gwan hi erbyn hyn, ar ôl yr holl flynyddoedd 'ma. A falle nad peth drwg mo hynny wedi'r cyfan. O leiaf mae e'n ei charu hi, yn poeni amdani.

'Nos da, Lois.' Mae Anna yn tynnu Lois i lawr ati hi i'w chusanu, a Lois yn troi at Harriet ac yn gwneud yr un peth, cyn brysio tua'r drws

'Alla i ganslo un o'r tacsis?' Anna yn gofyn wrth un o'r gweinyddion sy'n siarad â rhywun ar y ford nesa. Y dyn yn amneidio, ac yn cadarnhau heb betruso. Ac Anna yn edrych ar Harriet. Nid yw hi wedi dweud gair ers i Daniel gerdded i mewn, ond mae ei llygaid dros y lle i gyd, ei hwyneb yn wrid i gyd, a lleithder newydd wedi dechrau ymddangos ar ei chroen fel petai twymyn ysgafn arni.

'Beth sy'n bod, Hari?'

O'r arswyd, wnes i ddim meddwl. Steffan. Mae hi'n poeni am Steffan. Ac roedd pethau'n mynd mor dda iddi, a fi sbwylodd hynny. Fi dynnodd hi oddi wrtho fe.

'Os wyt ti'n poeni am Steffan, paid. Galla i gael ei rif ffôn e, dim problem. Ŷn ni'n gwbod ble mae fe'n gweithio, does dim rhaid i fi fynd trwy Chris. Allwn ni gysylltu â fe'n hawdd. Dyma beth wnawn ni. Siarada i 'da fe. Esbonia i, dweda i taw fy mai i oedd hi ein bod ni wedi rhuthro i ffwrdd mor gyflym. Dim byd i'w wneud â ti. Bydd e'n deall. Mae e mor neis, bydd e'n siŵr o ddeall, ac roedd e mor hoff ohonot ti . . .'

'Na, Anna. Paid â phoeni.' Mae derbyn tawel yn ei llais.

'Beth wyt ti'n meddwl, paid â phoeni. Rwy yn poeni!'

'Dw i ddim yn grac gyda ti. Mae'n iawn.'

'Dyw e ddim yn iawn. Dw i ddim eisiau i ti golli mas ar gyfle fel hyn!' Mae'r diffyg brwdfrydedd yn wyneb Harriet yn poeni Anna. 'Wel, beth am hyn. Ga i ei rif ffôn e, siarada i 'da fe, ac wedyn gelli di benderfynu beth wyt ti eisiau gwneud. Lan i ti. Dim pwysau.'

'Mae hwnna'n swnio'n grêt, ond . . .'

'Pa ond? Dihuna lan, Hari. A paid â dweud fod ti ddim yn ei hoffi fe, achos gwelais i ti. O do.' Dyw hi ddim yn dweud dim. Beth sy'n bod arni? Ro'n i'n meddwl ei bod hi wedi penderfynu. Yn mynd i aros am rywun sefydlog, dibynadwy. A dyma un o'i blaen hi, a dyw hi ddim yn gwneud dim. Ond alla i ddim dweud dim. Ŷn ni i gyd yn dal mewn rhyw fath o sioc, siŵr o fod. Ac mae effaith yr alcohol yn lleihau nawr, ac yn gadael dim ond lludded gwag ar ei ôl.

'Mae e *yn* neis, on'd yw e. Dibynadwy. Fel wyt ti'n ddweud. Bydd e'n aros. Bydd e'n dda i fi.' Cystal iddi feddwl 'ny. Does dim ots nawr beth bynnag. Ac os dw i ddim yn protestio gormod fydd hi ddim yn ei ffonio fe, nac yn trefnu i ni gwrdd na dim byd twp fel'na. Dw i ddim yn teimlo'n flin ei bod hi wedi fy nhynnu i ffwrdd o'r lle 'na. Falle dylwn i. Ond dw i ddim. A dw i ddim yn deall yn iawn pam. Dim ond bod y syniad o gael rhif ffôn Steffan yn hala ofn arna i. Does dim byd yn bod arno fe. Mae e'n berffaith. Ond mae'r nerfusrwydd 'ma yn dechrau codi o rywle. Hwyrach fod Anna wedi gwneud ffafr â fi, yn torri ar draws pethau fel'na. Beth fyddai wedi digwydd fel arall? Na, mae eisiau amser i fi feddwl, amser i anadlu, i benderfynu beth sy ei eisiau arna i. Falle mai Steffan yw'r Un, ond falle nage, ac rwy eisiau bod yn siŵr gyntaf, cyn dechrau ar unrhyw beth. Mae'r holl beth yn rhy ddifrifol. Ond rwy'n gwybod bod cyfle gyda fi nawr. Gwir gyfle.

'Hei, Harriet – mae dêt 'da ti fory, on'd oes?' Mae hi'n edrych arna i fel na phetai hi'n deall. 'Fferyllydd oedd e?'

Mae wyneb Harriet yn wag am eiliad.

'Ie – anghofiais i . . .'

'Wel? Mae pethau'n dechrau gweithio mas i ti, on'd 'yn nhw. Mae dewis gyda ti nawr. Ac mae e i gyd lan i ti, on'd yw e!'

'Lan i fi . . .' Ac mae e i gyd lan i fi. I fi benderfynu.

'Nawr – gartre, rwy'n meddwl!'

'Dim ond un tacsi sy ei angen, Anna.' Daw'r geiriau fel bwledi. Ac wedyn mae hi'n troi at y gweinyddion: 'Oes ffôn gyda chi?'

Ymhen y funud mae hi'n ôl.

'Trefnu rhywun i fynd â fi tua thre,' yw ei hesboniad.

A thacsi Anna sy'n cyrraedd yn gyntaf.

Mae hi'n gwyro yn isel dros Harriet.

'Edrych ar d'ôl dy hunan, wnei di?'

A chyn ffarwelio, mae Harriet yn codi ac yn taflu ei breichiau o gwmpas Anna, yn ei dal yn agos, yn gwasgu. Yn teimlo'r cynhesrwydd, y gofal llethol.

'Bydd yn ofalus, Hari, wnei di? Jest bydd yn ofalus,' yw geiriau olaf Anna cyn mynd at y tacsi.

'Wrth gwrs.' Am beth mae hi'n sôn? Dim ond mynd adre ydw i! Ond mae'n rhaid i fi wenu.

'Jest bydd yn ofalus.'

Mae'r car yn frwnt ac yn drewi o fwg.

'Brynhyfryd, plîs.'

Ffyc, rwy'n feddw. Ac mae'r daith dacsi 'ma'n cymryd oesoedd. A sai'n gwybod pam achos does dim llawer o geir eraill ar y ffordd. Mae hi bron yn dri o'r gloch y bore. Wnes i ddim sylweddoli ei bod hi mor hwyr â 'ny. Sôn am noson ryfedd. Ond noson dda. Ie, rwy'n fodlon ar heno yn y bôn. Wnaeth pethau ddim gweithio mas mor wael â 'ny, naddo. O wel. Nos Wener arall heibio. A'r wythnos nesa bydd cyfle unwaith eto. Noson arall, pobl wahanol. Hwyl gwahanol. Dim ond nos Wener arall. Gobeithio bydd *black eye* gyda Chris bore fory, *real shiner*, a'i fod yn para tan ddydd Llun, nes iddo fe fynd i'r gwaith, fel bod pawb yn gallu gweld. Iesu, pam yfais i gymaint? 'Dyn ni ddim fel arfer mor hwyr nac mor feddw. Gobeithio 'mod i wedi creu trafferth iddo fe. Rhywbeth iddo fe orfod esbonio ar fore Llun, a rhywbeth y bydd yn rhaid iddo fe esbonio wrthi *hi*. Gobeithio.

Do'n i ddim yn bwriadu bod mor hwyr heno. Gobeithio bod Stephanie'n iawn gyda Rhian. Diolch byth ei bod hi'n aros dros nos. Mae'r lleuad mor llachar, fel bylb mawr trydan cant a hanner watt yn hongian lan fan'na. Mae'n hala arswyd arna i, lleuad fel'na. Mor finiog, rhywfodd. Annaturiol bron, er 'mod i'n gwybod mai hi yw'r peth mwyaf naturiol yn y byd. Falle'n rhy naturiol. Falle mai dyna'r broblem. A chan nad yw hi'n llawn, mae'n gwneud i bopeth edrych mor glir rhywfodd, yn gwneud popeth mor amlwg, yn gwneud i fi sylweddoli gormod o bethau, pethau dw i ddim yn eu deall. Ond rwy'n deall sut rwy'n teimlo. Rwy'n sicr o hynny. Bydd Rhian yn cysgu, gobeithio. Ond af fi i eistedd ar bwys ei gwely am sbel, a falle cysga i 'na. Tybed fydd hi'n siarad yn ei chwsg eto heno. Mae hi'n siarad yn ei chwsg weithiau. Mae hi'n sôn am bob math o bethau. Pan fydd hi'n hŷn fe ddaw hynny'n handi iawn, siŵr o fod. Ga' i wybod ei chyfrinachau hi i gyd, am ei dynion hi i gyd. Fydd hynny ddim yn hir nawr, sbo.

Yn gwibio drwy'r ddinas yn rhywle mae tacsi mawr melyn, a'r gyrrwr yn gwenu'n hunanfodlon, a'i gwsmer yn eistedd yn y sedd ffrynt yn chwifio ei breichiau o gwmpas yn frwdfrydig i atalnodi ei sgwrs yn gynhyrfus, ei llygaid yn fflachio â hyder.

'Mae'n rhaid i fi fod yn onest gyda ti.'

'Oes?'

'Oes. Pan 'wedais i 'mod i'n un ar hugain. Wel dw i ddim rîlî. Rwy'n bump ar hugain. Ydy hynny'n beth ofnadwy?'

Do'n i ddim wedi bwriadu dod i eistedd yn y sedd ffrynt. Mater o arfer, dyna i gyd. Ond mae'n neis cael siarad â rhywun sy ddim yn fy nabod i, ddim yn fy nabod yn iawn beth bynnag. Beth mae hwn yn ei wybod amdana i, wedi'r cyfan? Dyna pam gallai i ddweud celwydd eto. Ac rwy'n teimlo'n ysgafnach nawr, nawr rwy wedi gwneud rhai penderfyniadau. Ac rwy'n teimlo fel cellwair, fel chwerthin, fel chwarae. Mae llygaid hwn yn ciledrych arna i eto, yn gadael yr heol mewn ffordd beryglus o ddeniadol. Ac mae e eisiau chwarae hefyd. A gallaf ymlacio eto, ac nid oes rhaid i fi feddwl na chynllunio na phoeni am unrhyw beth.

'Wel,' mae petruster bach yn ei lais, ond dim ond am eiliad. 'Wel, mae'n rhaid i *fi* fod yn onest gyda ti.'

'Oes?'

'Oes. Pan 'wedais i am y band . . . wel, dw i ddim . . . wel, ddim yn gwmws . . . ddim *gyda'r* band yn gwmws. Mae'n hollol wir eu bod nhw wedi cael *contract* a phopeth fel'na, ac rwy'n cario eu stwff nhw o gwmpas, ac maen nhw wedi dweud alla i ganu *backing vocals* iddyn nhw weithiau . . . ydy hwnna'n gwneud unrhyw wahaniaeth?'

'Beth wyt *ti'n* meddwl?'

Pam ddylai wneud gwahaniaeth, y twpsyn? A dweud y gwir, rwy'n dy lico di'n well nawr ar ôl i ti ddweud 'ny. Rwyt ti'n anwylach rhywffordd. Yn fwy real. Real, ac yma.

'Na, wrth gwrs bod hi ddim. Dim o gwbl.'

Mae e'n gwenu, ac yn tynnu ei sylw o'r ffordd yn ddigon hir i wenu'n fodlon arni hi.

211

'Pryd wyt ti'n cwpla'r *shift* 'ma?' mae hi'n gofyn, yn glir ac yn ddiamheuaeth.

'Chwech o'r gloch y bore 'ma.'

Mae hi'n amneidio'i phen yn feddylgar, ac mae e'n edrych arni, yn chwilio am ymateb, yn chwilio am arwyddion, arwyddion arbennig, rhai cyfarwydd. A hithau'n oedi'n hir cyn siarad, a'i llais yn hy, ei llais yn eofn. Yn ifanc.

'Wel, rwyt ti'n gwbod ble rwy'n byw nawr, on'd wyt ti. Ac rwy wastod yn teimlo ar fy mwyaf effro y peth cynta yn y bore . . .'